METTEURS EN SCÈNE

DU MEME AUTEUR

ROMANS ET CONTES :

Les Colonnes d'Hercule (Les Deux Rives).
La Petite Ourse (Julliard).
Contes des Pays de Loire (Lanore).
Les Chevaliers de la Table Ronde (Lanore).

ESSAIS :

Gérard de Nerval (Les Deux Rives).
Baudelaire (Editions Universitaires).
Alain-Fournier (Editions Universitaires).
Roger Martin du Gard (Editions Universitaires).
Jacques Copeau (L'Arche).

THÉATRE :

Claire et le Loup (3 actes).
Le Poisson Rouge (1 acte).
Les Noces de Blancheneige (1 acte).
Le Moulin du Cormier (3 actes — à paraître).

CLÉMENT BORGAL

METTEURS EN SCÈNE

Jacques COPEAU

Louis JOUVET

Charles DULLIN

Gaston BATY

Georges PITOËFF

FERNAND LANORE
48, rue d'Assas — Paris VIe

Cet ouvrage a été déposé à la Bibliothèque Nationale
le 4e trimestre 1963

TABLE

JACQUES COPEAU

PELERINAGE AUX SOURCES

Si l'œuvre de Copeau revêt une importance exceptionnelle dans l'histoire du théâtre, c'est parce qu'il a prétendu, non pas apporter dans le monde dramatique une quelconque réforme, mais susciter une renaissance. Pour lui — et c'était presque vrai — le théâtre était mort. Il s'agissait, non de le soigner, mais de le ressusciter.

Reportons-nous aux origines.

Né des célébrations religieuses, le théâtre médiéval ressortissait aussi peu que possible à la littérature. Sans prévention contre aucun mode d'expression artistique, il utilisait la danse, la musique, la décoration, avec autant d'ingénuité que le verbe. Seule comptait, sous la direction du « meneur de jeu », la manifestation enthousiaste et populaire de la foi. Le même élan de communion emportait public, acteurs et auteur. Le spectacle formait un tout. Point n'eût été question de l'analyser.

Au sein de ce mélange vigoureusement désinvolte, l'humanisme prétendit imposer les catégories de la raison. Il fallut d'abord séparer musique et littérature, puis tragédie et comédie; ensuite, à l'intérieur de ces genres mêmes, distinguer des nuances à n'en plus finir — cependant que la mystique du spectacle s'évanouissait peu à peu. Commencée à l'époque de la Renaissance, la transformation était pratiquement consommée au siècle de Boileau. Le théâtre était devenu le domaine des études psychologiques. Le héros avait perdu sa qualité de demi-dieu — ou de saint — pour n'être plus qu'individu.

Grâce à la philosophie cartésienne, sur laquelle on vécut pratiquement jusqu'au XIXe siècle, un certain sens de la communion subsista provisoirement dans notre théâtre. Bien que nous présentant des destinées individuelles, voire exceptionnelles, les écrivains classiques ne s'en attachaient pas moins, dans l'étude des personnages, aux aspects de leur nature la plus fondamentale, la plus éternelle : la plus commune. Au siècle des lumières, dramaturges philosophes et spectateurs éclairés communièrent encore dans la foi nouvelle : mystique du progrès, triomphe de la raison. La comédie larmoyante et le drame bourgeois furent moins redevables de leurs succès au réalisme de leurs sujets, qu'à la prédilection des auteurs pour l'attendrissement vertueux. Enfin, la comédie révolutionnaire de Beaumarchais pouvait compter sur l'assentiment général, même celui des futures victimes de 1793.

Cependant, le XVIIIe siècle commence à s'inquiéter des différences grandissantes entre les classes sociales. La notion d'Homme cède lentement la place à la conscience de types de plus en plus séparés, divergents. On s'achemine insensiblement vers la conception d'êtres *extra-ordinaires*, monstrueux, au sens étymologique du terme. Sans doute, le drame romantique, encore imprégné des idéaux philosophiques de la révolution, et mal dégagé du souvenir de l'épopée napoléonienne, fait-il encore appel à certaines grandes émotions collectives. Il n'en établit pas moins le culte systématique de l'exception, du héros radicalement différent du reste de l'humanité.

Le péril était évidemment qu'un tel être ne devînt *étranger* au spectateur à force d'*étrangeté*. Si l'on ajoute que la plupart de ces « monstres » ne reculaient devant le rejet ni des conventions sociales, ni de la morale traditionnelle, on comprend qu'un certain désarroi s'en soit suivi, et que le théâtre se soit vu contraint de rechercher par une *facture* nouvelle à renouveler un intérêt que le spectateur ne trouvait plus dans le spectacle offert.

Au demeurant, la responsabilité de cette situation n'incombait point aux écrivains seuls. Molière et Racine avaient pu compter sur la sympathie d'un public, restreint peut-être, mais cultivé. Au XIXe siècle, grâce aux nouveaux moyens de transport, les théâtres parisiens s'emplissaient de provinciaux, pratiquement dépourvus de toute formation artistique ou littéraire. Le commerce, l'industrie fournissaient à de nouvelles classes sociales les possibilités de s'intéresser à des manifestations artistiques, au jugement desquelles elles n'avaient jamais été préparées. Les exigences de ce public inédit se firent de plus en plus impérieuses, les moyens pour le satisfaire de plus en plus grossiers. On soigna les décors, les bruitages. Les ressources de la mise en scène furent exploitées jusqu'au délire. La sensation, l'effet devinrent les seuls mots d'ordre des auteurs aussi bien que des acteurs ou des directeurs de salles. D'où la répugnance des esprits les plus délicats, la retraite de Musset ou de Victor Hugo, le théâtre de Clara Gazul; bref, l'apparition d'une littérature dramatique nouvelle, conçue loin de la scène, pour une seule élite.

Pratiquement étrangère, sinon résolument hostile au lyrisme, la génération qui suivit immédiatement le romantisme ne fit qu'accentuer la tendance du théâtre à s'enfermer dans des recherches techniques. Des règles et des préceptes, on tomba jusque dans les « recettes » — recettes au succès garanti d'ailleurs. Mais en dépit de talents certains, on ne peut nier que Dumas, Augier, plus tard Labiche, Sardou, Meilhac et Halévy, aient été des inventeurs de purs mécanismes, dont l'ingéniosité n'avait d'égale que la vanité. Par ailleurs, l'époque du Second Empire fut celle de la facilité, des divertissements mondains. Le théâtre se résigna le plus aisément du monde à devenir l'un de ces derniers, se faisant sans vergogne l'écho de la déliquescence générale des mœurs. Plus de problème moral. Partant, plus de choix, ressort essentiel de la littérature dramatique. Privé de sa véritable raison d'être, le spectacle de la scène ne présenta plus désormais que la caricature de lui-même. Pour reprendre l'expression de Maître Jacques, il ne fut plus rien qu'une ombre, une façon de théâtre.

Il va de soi qu'en présence d'un tel état de fait, nombre d'esprits avant Copeau sentirent la nécessité de réformes. Mais l'un s'inquiéta de lutter contre l'invraisemblance du jeu des acteurs, l'autre contre les prétentions du décor et la machinerie, un troisième contre l'indigence littéraire des textes. Aucun n'envisagea le problème dans toute son ampleur, ou, si l'on préfère, à partir des principes. Lui seul comprit que l'enjeu de la lutte qu'il allait mener était la notion même de Théâtre.

LE SPECTATEUR

Jacques Copeau naquit à Paris le 4 février 1879, au numéro 76 de la rue du Faubourg Saint-Denis. Son père dirigeait une entreprise de ferronnerie dont la fabrique se trouvait à Raucourt, dans les Ardennes. Il n'était pas ennemi du théâtre. Sa bibliothèque contenait un certain nombre de livrets; et il lui arrivait parfois d'emmener son fils au spectacle. Néanmoins, l'enfant subit bien davantage l'influence de son grand-père, qui jouait aux dominos avec Frédéric Lemaître, faisait partie de la claque au Théâtre Français, et qui lui offrit un jour certain Guignol, dont le souvenir se trouve évoqué dans la *Maison Natale.*

Contrairement en effet à certaines allégations, le théâtre fut la première et unique vocation de Copeau. Je m'en suis épris, dira-t-il, « en même temps que de la vie » (1) A douze ans, il se produit sur la scène du Casino de Normandie. A quinze ans, il « monte » avec ses sœurs quelques scènes *d'Athalie.* Pendant les vacances, il joue, met en scène, improvise, compose. Chaque fois qu'il le peut, il se rend au théâtre en cachette, assiste clandestinement à des répétitions. Enfin, à dix-sept ans, brillant élève du Lycée Condorcet, lauréat du Concours Général, il écrit et fait représenter sa première pièce, *Les Brouillards du matin,* sur la scène du Nouveau Théâtre, à l'occasion d'une fête de l'établissement. Le critique Francisque Sarcey en publie le lendemain un élogieux compte rendu dans sa chronique dramatique du *Temps.*

Pendant les deux années qui suivirent, et où il prépara en Sorbonne une double licence de lettres et de philosophie, il s'intéressa beaucoup moins, semble-t-il, aux programmes officiels qu'eux entreprises d'Antoine et de Lugné-Poe. En 1899, il écrivait une nouvelle pièce, *La Sève* (1), et concevait le premier schéma de sa grande œuvre : *La Maison Natale.*

Pourquoi, dans ces conditions, ne tenta-t-il point de réaliser son rêve, aussitôt libéré des études ? Parce que, dit Martin du Gard (2), il venait de découvrir Balzac, Stendhal, Flaubert, Dostoïevsky, et devait en conserver jusqu'à sa mort la tentation du roman. Beaucoup plus profondément, à mon avis, parce que l'état

---

(1) *Confidences d'Auteur* (Conférence prononcée en 1933).
(1) Demeurée inédite.
(2) *Souvenirs autobiographiques et littéraires.*

dans lequel se trouvait le théâtre à l'époque le dégoûtait et qu'il y jugeait toute réalisation sérieuse impossible, toute préoccupation artistique impensable. Enfin — et surtout peut-être — parce qu'un certain nombre d'évènements imprévus décidèrent alors pour lui de la voie qu'il devait suivre.

Le premier de ces événements fut son mariage avec une jeune Danoise protestante nommée Agnès Thomsen, rencontrée six ans plus tôt à Paris, et qu'il épousa en 1901 à l'église catholique de Copenhague. Il séjourna au Danemark pendant trois ans, commença de là-bas sa collaboration à quelques revues littéraires. Sa critique de l'*Immoraliste* lui valut une lettre enthousiaste de Gide, avec lequel il s'empressa de se mettre en rapport dès son retour en France. Mais la mort de son père le contraignit alors à un départ imprévu pour Raucourt, afin d'y prendre la direction de la fabrique ardennaise.

Ce nouvel intermède allait durer deux ans. En 1906, l'affaire tombée en faillite, il regagna Paris. Qu'y faire ? Provisoirement, il accepta le poste de directeur d'expositions à la galerie d'art Georges Petit, non loin de la Madeleine. Cette situation inattendue lui permet d'entrer en relations avec le peintre Théo van Rysselberghe, futur collaborateur du Vieux-Colombier, puis, par son intermédiaire, avec Jacques Rouché, qui lui offrira bientôt sa première chance d'auteur. Elle lui permet surtout de continuer et d'intensifier sa collaboration aux revues (1). Pendant quatre ans, à la faveur de ses chroniques dramatiques, il va pouvoir élaborer sur l'état du théâtre contemporain le diagnostic le plus impitoyable, mais aussi le plus fécond, qui ait été établi de tout le siècle. L'année 1907 représente à ce point de vue la première date importante de sa carrière, où, Léon Blum ayant quitté sa tribune de la *Grande Revue,* Jacques Rouché lui demande d'assurer sa succession.

Le premier vice dénoncé par Copeau dans les pièces qu'il analyse est cette recherche de l'effet pour lui-même, dont nous avons vu qu'il avait pris naissance à l'époque de Musset. Artifice sans art, partant mensonge, fausseté : ni le *Samson* d'Henry Bernstein, ni le *Scandale* de Bataille n'échappent au reproche. Le mal est si grave que les talents les plus sûrs ne savent point résister

(1) *L'Ermitage, Les Essais, Théâtre, Le Gaulois, Le Figaro Illustré, Antinéa, La Nouvelle Revue, Revue d'Art dramatique, Le Petit Journal, Art et Décoration.*

à la tentation. Mieux : tout se passe comme si leur goût, irrémédiablement faussé, attribuait une quelconque valeur dramatique à tous les procédés d'artisanat convenus, aussi grossiers, frelatés, inauthentiques, que ceux de la mise en scène. Oublieux de toute recherche de la vérité humaine, le théâtre se ravale au rang de divertissement. Il ne revendique plus la moindre dignité esthétique.

Lui objecte-t-on les grands principes classiques sur la nécessité du métier ? Il les balaie d'une phrase. « Tous ces procédés matériels, ces grossières précautions, ces trucs gratuits, c'est le faux métier, le mauvais métier..., celui que les amateurs apprennent avec aisance, appliquent avec excès. Non seulement il ne forme pas l'auteur dramatique, mais il le déforme » (1). Les règles artisanales ne se justifient que dans la mesure où elles s'efforcent de traduire une exigence interne et spécifique. L'essence du théâtre est la vérité. Elle seule peut engendrer une poésie valable, dont quelques auteurs isolés ne présentent plus que des pastiches.

Sans doute tout n'est-il pas systématiquement condamnable dans la production contemporaine. Indifférent aux modes de son temps, Becque le frappe par sa simplicité, son dépouillement, son culte d'une certaine forme de litote, qui fait parfois songer à Molière. Emile Fabre, bien que manquant de génie créateur, lui paraît digne du plus profond respect pour « avoir conçu une très haute idée du Théâtre », et souhaité « le réinvestir de sa dignité » (2). Il s'agit là cependant d'exceptions fort rares. La plupart des écrivains n'ont d'autre souci que de satisfaire aux exigences d'un public, dont ils ont eux-mêmes faussé le jugement en s'abaissant jusqu'à lui, au lieu de l'éduquer en s'efforçant de lui présenter des œuvres d'art.

Au reste, l'acteur ne porte-t-il point sa part de responsabilité? Obsédé par la préoccupation à peu près unique de son succès personnel, il n'a garde de se mettre au service de l'œuvre qu'il interprète. Bien au contraire, il se sert d'elle, en use et en abuse, dicte presque ses conditions au dramaturge trop heureux de le compter dans sa distribution. Et ce n'est point le directeur de la salle qui le lui reprochera ! Spéculateur au sens littéral du terme,

---

(1) *Critiques d'un autre temps* (A propos de la *Robe rouge* et de *Suzette*, d'Eugène Brieux).

(2) Loc. cit. (A propos de *Timon d'Athènes*).

le succès pour ce dernier se nomme recette. Il a *son* public, qu'il importe de ne décevoir sous aucun prétexte. La nouveauté a peu de chances de lui plaire et de retenir son attention. Grâce à lui, le théâtre, même dans les salles subventionnées, n'est plus rien d'autre qu'un commerce.

Tout est-il donc perdu ? Heureusement non, car il reste les classiques. Molière, Shakespeare sont les archétypes immuables auxquels il faut revenir, afin de retrouver le secret de la réussite alliée aux exigences de l'œuvre d'art.

On peut à bon droit s'étonner que la plupart des critiques professionnels n'aient rien fait pour redresser les jugements, éclairer le public, gourmander auteurs et acteurs. Pour eux non plus, Copeau n'est pas tendre. S'il est arrivé ici et là à quelques voix de s'élever, leur timidité n'eut d'égal que leur isolement. L'immense majorité des chroniqueurs, ne parlant que de pièces médiocres, se sont efforcés de distinguer des degrés dans cette médiocrité. Ils ont fini par trouver bon ce qui était seulement un peu moins mauvais. Certains, par intérêt personnel, ménagent les susceptibilités. D'autres, influencés par la connaissance qu'ils ont de l'auteur, lui pardonnent ses faiblesses créatrices en raison de ses qualités humaines. Bref, alors qu'ils devaient être les collaborateurs de l'artiste, ils ont eux aussi trahi leur mission, acceptant lâchement le relatif le plus suspect, là où Copeau ne rêve que d'absolu.

A LA RECHERCHE D'UN MESSIE

A cette époque, l'idée ne l'effleure pas encore qu'il lui appartient de sauver ce théâtre en perdition. Aussi commence-t-il par chercher autour de lui les signes permettant d'espérer une renaissance à plus ou moins long terme.

Il croit les trouver d'abord dans la tentative d'Antoine, dont l'enseignement, dira-t-il plus tard, a été la base sur laquelle se sont élevées ses premières aspirations et ses premières certitudes (1). Sans doute le fondateur du *Théâtre Libre* emprunte-t-il nombre de ses idées à la troupe allemande des Meiningen, et plus spécialement à leur régisseur, Ludwig Chronegk, dont on a pu dire qu'il fut l'un des premiers dictateurs de la scène. Mais on ne

(1) Lettre ouverte du 29 septembre 1913.

connaissait pas — ou si peu — les Meiningen en France! Copeau adhéra avec enthousiasme à l'effort proclamé pour rétablir la manifestation dramatique dans son rayonnement d'œuvre d'art.

Enlever au spectateur l'impression que le théâtre est une salle de jeu, tel était en effet le but visé par les mesures nouvelles : salle plongée dans l'obscurité pendant toute la durée du spectacle (c'était alors une innovation imitée du Théâtre de Bayreuth, et que Copeau conservera); suppression des trompe-l'œil, des accessoires de carton (tout sur la scène doit être « vrai »); élimination des vedettes au bénéfice de l'homogénéité de la troupe; naturel du jeu enfin, même au prix de l'impolitesse d'un dos tourné au public.

Aussi intéressante qu'elle soit, cette tentative de réforme n'en reste pas moins superficielle aux yeux de Copeau. Elle propose des expédients, alors que s'impose la nécessité d'un remède qui attaque le mal dans ses racines. Antoine a d'ailleurs manqué singulièrement d'énergie dans la direction de son entreprise. Se laisser manœuvrer par les naturalistes, c'était aller à l'encontre de sa recherche du vrai.

Le *Théâtre d'Art,* fondé par Paul Fort sous le patronage de Verlaine et de Mallarmé pour faire échec au *Théâtre Libre,* offrait-il plus de garanties ? En 1893, Lugné-Poe avait repris l'affaire, appelée désormais *Théâtre de l'Œuvre.* Il prétendait y constituer, en réaction contre la production contemporaine, « un théâtre semi-féerique animant le poème, un théâtre de la fantaisie et du songe ». Ce double souci : esthétique (Vuillard, Bonnard, Maurice Denis prêtèrent leur concours à la décoration), poétique (Shelley, Marlowe, Rimbaud, Ibsen : tout un programme) ne pouvait évidemment que séduire le futur créateur du Vieux-Colombier. D'un certaint point de vue, la tentative allait plus loin que celle d'Antoine. Elle n'en demeurait pas moins encore insuffisante. Le seul fait qu'elle accolât une épithète au mot « théâtre », soulignait ses limites. Le drame des premières années du siècle n'accusait pas de faiblesse sur tel ou tel point particulier, mais sur tous à la fois. Il mourait, simplement, pour avoir rompu les liens avec la réalité foisonnante et créatrice de la vie. C'est dans tous les domaines qu'il convenait de le réformer, à ses véritables sources qu'il importait de le faire revenir. Une « ambition totale » : voilà ce que rêvait de sentir dans la génération montante le critique de l'*Ermitage.*

Plus récente, puisqu'elle ne datait que de 1906, l'expérience menée par Berny au Théâtre des Batignolles — rebaptisé *Théâtre des Arts* — reprise quelque temps après par Robert d'Humières, et assumée enfin par Jacques Rouché, semblait au départ riche des plus merveilleuses promesses. Persuadés que pour échapper à la tyrannie des commerçants, la véritable rénovation dramatique devait se situer d'emblée sur le terrain spirituel, les deux derniers de ces trois hommes entendirent mener avec acharnement la réforme artistique de la mise en scène. L'exemple des Ballets Russes de Diaghilew, débarqués à Paris en 1909, les y aida grandement, leur révélant dans un délire la séduction somptueuse et chatoyante du spectacle à l'état pur. Par ailleurs, Jacques Rouché était à l'époque le seul qui connût en France les réalisations étrangères. La publication du livre dans lequel il les révéla au public, et qui avait pour titre *L'Art théâtral moderne,* revêt pour cette raison une importance pour le moins aussi grande que ses réalisations personnelles (1). Rendant compte de l'ouvrage dans un abondant article de la *Nouvelle Revue Française,* Copeau déclare y déplorer l'accent excessif mis par l'auteur sur le primat de l'art plastique — et qui semble en contradiction avec la haute et saine ambition initiale. Ses critiques de détail n'empêchent que la lecture de ce livre fut pour lui comme une illumination, et la source de nouveaux espoirs.

Parce que les conceptions des deux hommes devaient diverger plus tard — alors même que le destin les rapprocha — on n'a pas suffisamment souligné, à mon sens, les analogies entre le Vieux-Colombier de 1913, et le *Deutsches Theater* fondé par Reinhardt en 1905. Après quatre ans de symbolisme, le réformateur allemand en était arrivé à la certitude que la condition essentielle pour rendre au théâtre toute sa pureté et sa signification était la communion intime de l'acteur et du spectateur dans le monde créé par l'auteur. D'où la nécessité de salles aux dimensions réduites, de marches reliant la scène au public, d'éclairages scientifiquement étudiés pour créer une atmosphère que détruisait la

(1) En particulier : *Le Carnaval des enfants,* de Saint-Georges de Bouhélier, représenté pour la première fois le 25 novembre 1910, et qui obtint un franc succès. Gaston Baty affirmait en 1935 que cette pièce contenait déjà en germe « presque tout ce qu'une génération d'auteurs et de metteurs en scène a réalisé depuis ».

rampe, de la musique enfin qui ajoutait une dimension nouvelle à la création dramatique.

De son côté, Fritz Erler insistait sur le rôle essentiel de l'acteur, non seulement comme centre, mais comme raison d'être du spectacle. Dans le *Künstler Theater,* ou Théâtre des Artistes, qu'il fit construire à Munich en 1907, absolument tout était conçu en fonction de cet élément fondamental. Le volume de la scène, réglable grâce à des parois et à un plafond mobiles, ne devait jamais dépasser sept mètres en profondeur, afin que l'attention ne risque point de se distraire. Plus de décor : une simple toile de teinte unie. Plus de rampe, ni de herse : de discrets soffites aux combinaisons sans fin. Bref, l'outillage le plus effacé et le plus efficace, se riant des difficultés techniques inhérentes aux mises en scène de Shakespeare ou de Gœthe.

Ni l'une ni l'autre de ces séductions allemandes ne se traduisit néanmoins chez Copeau par un coup de foudre analogue à celui qui accompagna sa découverte se Stanislavski d'une part, et de Gordon Craig de l'autre. En 1898, assisté de Meyerhold et de Dantchenko, le premier avait fondé à Moscou le *Théâtre d'Art.* Certes, l'atmosphère s'en affirmait nettement naturaliste. Mais cette apparence cachait, ou plutôt ne faisait qu'exprimer, l'ambition profonde de redécouvrir, grâce au jeu de l'acteur et à un texte exceptionnellement riche, la vérité psychologique. Aussi bien son réalisme s'atténua-t-il peu à peu. Pendant huit ans, au prix d'une lutte opiniâtre contre le mauvais goût et les mauvaises habitudes, Stanislavski travailla à purifier le théâtre. Il avait constitué une équipe d'acteurs, qui étaient d'abord des militants, et qu'il dirigeait selon toutes les règles du « despotisme éclairé ». A ses yeux, une telle communauté mystique était la condition première et indispensable pour mener à bien une action révolutionnaire, quelle qu'elle fût. Sa devise : *tout prendre de l'âme humaine...* A sa manière — et il ne s'en cacha point ! (1) — Copeau rêva d'être un nouveau Stanislavski.

A l'autre bout de l'Europe, Gordon Craig affirme semblablement l'autonomie fondamentale du théâtre, et la nécessité de ne point chercher, pour le réformer, à lui appliquer artificiellement les méthodes des autres arts. Mais il insiste : autonomie doit s'en-

(1) Voir, en particulier, sa préface à la traduction de *Ma Vie dans l'art,* où se fait jour une irrésistible tendance à se confondre avec son modèle.

tendre avant tout comme une indépendance absolue à l'égard du monde, de la réalité. Tout art constitue en lui-même un univers spécifique. Il peut avoir des « correspondances » dans la nature au sein de laquelle nous vivons. Il n'en saurait être la simple expression. Le théâtre ne doit donc pas être une « représentation », mais une création; et qui dit « création », dit « synthèse » — non juxtaposition, ni même addition — des divers composants du spectacle. D'où son étude attentive des principes de Wagner, et de leurs réalisations au théâtre de Bayreuth.

A l'exemple de Stanislavski, Gordon Craig pose également comme fondamental le problème de la formation de l'acteur, élément indispensable à la création et à la vie même du spectacle. Diderot n'avait-il pas raison lorsqu'il qualifiait de *paradoxe* la dualité irréductible de l'interprète ? D'une part, sa conscience et sa raison d'être humain lui permettent de mesurer la marge esthétique nécessaire entre le comportement de la vie quotidienne et le jeu dramatique. Mais d'autre part, cette sensibilité ou ce goût, qui appartiennent à l'homme avant d'appartenir à l'acteur, peuvent dans de nombreux cas se retourner contre lui. Il peut devenir la victime d'émotions artificiellement provoquées, et son jeu s'en trouver faussé. Est-ce une impasse ? Dans l'absolu, peut-être. Non sans humour, Craig affirme que l'idéal serait de substituer à l'interprète traditionnel une *super-marionnette,* douée de mécanismes analogues à ceux de l'enthousiasme et de l'intelligence, mais privée de toute conscience de soi, comme de tout inconscient. Image, bien sûr ; mais image vigoureuse, inspirée par la méditation sur l'art d'acteurs japonais venus à Londres représenter des *Nô.*

Surprendra-t-il que la mise en pratique d'un art aussi complexe exige une longue ascèse ? Avant toute manifestation publique, déclarait un jour Craig à Jacques Rouché, il faut plusieurs années de labeur silencieux. D'où la nécessité d'une école. Nous aurons l'occasion de revenir sur celle qu'il fonda lui-même à l'*Arena Goldoni* de Florence en 1913, et dont Copeau étudia sur place le fonctionnement. On oublie trop que ce projet d'Ecole, si chère au fondateur du Vieux-Colombier, avait été conçu dès avant l'ouverture de son théâtre.

L'œuvre d'un cinquième étranger nourrit également ses méditations pendant cette période de recherches préliminaires : celle de l'anglais William Archer. Œuvre différente des autres, car elle est celle d'un théoricien, non d'un expérimentateur. Mais différente aussi en ce qu'elle envisage cette fois le problème du théâtre du point de vue de la création. Malgré ses essais de jeunesse, Copeau n'envisage nullement pour lui-même une carrière de dramaturge. Il n'en partage pas moins avec Archer la conviction profonde qu'il ne saurait y avoir de renaissance dramatique autre que superficielle, sans un retour des auteurs au sens de la dignité esthétique. Tout réformateur de la scène doit viser essentiellement à susciter la création de pièces nouvelles, dignes de l'art pour lequel elles auront été conçues.

Pour ce faire, un seul enseignement valable : celui des classiques. Relisez Ibsen, conseille l'Anglais. Relisez également, ajoute Copeau : Sophocle, Racine, Molière, Shakespeare, les trois *Discours* de Corneille. Mais surtout Molière et Shakespeare. Affaire de goût personnel? Non point. Les œuvres de ces deux poètes sont si grandes, uniques, exceptionnelles, parce que l'un et l'autre étaient à la fois des auteurs et des animateurs. Avec eux, « plus d'intermédiaire entre la création poétique et sa réalisation proprement théâtrale. L'invention dramatique et sa mise en scène ne sont que les deux moments d'un acte unique » (1). A aucune autre époque de l'histoire littéraire mondiale, on ne fut si près de contempler le théâtre dans toute la pureté et l'éclat de son « essence ».

Par là s'explique que le directeur d'expositions à la galerie Georges Petit, en dépit de ses enthousiasmes, ne se fera le disciple inconditionnel ni des Allemands, ni des Russes, ni des Anglais. A chacun d'eux, comme à chacun de ses devanciers français, il empruntera tel ou tel détail, telle ou telle suggestion. Son désir de renouveau a partie liée avec l'absolu. J'ai cru, dira-t-il plus tard, qu'on pouvait tenter de « refaire le théâtre ». Tâche écrasante, impossible; mais c'était tout ou rien.

SOUS LE SIGNE DES DEUX COLOMBES

Au reste, en 1909 — nous l'avons dit et, ses détracteurs n'y insisteront que trop quatre ans plus tard — il n'imagine point encore qu'une pareille tâche puisse le concerner. Du haut de ses différentes tribunes, il se contente d'appeler le réformateur de ses vœux. Il entend seulement consacrer son existence aux Let-

(1) *Le poète au théâtre* (Revue des Vivants).

tres. Mais quel genre aborder ? Il se peut, comme l'a prétendu l'auteur des *Thibault,* qu'il ait songé au roman. Cependant, ses amis le sollicitent; et quand Gide, Schlumberger, Ruyters, Michel Arnaud, Henri Ghéon, Gallimard fondent la *Nouvelle Revue Française,* il se voit tout naturellement porter à la direction de l'entreprise. Il y demeurera jusqu'en 1913, s'efforçant de bannir tout esprit de chapelle, grand prêtre du seul culte de l'art, hors duquel n'auraient pu communier quoi qu'on en ait dit des esprits aussi différents que ceux de Jacques Rivière, Thibaudet, Claudel, Benda, Léon-Paul Fargue ou Valéry Larbaud. L'amitié sincère de tous ces collaborateurs lui sera plus précieuse encore, aux premiers temps du Vieux-Colombier, que l'aide financière ou personnelle apportée par certains d'entre eux.

Quel élément nouveau le décida à se lancer dans la compétition dramatique, malgré ses répugnances ? Ne doutons point que les causes en aient été nombreuses et complexes. Un événement cependant lui permit d'acquérir — au moins partiellement — l'expérience personnelle qui lui manquait. Depuis 1906, il travaillait avec l'un de ses amis d'enfance, Jean Croué, à une adaptation théâtrale des *Frères Karamazov,* de Dostoïevski. Jacques Rouché lui demanda en 1903 d'achever le travail et de lui confier son manuscrit. Le 6 août 1910, la première représentation s'achevait en triomphe. Pourquoi une adaptation, de préférence à une création ? Parce que — expliquait l'auteur de la version française dans un avertissement au spectacle — cette transposition permettait de se livrer à un exercice théâtral pur. En cas de réussite seraient démontrées les deux nécessités fondamentales : premièrement, de la richesse humaine du sujet; deuxièmement, d'une mise en œuvre au service total de ce même sujet. Or il fallait que cette réussite fût bien grande pour qu'on vît la saluer avec enthousiasme tant de victimes des condamnations prononcées par le critique de la *Grande Revue.*

Hélas ! S'il avait vérifié par l'expérience le bien-fondé de ses principes les plus chers, Copeau avait aussi mesuré une fois de plus l'immensité des obstacles que l'état du théâtre contemporain opposait à la réalisation de son idéal. A en croire ses confidences, sa première réaction fut plutôt de retraite définitive. Sa décision de se lancer dans un « essai de rénovation » ne prit donc corps que nettement plus tard. L'idée s'en imposa à lui peu à peu, à mesure que ses espoirs s'évanouissaient. Et elle s'imposa à lui seul. Lorsqu'il fonda le Vieux-Colombier, il fut aidé par ses amis. A aucun degré on n'a le droit de le considérer comme l'exécuteur d'un dessein concerté par l'équipe directrice de la *Nouvelle Revue Française.*

Choisir une salle était évidemment le premier problème à résoudre. Copeau la souhaitait le plus éloigné possible du Boulevard. La rive gauche eût été l'idéal. Malgré son état déplorable, il accepta donc de louer, rue du Vieux-Colombier, la vieille salle de l'*Athénée Saint-Germain.* Pratiquement, il n'en laissa subsister que les quatre murs. L'architecte Francis Jourdain fut chargé de faire sauter les horribles « pâtisseries » Louis XV, et de les remplacer par de sobres panneaux en batik, de teinte ocre, uniforme. Le lustre céda la place à une sorte d'éclairage indirect. La scène, prolongée vers la salle par un proscénium, se vit entourer d'un cadre noir, aux lignes géométriques, entre lesquelles pendait un rideau de reps vert; cependant que l'ancien rideau était maintenu en retrait, pour permettre de limiter au besoin l'aire d'évolution, ou de faciliter les changements de décors. Quant à ces derniers, il va sans dire que les vieilles toiles peintes cessèrent d'avoir cours. De petits pendrillons en toile d'amiante les remplacèrent. Ce travail achevé, il ne restait plus qu'à changer l'enseigne. Ecartant toute formule révolutionnaire, Copeau se contenta du simple nom de la rue. Deux colombes gravées sur une dalle de l'église San Miniato à Florence, et dont la reproduction lui avait été envoyée par la femme du peintre Théo van Rysselberghe, servirent de blason au nouveau théâtre.

Précisons en passant que la proximité du Quartier Latin n'était point pour déplaire au réformateur. Non qu'il prétendît s'adresser à la seule élite intellectuelle — ainsi qu'on le lui a reproché. Dès le départ, son désir était de toucher le plus large public possible, afin d'aboutir un jour à ce « théâtre populaire » que nous le verrons célébrer dans l'un de ses derniers ouvrages. Le prix des places, en particulier, fut calculé de telle sorte que le Vieux-Colombier devint le théâtre le moins cher de Paris. Mais Copeau pensait avec raison qu'en 1913 la grande majorité du public parisien, au goût trop déformé, n'était pas apte à comprendre sa tentative. Etudiants et intellectuels de la rive gauche lui semblaient a priori un auditoire plus accessible. D'où son appel au petit groupe des *happy few,* dont il espérait faire ses premiers apôtres.

Une salle, un public : encore fallait-il recruter une troupe d'acteurs, qui ne fussent pas eux-mêmes trop déformés par les habitudes régnantes, et qui acceptassent la direction d'un homme dont l'intransigeance ne paraissait le céder qu'à l'inexpérience totale des réalités de la scène. Copeau fit d'abord appel aux deux interprètes des *Frères Karamazov* qui l'avaient le plus frappé par la qualité de leur jeu : Charles Dullin et Louis Jouvet. Dans le petit atelier montmartrois du premier, il fit ensuite « passer des auditions », s'efforçant moins, selon ses propres termes, à discerner en chaque candidat le savoir-faire et les apparences du talent que le fonds naturel. Quelques autres enfin furent pressentis directement par l'un ou par l'autre. Ainsi naquit le premier groupe des fidèles, qui comprenait — outre les deux acteurs déjà cités : Mme Blanche Albane, femme de Georges Duhamel; Gina Barbieri, Jane Lory, Suzanne Bing, Cariffa, Armand Tallier, Lucien Weber et Roger Karl.

Allait-on se mettre immédiatement au travail ? La grande idée de Copeau était qu'un acteur ne se forme pas seulement dans l'exercice de sa profession, mais dans toutes les circonstances de la vie. Pas plus que l'auteur, il ne saurait réaliser une création vraie, sans une connaissance profonde de la nature et de l'existence humaines. A la simple formation technique, il importait donc de substituer une longue et persévérante éducation, inconcevable hors d'une *école,* analogue aux abbayes médiévales. Mais la réalisation d'un tel idéal suppose de longues années d'efforts silencieux. En 1913, il faut d'abord manifester son existence. Tout comme Stanislavski, il transigera donc. Remettant à plus tard la fondation de son Ecole, il se contentera d'emmener sa troupe en province, dans sa propriété du Limon (près de La Ferté-sous-Jouarre). Là, tantôt dans une grange, tantôt dans un jardin, on étudiera des textes, on fera de la gymnastique, on perfectionnera sa diction, on complètera sa culture, on jouera quelquefois, on improvisera plus souvent — à la façon de la *commedia dell'arte.* On s'efforcera d'acquérir à la fois vérité et souplesse.

Cet entraînement dura tout l'été.

Avis !... Le 1er septembre, une voix s'élève. Dans l*a Nouvelle Revue Française,* Copeau publie un long manifeste annonçant la prochaine ouverture du théâtre et précisant les buts visés par l'entreprise. Celle-ci a été rendue nécessaire par « toutes les lâchetés du théâtre contemporain ». Mais, qu'on y prenne bien garde, elle n'est pas une révolution. « Révolutionnaires des décades passées, le progrès des techniques et des idées... a bientôt rendues caduques » les entreprises antérieures. L'attrait du nouveau théâtre ne sera pas celui de l'innovation, mais d'une remise à neuf. Il est ouvert à toutes les tentatives, « pourvu qu'elles atteignent un certain niveau, qu'elles soient d'une certaine qualité ». Entendez: une qualité dramatique.

Le choix de l'emplacement, l'organisation de la salle et de la scène, la composition de la troupe et la formation de l'acteur : chacun de ces éléments a fait l'objet d'une étude minutieuse. Mais l'établissement des programmes ne revêt pas moins d'importance. Trois spectacles alterneront par semaine. On augmentera ainsi les chances de susciter l'intérêt; on réduira d'autant les conséquences fâcheuses d'un *four;* et les acteurs trouveront dans cette multiplicité de rôles un merveilleux exercice d'assouplissement. A ces raisons proclamées, ajoutons que Copeau voyait encore dans ce procédé une façon de précipiter sa propre expérience de metteur en scène, une occasion de proposer au public l'art dramatique dans toute sa richesse, et le moyen de transformer, grâce à un certain nombre de présentations successives des mêmes spectacles, la nouveauté en déjà vu.

D'autre part, les classiques occuperont dans ce répertoire une place de choix. Ne sont-ils pas les maîtres éternels, aux leçons desquels il convient de revenir, si l'on veut rendre au théâtre l'éclat et la richesse de son jaillissement créateur ? « Nous les proposerons, déclare le manifeste comme un constant exemple, comme l'antidote du faux goût, et des engoûments esthétiques, comme une leçon rigoureuse pour ceux qui écrivent le théâtre d'aujourd'hui et pour ceux qui l'interprètent ». Ce faisant, Copeau entrait en compétition avec le Théâtre Français. Mais la perspective du conflit ne lui déplaisait point, et il n'avait pas peur de la comparaison.

Quel accueil public et presse allaient-ils réserver aux premières applications de ces beaux principes ? L'ouverture eut lieu le 22 octobre. Léon-Paul Fargue avait écrit les adresses des circulaires. Roger Martin du Gard se chargea des tickets de vestiaire. Le souffleur s'appelait Georges Duhamel. Interdiction formelle de donner un pourboire aux ouvreuses. Au programme : *Une femme tuée par la douceur* de Thomas Heywood (époque élisabéthaine); et l'*Amour médecin* de Molière. Les critiques étaient peu nombreux. La tragédie anglaise les déçut presque tous. Le dépouillement de sa mise en scène — sur un simple fond de tentures, deux chaises à haut dossier et une table à volets — fut interprété comme un signe de « jansénisme », ou de « puritanisme ». De la farce moliéresque, on fit à peine mention. Cependant, l'œuvre ressuscitée dans toute la verve de son improvisation gagna franchement la sympathie du public. André Suarès affirmait le lendemain qu'il avait cru mourir de rire et qu'il n'avait jamais vu Molière mieux servi. Léon Daudet tonitrua également son enthousiasme. Le triomphe n'en restait pas moins fort limité. Copeau ne trouvait guère où puiser son encouragement hors de la confiance absolue de sa troupe.

Trois semaines plus tard, *Les Fils Louverné,* de Jean Schlumberger, n'emportèrent pas davantage la conviction de la salle, ni des chroniqueurs de revues. *Barberine,* de Musset, frappa davantage : par la nudité du plateau, l'absence totale d'effet, le vide apparent de la pièce qui, aux yeux de Copeau, l'apparentait au théâtre pur. Les échos de la performance gagnèrent même la Grande-Bretagne. Mais le grand succès fut celui de l'*Avare,* plus familier à la majorité du public que le divertissement présenté le soir de l'ouverture, et, où Molière apparut comme rajeuni. Cette fois, la critique avoua son émotion.

Après *La peur des coups* de Courteline, et le *Pain de Ménage* de Jules Renard, on annonça, parallèlement aux représentations traditionnelles, la création de « matinées poétiques ». Entendez : non des réunions mondaines, mais des sortes de cours d'initiation à la bonne franquette, dans un climat de confiance et de communion esthétique. De Verhaeren à Gide, de Thibaudet à Paul Desjardins, romanciers, poètes, critiques y venaient lire des textes, disséquer des pièces, enseigner les règles de la prosodie, passer au crible la littérature moderne. Séances infiniment plus efficaces, aux yeux de Copeau, que toutes les représentations possibles.

Cependant, un désir l'obsédait : celui de monter l'*Echange,* de Paul Claudel. Depuis l'*Annonce faite à Marie,* créée par Lugné-Poe en 1912, le poète des *Cinq grandes odes* était considéré comme un monstre, ses admirateurs comme de rares snobs. Il fallait démontrer qu'il était un génie, Eschyle réincarné — un Eschyle qui aurait lu la Bible, Corneille, Shakespeare. Disposait-on pour une telle bataille d'acteurs assez héroïques ? Il manquait une actrice. On fit « passer » de nouvelles auditions. Ce hasard fit entrer dans la troupe Valentine Tessier — qui d'ailleurs ne joua pas dans *L'Echange.* Quant à l'issue du combat, les uns parlèrent de semi-échec, d'autres de semi-victoire. La saison s'avançait. On en était toujours pratiquement au même point. Les approbations de Rodin, Debussy, Bergson, Péguy consolaient mal Copeau des réticences de la masse.

Un nouveau succès, cependant, allait être enregistré grâce à la représentation de *La Navette,* de Becque, précédée d'une grosse farce paysanne : *Le Testament du Père Leleu,* de Martin du Gard (1). La mise en scène de la première entraîna la conversion de Paul Léautaud, l'un des critiques jusqu'alors les moins favorables. Etait-ce l'amorce d'un mouvement d'envergure ? Le reprise des *Frères Karamazov* ne pouvait venir plus à propos pour prolonger l'impression favorable. Et c'est le moment que choisit l'Institut Français de Londres pour inviter la troupe à venir en Angleterre donner une série de représentations. Tournée d'un mois, au cours de laquelle le public anglais n'apprécia point unanimement les pièces soumises à son approbation, mais loua presque sans réserves la qualité du jeu, de la diction, de la mise en scène. La troupe et son directeur puisèrent dans cette expérience un précieux renouvellement de leur foi.

Néanmoins, si favorablement disposé qu'il commençât d'être, le public parisien attendait pour se décider une « révélation ». Copeau fondait de grands espoirs sur une pièce d'Henri Ghéon, intitulée *L'Eau-de-Vie.* Hélas ! malgré son lyrisme, ce mélodrame fit un moment parler de lui, mais non dans le sens qu'il aurait fallu. Or, la saison touchait à sa fin. Quel dernier coup frapper ? Presque sans y croire, fatigué, on risqua une féerie de Shakespeare : *La Nuit des Rois;* et le miracle se produisit. Du coup, à l'exception de René Doumic, la presse fut unanime. Du jour au lendemain, on assista à un retournement complet de l'opinion. Tout ce qui avait jusque là fourni matière au dénigrement, devint sujet de louange. Le public se précipita en foule vers le théâtre de la rive gauche, trop petit pour le contenir. L'Angleterre, la Belgique, l'Italie, la Suisse, l'Allemagne se mêlaient au concert d'éloges. C'était la gloire, la sécurité financière. Non point consécration, pensait Copeau ; mais bon point de départ, certitude d'être

---

(1) Voir : Clément BORGAL : *Roger Martin du Gard* (Editions Universitaires. Collection « Classiques du XXe siècle »).

entendu, autrement dit l'essentiel pour le moment. Il faudrait voir après la tournée de juin en Alsace — à la rentrée !

La rentrée : ce devait être au mois d'octobre 1914...

ENTR'ACTE

Jusqu'au dernier jour, Copeau avait refusé de croire à la guerre. Tous ses acteurs mobilisés, son théâtre devenu asile de réfugiés, puis de permissionnaires, lui-même mis en observation aux Invalides, il fut un moment abasourdi, mais se ressaisit presque aussitôt. La guerre ne durera pas, pensait-il; il faut poursuivre son œuvre. Les témoignages qu'il recevait chaque jour du front ne faisaient que l'ancrer dans cette conviction. Réformé, il s'attaque donc à la traduction du *Conte d'Hiver* de Shakespeare, demande à Gide une adaptation de *Comme il vous plaira,* remet sur chantier sa *Maison Natale,* plante des jalons pour recruter après la guerre de nouveaux collaborateurs, étudie avec Gallimard un projet de remaniement administratif. Mais surtout, mettant à profit ses loisirs qui se prolongent, il s'efforce de tirer les leçons de sa première année d'expérience.

Débarrasser la scène de ses décors réalistes et rendre au tréteau son indispensable nudité est à son avis un excellent point de départ ; mais on ne saurait en demeurer là. Ainsi dépouillé, l'instrument risque de devenir trop rigide, donc déformant. Il faut le rendre malléable. La solution ne pourrait-elle être recherchée du côté d'un système architectural mobile, dont l'élément serait le cube ? Bien sûr, il faudrait résoudre le problème de la solidité de la construction, et celui de l'assemblage des éléments. Aidé du peintre Van Rysselberghe, Copeau ne doute point d'y parvenir. Il restera ensuite à compléter ce dispositif de base par des éléments architecturaux qui apporteront « les variantes de couleur et de style nécessaires : plein cintre, ogive, corniche, chapiteau, etc... » (1), des draperies, et autres menus accessoires, qui, combinés à l'éclairage, atténueront l'aspect géométrique de l'ensemble.

Quels artisans seront capables de réaliser et d'utiliser un tel instrument ? Sûrement pas des amateurs. Ces artisans devront être avant tout des artistes, assoiffés d'idéal et de perfection,

(1) Lettre à Jouvet, du 25 août 1915.

prêts à tous les labeurs et à tous les sacrifices, pour servir *le* Théâtre. A mesure que le temps passe, Copeau se fait de plus en plus intransigeant. Il sera tyrannique. Mais il sait que sa tyrannie sera acceptée, parce que ses fidèles collaborateurs de la première saison communient avec lui dans l'amour de la vérité et de la beauté, en un mot, de l'esthétique dramatique. Et cette communion, secret des premiers succès, est la condition nécessaire — presque suffisante même — de toute réussite, pour peu qu'au delà du cercle des acteurs on l'étende à tout « le petit personnel : machinistes, accessoiristes, électriciens... »

Ces grandes vacances forcées, Copeau croit bon de les utiliser encore à mûrir le projet, qui lui tient tant à cœur, d'une école de comédiens. On se souvient que Gordon Craig avait ouvert la sienne à Florence en 1913. Elle avait dû fermer ses portes à la déclaration de guerre; mais le maître demeurait toujours en Italie. Au mois de septembre 1915, Copeau part le rejoindre, et pendant un mois, étudie sur place le fonctionnement des cours. Deux classes principales : dans l'une, les élèves s'initient aux grands principes de Craig et à ses méthodes; dans l'autre, une fois initiés, ils enseignent à d'autres élèves les diverses professions en rapport direct ou indirect avec l'activité théâtrale : d'où l'importance énorme des ateliers. Copeau admire, s'enthousiasme, fait part de ses propres desseins au réformateur anglais et quête son approbation. Mais il refuse de le suivre en Amérique pour y monter la *Passion selon Saint Mathieu.*

D'Italie, il passe en Suisse, afin d'y rencontrer le musicien Jacques Dalcroze. Les idées de ce dernier sur la rythmique ne sont pas sans l'intriguer depuis qu'il les connaît. Il serait heureux d'étudier de près les ressources qu'on peut tirer de cet art pour la formation de l'acteur. Mais la Confédération helvétique lui offrira bien plus qu'il n'était venu y chercher. Sur les bords du Léman, se cache un grand théoricien, Adolphe Appia, dont il fait connaissance. Auprès de lui, il trouvera fort peu de confirmations, mais une quantité d'idées nouvelles et qui se révèleront d'une extrême fécondité: « C'est lui, dira-t-il plus tard, qui nous a ramenés à la grandeur et aux principes éternels ».

Première de ces idées : le théâtre est action avant d'être spectacle. Tout doit donc être conçu en fonction de l'acteur, corps à trois dimensions. Autrement dit, la décoration doit s'appuyer sur des volumes, non sur des plans, ni sur des lignes. Deuxième point : l'évolution de l'acteur sera considérablement aidée si elle suit le rythme d'une phrase musicale (n'oublions point qu'Appia était à la fois architecte et musicien). Enfin, la plasticité du corps humain sera efficacement soulignée par une utilisation judicieuse de la lumière, qui, même sur les objets inertes, pose comme une impression de vie. De l'ensemble de ce programme, Copeau écrira plus tard : « Les principales réformes de la scène contemporaine sont parties de là » (1).

Fort de l'approbation de Craig et d'Appia, Copeau rentré à Paris, ouvre en novembre 1915 un cours d'art dramatique, qui sera comme la première ébauche de son Ecole. Aucun enseignement théorique, mais des exercices corporels. Il importe que l'acteur transforme avant tout son corps en un instrument docile et signifiant. Interdiction rigoureuse, pendant les premières semaines, d'articuler la moindre phrase. Tout au plus quelques imitations de bruits, de cris d'animaux. La parole ne doit intervenir qu'à titre de dernier recours, là où défaillent la mimique et la danse, — à moins que ce ne soit comme dernier complément d'une œuvre, d'abord étudiée « de l'intérieur ». Démarche inverse de celle des conservatoires.

Sans doute, dans ce cours, Copeau, espérait-il former de futurs acteurs du Vieux-Colombier, en même temps qu'il enrichissait et clarifiait ses idées personnelles, encore marquées d'influences diverses. Cependant, plus que tout, il appréciait l'invraisemblable possibilité offerte par les circonstances de se livrer avec ses élèves à une activité immédiatement gratuite. Jamais, au sens kantien du terme, il ne fut plus près de l'art pur.

Cette activité désintéressée lui permit, en particulier, d'étudier plus attentivement le problème de l'invention dramatique et de découvrir en quels termes il convient de le poser. Nous avons vu en effet que l'acteur, préalablement plongé dans l'atmosphère particulière de la pièce à interpréter, en découvrait ensuite les mots comme s'imposant d'eux-mêmes. Pourquoi ne pas supposer que l'écrivain a suivi un cheminement similaire ? La création de l'un et de l'autre ne serait donc qu'une seule et même opération. Après tout, les premières comédies de Molière n'ont-elles pas été ainsi composées *par les interprètes*, d'après un simple canevas grossièrement esquissé ? Et Molière lui-même n'avait-il pas

(1) Article de l'*Encyclopédie Française*.

emprunté ce procédé à la « commedia dell'arte » italienne ? Rapidement, Copeau se persuade que le secret ne se cache pas ailleurs, et qu'une adaptation moderne de ce jeu improvisé a seule chance de renouveler l'inspiration des dramaturges; car elle seule peut leur redonner le sens — presque perdu à l'époque — de la vie. « Le problème de l'invention, devait-il écrire plus tard, celui de l'interprétation, s'associaient dans mon esprit. Je ne devais plus séparer l'un de l'autre... C'est de là que devait partir selon moi l'appel à un renouvellement essentiel » (1).

Tout heureux, il fait part de sa découverte à Gide, à Jouvet, à Martin du Gard. Un peu réticents d'abord, les deux romanciers le suivent bientôt avec enthousiasme, au point d'élaborer chacun un projet d'application de ce principe fondamental, et de nous laisser croire qu'ils en sont les véritables inventeurs. Mais les textes et les dates sont là pour nous rappeler que l'initiative ne revient à personne d'autre qu'à Jacques Copeau, qui formulait ainsi son projet dès la fin de 1915 : « Inventer une dizaine de personnages *modernes,* synthétiques, d'une grande extension, représentant des caractères, des travers, des passions, des ridicules moraux, sociaux, individuels d'aujourd'hui. Inventer leurs silhouettes, inventer leurs costumes, toujours identiques, modifiés seulement suivant les circonstances par un type accessoire... Ces dix personnages d'une comédie autonome qui comprend tous les genres depuis la pantomime jusqu'au drame, les confier à dix comédiens. Chaque comédien a son personnage qui est sa *propriété,* qui devient lui-même, qu'il nourrit de lui-même, de ses sentiments, de ses observations, de son expérience, de ses lectures, de son invention. Voilà la grande découverte (si simple!) la grande révolution ou plutôt le grand et majestueux retour à la plus vieille tradition » (2).

DERACINE

Sera-t-il un jour en mesure de réaliser ce dessein ? Au mois d'avril 1916, les Suisses l'appellent à Genève pour y monter trois pièces. Copeau accepte, par fidélité à un rêve qui lui est cher

(1) *Souvenirs du Vieux-Colombier.*
(2) Lettre à Louis Jouvet.

depuis le début du conflit : lutter contre la propagande allemande en pays neutre. Simple coïncidence? Quelques mois plus tard, Clémenceau lui demande de rassembler sa troupe en vue d'une tournée missionnaire aux Etats-Unis. Pas question, bien entendu, de refuser. Mais il lui faudrait ses comédiens. Or, le Ministère de la Guerre s'oppose catégoriquement à toute démobilisation. Copeau s'embarque donc seul, le 20 janvier 1917, pour une simple tournée de conférences.

Rien de nouveau dans le texte de ces causeries, où il se contente d'exposer au public américain : ses principes, son programme, les réalisations d'avant-guerre au Vieux-Colombier, et ses projets d'avenir. Pendant deux mois, ces confidences, doublées de lectures poétiques, emportèrent la conviction des auditeurs, dans la plupart des grandes villes et des universités de l'Est des Etats-Unis. Proposition fut alors faite à Copeau par le mécène Otto Kahn, d'amener son théâtre à New-York. Problème de conscience. Dans ce lointain Nouveau Monde, le vaillant « petit théâtre » n'allait-il pas se couper de son public ? Ne lui faudrait-il pas, un jour ou l'autre, accepter certaines compromissions, incompatibles avec la nature même de l'entreprise ? De toutes façons, il importait d'obtenir d'abord la démobilisation des comédiens. Or, le Ministère de la Guerre, sollicité une seconde fois, se laissa fléchir. Par ailleurs, Copeau se dit qu'il pouvait y avoir là une expérience enrichissante, l'occasion en tout cas de réaffirmer l'existence du Vieux-Colombier, évanoui depuis près de trois ans. Aussi, le 17 mai, était-il officiellement présenté au Metropolitan Opera comme le nouveau directeur du French Theater.

Un travail analogue à celui qui avait précédé l'ouverture du théâtre parisien de la rive gauche fut immédiatement entrepris dans la petite salle du *Garrick,* dans la 35e rue, et confié aux soins de l'architecte Antonin Raymond. Suppression des dorures, du second balcon, des loges latérales, des premiers rangs d'orchestre, de la rampe. Installation de marches pour relier la scène à la salle. Création d'une vaste salle de répétitions permettant la mise en scène simultanée de deux pièces. Enfin, changement d'état-civil : le Garrick s'appellera désormais « Vieux-Colombier de New-York ».

Pendant ce temps, Copeau revient à Paris chercher sa troupe (acteurs, techniciens, accessoiristes), ses costumes et ses décors.

Quelques nouveaux comédiens, chevronnés (1) ou volontaires (2) remplacent les défaillants. On ne peut obtenir, par exemple, la démobilisation de Dullin. Le 11 octobre, nouvelle traversée de l'Atlantique. Tout est prêt pour le début de la saison. Les abonnements ont afflué. Des galas en province sont déjà prévus pour faire suite au triomphe new-yorkais. Plusieurs musiciens français (3) ont décidé de se joindre au Vieux-Colombier. Il ne reste plus qu'à répondre à cette attente et cet enthousiasme.

Hélas ! Au soir du 27 novembre, les Américains cachaient mal leur déception. Un *Impromptu,* pastiché de Molière, et un *Couronnement* de ce même Poquelin furent qualifiés de « jongleries laborieuses ». Quant aux *Fourberies de Scapin,* pratiquement inconnues outre-Atlantique, elles gênaient la conception que l'on se faisait jusque-là du plus grand comique français. On apprécia le jeu des acteurs; on jugea saugrenue l'idée — pourtant si chère à à Copeau — de la représentation d'une telle farce sur un tréteau nu muni d'une estrade.

Il n'y avait évidemment pas de raisons pour que la *Jalousie du Barbouillé* obtînt davantage de succès, ni la *Navette* de Becque. Tout comme en France, trois ans plus tôt, le public attendait autre chose. Il n'avait pas l'impression espérée d'une révélation. *Le Carrosse du Saint Sacrement,* de Mérimée, parvint à susciter quelques réactions favorables. Mais ni *Barberine,* ni le *Pain de Ménage* n'attirèrent de quoi garnir les 550 places demeurées dans l'ancienne salle du Garrick, sur les 900 d'origine.

Qu'espérait donc l'Amérique ? Consciemment ou inconsciemment, elle attendait *La Nuit des Rois,* dont on avait tant parlé lors de sa représentation à Paris, Aussi, lorsqu'il se décida à la présenter, Copeau fit-il autour de son nom, de sa troupe, de son théâtre, la même unanimité qu'en France. Succès sans précédent. Louanges dans toute la presse. La partie semblait gagnée. *Les Frères Karamazov* montés le mois suivant, ne firent que confirmer l'enthouiasme. Mais c'étaient là toutes les réserves originales du Vieux-Colombier. D'autre part, la situation n'était pas tout à fait la même en Amérique et en France. On pouvait à Paris se contenter de convertir d'abord uniquement l'élite. Aux Etats-

---

(1) Marcel Vallée, Mlle Van Doren.

(2) Jean Sarment, Lucienne Bogaert.

(3) Yvette Guilbert, Jacques Thibaud, la Société des Instruments Anciens.

Unis, il fallait agir sur la masse. C'était même le but essentiel de la mission confiée. Or, le grand public était encore moins mûr là-bas que de ce côté-ci de l'Océan. Aussi, la rage au cœur, Copeau dut-il rapidement s'abaisser aux compromissions qu'il avait redoutées.

La Traverse de Villeroy, *La Petite Marquise* de Meilhac et Halévy, *Les Mauvais Bergers* d'Octave Mirbeau, *La Chance de Françoise* de Porto-Riche, *Le Secret* de Bernstein : il n'est que de parcourir le catalogue des spectacles de la saison 1918-1919, pour imaginer combien Copeau dut souffrir du travail qu'on lui faisait faire. Salles combles ni concerts d'éloges dans les journaux ou les revues ne pouvaient le consoler de se voir réduit à monter des pièces de Brieux, Dumas, Erckmann-Chatrian, Emile Augier, Jules Sandeau, Maurice Donnay. Sans doute, de temps à autre essayait-il de glisser, comme par surprise, un chef-d'œuvre qui lui tenait à cœur : *Le Mariage de Figaro, La Surprise de l'Amour, Les Caprices de Marianne, Pelléas et Mélisande, Rosmersholm.* Quand Dullin, enfin démobilisé, put reprendre le rôle de l'*Avare,* le triomphe lui permit même de croire un instant que ses innocentes ruses avaient porté leurs fruits. Mais il s'agissait d'une illusion semblable à celle qui avait suivi le succès de *La Nuit des Rois.*

Dégoûté, honteux, Copeau était encore épuisé par le travail physique qu'il avait à fournir. Ayant dû renoncer à son grand principe d'alternance, qui n'engendrait que confusion dans l'esprit des spectateurs américains, il lui fallut monter une nouvelle pièce chaque semaine. Sa tâche de metteur en scène ne le dispensait nullement de jouer lui-même chaque jour; et pendant ce temps, il continuait à donner des conférences. Ajoutons que la seconde saison fut marquée par les premières dissensions au sein de la troupe, dissensions sur lesquelles nous savons en vérité fort peu de choses, mais qui se soldèrent au moins par le départ de Dullin, en 1919, et un surcroît d'accablement pour le directeur du Vieux-Colombier en exil.

Lorsqu'il débarque au Havre le 6 juillet 1919, il ressent donc à la fois un immense soulagement et le désir profond d'oublier cette épreuve qu'il regrette maintenant d'avoir affrontée. Certes, comme le souligne Jouvet, ces deux ans n'ont peut-être pas été tout à fait inutiles, puisqu'ils ont permis « malgré tout » de travailler. Il peut même se faire qu'ils aient assoupli par la force des circonstances des principes un peu trop rigides — du moins dans l'immédiat, car après la guerre, Copeau ira en se durcissant chaque année davantage. Il n'en reste pas moins une blessure profonde, qui ne se refermera jamais tout à fait. «Malgré les apparences, écrit Martin du Gard, le magicien de 1914 avait perdu son meilleur talisman : son allégresse d'animateur » (1).

CINQ ANS APRES

De retour à Paris, Copeau tint avant toute reprise à dissiper les équivoques nées dans certains esprits à la suite de l'unique saison d'avant-guerre. Trois conférences données à l'Hôtel des Sociétés Savantes, en novembre 1919 et janvier 1920, s'efforcèrent d'atteindre ce but.

Le réformateur y parla à cœur ouvert, sur le ton de la confidence et de la plus parfaite candeur. Il ne demandait qu'une chose: être compris. Si l'on faisait cet effort, toutes les moqueries tomberaient d'elles-mêmes. La confusion était née, sans doute, du caractère inhabituel des premiers spectacles. Ils n'étaient destinés qu'à secouer la léthargie, attirer l'attention sur une nouvelle entreprise. A aucun titre on ne pouvait parler de snobisme ou d'avant-garde. Le théâtre des deux colombes n'avait point de plus chère ambition que de satisfaire un large public. C'est précisément parce qu'il l'aimait, ce public, qu'il refusait de flatter son mauvais goût. Il voulait être pédagogue, non point démagogue. Il suppliait ses élèves d'écouter le professeur et de le comprendre, avant de le chahuter. Le Vieux-Colombier ne pouvait vivre sans la collaboration confiante et loyale du public, partie intégrante, essentielle de l'entreprise, tout comme les fidèles à l'intérieur de l'Eglise. Certes, il y avait eu la guerre. Son entr'acte avait amené quelques modifications de détail. Mais l'œuvre restait la même. Les buts n'avaient point changé. Seul avait pu se perfectionner, à la faveur de certaines expériences, l'instrument de travail : preuve éclatante de réussite, puisque c'est lui d'abord que l'on voulait réformer. Quant aux hommes, ils demeuraient semblables à eux-mêmes, fidèles exécuteurs d'une idée « portée pendant vingt ans, mûrie avec la vie, et depuis sept ans suivie dans le progrès naturel de sa réalisation... »

---

(1) *Souvenirs autobiographiques et littéraires.*

Cependant, une fois de plus, on modifie la scène. Certes, on n'en vient pas tout à fait au système de cubes expliqué dans la lettre à Jouvet. Mais il s'agit de l'application du même principe : un décor architectural indéfiniment transformable, capable d'épouser les moindres nuances de la fantaisie créatrice du poète. On a pu faire à New-York l'expérience d'un premier dispositif fixe. On essaiera à Paris de le perfectionner. Vers le fond du plateau, aux murs impitoyablement dénudés, un balcon asymétrique enjambe la scène. Des marches, de chaque côté, permettent soit de remonter vers une passerelle, soit de redescendre vers la plateforme. Une avancée sur la fosse d'orchestre agrandit l'aire d'évolution, en même temps qu'elle offre la possibilité de varier entrées et sorties. Trois séries de lanternes, soigneusement dissimulées, remplacent la rampe: la lumière y gagne en intensité et en anonymat. Enfin, et surtout, le traditionnel plancher de bois se voit remplacer par un sol en ciment.

Que n'a-t-on pas dit ou écrit sur cette innovation étrange, fort peu propice à l'acoustique et à la fixation des éléments mobiles de l'architecture ? Copeau avait été séduit par la froideur et la dureté du matériau. Privant l'acteur de tout recours, de toute lâcheté, il le contraignait à ne compter que sur lui-même. Vertu ascétique du cilice. Assoiffé d'absolu, Copeau voulait faire des saints, des martyrs du théâtre. Il espérait aussi que cette contrainte des moyens scéniques aurait une influence heureuse sur le dramaturge, la pièce étant informée dans sa conception même par la disposition du plateau sur lequel elle sera représentée.

Refonte de la scène, réorganisation du travail. Michel Saint-Denis, neveu de Copeau, devient secrétaire général du Vieux-Colombier. Jouvet garde sa place de régisseur, et prend la direction des ateliers d'électricité et de menuiserie. A l'exemple de Gordon Craig, en effet, on décide de tout faire avec les moyens du bord. Alexandre Janvier, s'occupera plus particulièrement de l'éclairage. Hélène Martin du Gard, femme de l'écrivain, assumera les responsabilités de l'atelier de costumes, aidée bientôt par la propre fille de Copeau (1). Si l'occasion s'en présente, on acceptera même des commandes de l'extérieur, afin d'améliorer le budget.

Mais il faut voir plus loin que le théâtre. Le Vieux-Colombier

(1) Marie-Hélène, dite « Maïène », future épouse de Jean Dasté, actuellement de la troupe de Jean-Louis Barrault.

doit devenir un véritable centre de culture littéraire et artistique. On y donnera donc des concerts. On y multipliera les conférences. On créera également un journal, destiné à informer le public des intentions, des difficultés, des problèmes divers qui se posent aux animateurs comme aux acteurs ou aux dramaturges. Ce journal, inspiré des revues de Wagner, de Reinhardt, d'Antoine, de Paul Fort, de Lugné-Poé, s'appellera *Cahiers du Vieux-Colombier,* sur le modèle des *Cahiers* de Péguy, sous l'invocation duquel sera placé le n° 1. Le dit numéro, paru en novembre 1920, traitait des *Amis du Vieux-Colombier.* Un autre, l'année suivante, traita de l'*Ecole.* Ce fut, hélas ! le dernier. Le titre ne servit plus ensuite qu'à une collection des œuvres du répertoire, mises en vente dans les couloirs mêmes du théâtre.

Tout étant ainsi mis en place, et quelques nouveaux comédiens recrutés (parmi lesquels Julien Carette, Marcel Herrand, Lucien Nat), le théâtre rouvrit ses portes en février 1920. Au programme : *Le Conte d'Hiver* de Shakespeare. Le choix était habile. Le public n'avait pas oublié le triomphe de la *Nuit des Rois.* D'autre part, c'était d'une méditation sur la mise en scène des œuvres du dramaturge anglais qu'était née la conception du nouveau dispositif architectural. L'accueil du public prouva amplement que Copeau avait visé juste. Cependant, le succès fut de courte durée; et la nouvelle organisation du plateau ne fit pas l'unanimité des critiques. Par bonheur, trois semaines plus tard, *Le Carrosse du Saint-Sacrement,* créé en Amérique, et le *Paquebot Tenacity,* de Charles Vildrac, rallièrent un grand nombre d'hésitants. C'est à leur occasion qu'Antoine formula sa fameuse prophétie : « J'ai senti vraiment l'autre soir que l'avenir est là. M. Copeau achève de forger l'instrument réellement neuf dont nous avons besoin, et s'il nous révèle des œuvres, c'est au-dessus de sa maison que l'étoile se lèvera ».

La conditionnelle était dure pour Vildrac. Etait-elle superflue ? Copeau n'avait pas de plus pressant désir que de révéler de nouveaux auteurs. Sur six spectacles, il n'avait pas prévu moins de quatre contemporains. Mais saurait-il reconnaître les vrais talents ? *L'Œuvre des Athlètes,* de Georges Duhamel, fut assez bien accueillie par la critique, un peu plus fraîchement par le public. *Cromedeyre-le-Vieil,* de Jules Romains, n'eut guère plus de succès. On en loua la vigueur et l'originalité. On en contesta la valeur théâtrale. Or, fait navrant, c'était précisément ce mérite, en apparence négatif, qui avait séduit Copeau dans la pièce. « Il s'agissait moins, devait-il écrire plus tard, d'une mise en valeur théâtrale que d'une secrète communion poétique » (1).

Fallait-il donc parler d'échec ? Le 7 avril, Copeau soumit au public parisien sa fameuse mise en scène sur « tréteau nu » des *Fourberies de Scapin.* On savait mieux en France qu'en Amérique qu'il s'agissait là d'un retour aux traditions des bateleurs. On se montra donc moins surpris, mais hélas ! aussi peu enthousiaste — à l'exception d'un petit nombre de vrais artistes, au rang desquels André Suarès et Antoine.

Commencée le 10 février, la saison avait été courte. Son dernier spectacle, Copeau le voulut aussi plein de signification que possible. Un classique oublié : *La Coupe enchantée,* de La Fontaine et Champmeslé; un acte symboliste : *Phocas le Jardinier,* de Viélé-Griffin; une farce de comique pur : *La Folle Journée,* première pièce d'Emile Mazaud, à propos de laquelle on prononça les noms de Jules Renard et de Courteline.

Etait-ce tout ? Oui, c'était tout; et l'on se montra un peu déçu dans l'ensemble par le choix des pièces nouvelles. Cependant, leur pourcentage en augmentation sensible permettait encore de sincères espérances. D'autre part, en dépit de quelques grincheux, le Vieux-Colombier avait fini par s'imposer comme le plus artistique des théâtres de Paris. Il bénéficia même d'un certain snobisme. La salle fut comble presque chaque soir. Une seule ombre au tableau : le déficit en fin d'année dépassait 100.000 francs.

L'ECOLE

Copeau trouva-t-il une consolation à ses premières difficultés dans la création de l'Ecole à laquelle il rêvait depuis plus de sept ans ? Il faut reconnaître qu'elle avait, dans la conception générale de son entreprise, une importance primordiale, rejetant le théâtre lui-même au rang de manifestation secondaire, presque facultative. Une révolution dans les faits puise en effet sa source dans une révolution des esprits. « L'étape 1921-1922, avec la fondation de l'Ecole, est tout aussi importante » — déclarait Copeau

---

(1) *Hommage à Jules Romains,* à l'occasion de son 60e anniversaire.

— « sinon plus importante que l'étape 1913-1914, avec la fondation du Théâtre. »

S'agit-il, en automne 1920, d'une simple reprise du cours organisé pendant la guerre ? Pas tout à fait. Pendant le séjour d'Amérique, l'idée n'a cessé de le poursuivre. Il a médité, étudié, précisé ses principes. Ce sont eux qu'il expose avec minutie dans le numéro 2 des *Cahiers du Vieux-Colombier*.

Que la nécessité d'une telle création s'impose, il n'est que de regarder une nouvelle fois l'état du théâtre contemporain pour s'en convaincre. Ce n'est pas la bonne volonté qui manque, mais la connaissance des règles fondamentales. La première de ces règles n'est-elle pas l'humilité ? L'acteur doit accepter l'obligation d'étudier son art. S'il a du génie, tant mieux. Ce ne sont pas les impératifs professionnels qui le lui enlèveront. Au contraire : ils sont la condition indispensable pour que ce génie puisse s'épanouir efficacement. Toute contrainte affine et fortifie.

Mais il ne faudrait pas non plus que cette formation technique se transforme en simple acquisition de recettes infaillibles. Si l'acteur est un artisan, il est aussi et surtout un artiste. Sa profession comporte un aspect missionnaire. Qu'il ne l'oublie pas : il est le célébrant du culte dramatique. Or, le meilleur moyen de le lui rappeler consiste à le doter d'une culture générale solide. Non pas certes d'une érudition encyclopédique, mais d'un goût sûr, d'une sensibilité exercée par le commerce des chefs-d'œuvre, à quelque domaine artistique qu'ils appartiennent.

Enfin, plus profondément, la pédagogie doit s'intéresser à l'âme de l'élève. On va au Beau avec tout son être, disait Platon. L'enseignement devra développer dans le futur acteur un certain nombre de qualités morales, au rang desquelles on comptera d'abord la sincérité et le sens de l'effort. On ne sépare en effet les différentes valeurs qu'au prix d'un artifice de langage. En fait, le Beau, le Vrai, le Bien ne sont qu'une seule et même valeur, comme les trois personnes d'une Trinité. Conception mystique, quasi-religieuse, que certains n'ont pas manqué de reprocher à Copeau, et qui ne fera que se développer dans les années suivantes. L'accusation de jansénisme l'irritait ; peut-être dans la mesure où elle définissait trop bien sa foi : en une porte étroite pour entrer au paradis de la perfection artistique.

Nous apprendrons à nos élèves, disait-il encore, « qu'on ne travaille pas pour soi-même, mais ce que c'est que d'offrir son travail ». Cette fois, il ne s'agissait plus seulement de l'Art, mais de l'équipe, avec laquelle il importe de communier. On ne bâtit rien sans amour. Il en veut pour preuve la construction des cathédrales. La saison d'avant-guerre a montré que le succès était à ce prix. Les premières discussions, en Amérique, lui ont fait toucher du doigt les dangers courus en cas de tiraillements. Les élèves, futurs comédiens, devront être véritablement les enfants d'un chœur. « Je me plais, explique-t-il, à désigner sous cette appellation antique une troupe idéale... où toutes les nuances humaines sont représentées et dont chacun des membres ne montre d'autre ambition que de faire à la perfection sa partie ». Au départ donc, pas de spécialiste. Il faut savoir faire un accompagnement avant d'être premier violon.

Comment ces grands principes allaient-ils se traduire dans l'organisation des cours ? On y distinguait trois groupes. Premièrement, pour les enfants de huit à douze ans, des exercices étaient prévus le jeudi et le dimanche, destinés, par des jeux, à développer toutes leurs facultés intellectuelles et expressives. Ensuite, pour les adolescents de quatorze à vingt ans, trois années d'études gratuites — sauf une redevance minime pour quelques externes et auditeurs libres. C'était là l'Ecole proprement dite, dont l'enseignement se divisait encore en deux sections.

Les cours « ouverts » s'efforçaient de réaliser une initiation essentiellement artistique : Théorie du théâtre, par Jacques Copeau; théorie de l'architecture théâtrale, par Louis Jouvet ; Cours théoriques de prosodie, par Jules Romains ; Travaux pratiques de versification, par Georges Chennevière. Ce dernier était également chargé d'un aperçu de l'histoire des civilisations, inséparable de l'histoire de l'art. Enfin : Cours de diction, de jeu et de mise en scène, par Romain Bouquet ; et Cours de chant, par Jane Bathori.

Quant aux cours « fermés » — ainsi appelés parce que seuls y étaient admis les douze élèves en titre de l'Ecole — on s'y occupait plus spécialement de la formation technique du comédien. Neuf classes, ainsi répertoriées dans le programme officiel : 1° Education physique, sous la direction du lieutenant Hébert. 2°) Musique — professeur Louis Brochard. 3°) Education de l'instinct théâtral par Suzanne Bing et Jacques Copeau. 4°) Cours de langue française. 5°) Exercices de mémoire, les uns et les autres dirigés par Marthe Esquerré. 6°) Développement du sens dramatique, assuré par Jacques Copeau. 7°) Diction. 8°) Mise en scène, par André Bacqué et Georges Vitray. 9°) Exercices pratiques de tous ordres : travail du bois, du cuir, dessin géométrique, modelage, peinture, coupe — avec le concours de Marie-Hélène Copeau, Louis Jouvet, Albert Marque. Classes auxquelles s'ajoutaient promenades, jeux, visites de monuments et de musées, chaque fois que les circonstances le permettaient.

Les cours étaient donnés rue du Cherche-Midi, presque à l'angle du carrefour de la Croix-Rouge, dans un local que Copeau voulait radicalement séparé du théâtre. Surchargé de travail, il eut la chance de pouvoir se reposer sur Jules Romains, qui accepta les fonctions de directeur de l'Ecole. Ouverte à l'automne 1920, cette dernière fonctionna normalement jusqu'en mai 1924, date de la fermeture définitive du théâtre. Son influence ? Comment la déterminer avec précision ? Sans doute convient-il de faire une place particulière aux jeux improvisés, dont les Fratellini eux-mêmes, alors à l'apogée de leur gloire, venaient enseigner l'art aux élèves. Mais il nous manquera toujours d'avoir pu juger la grande démonstration que Copeau se proposait de faire en 1924, au cours d'un spectacle qui eût marqué l'achèvement du cycle d'études de la première génération. Il avait fait mettre en répétitions un *Nô* japonais, le genre de pièces le plus strict qu'on puisse imaginer. Au soir d'une générale, hélas ! sans lendemain, l'Anglais Granville-Barker se déclarait non seulement converti, mais ébloui par les résultats d'une telle expérience...

SUITE ET FIN

Le public ne pouvant juger — au moins dans l'immédiat — des travaux de l'Ecole, il faut cependant poursuivre le travail de rénovation entrepris au théâtre. Au cours des deux premières saisons, Copeau a bousculé un certain nombre d'habitudes, de préjugés. Plus ou moins facilement, on a fini par admettre le bien-fondé de son essai. Il reste à décider maintenant de la valeur de ses propositions. A ce point de vue, les saisons 1920-23 vont être d'une importance décisive. Bien entendu, il ne saurait être un seul instant question d'infléchir sa ligne de conduite. Copeau s'efforcera toujours de rendre *d'abord* leur vraie vie aux classiques. Tout au plus se risquera-t-il à multiplier les initiatives contemporaines s'inscrivant dans cette même lignée classique. C'est alors qu'on verra paradoxalement l'enthousiasme du public augmenter en faveur des résurrections de Molière, de Shakespeare, de Marivaux, tandis que les pièces modernes se heurteront aux plus amères critiques.

Premier exemple : la saison 1920-21. Pendant les trois premiers mois, rien que des reprises. La salle ne désemplit pas. On s'extasie. En janvier, Copeau risque *Le Pauvre sous l'escalier,* d'Henri Ghéon; un peu plus tard, la *Mort de Sparte* de Schlumberger; enfin la *Dauphine,* de François Porché. Aucune de ces trois pièces ne dépasse la douzième représentation. A la saison suivante, même déception devant *La Fraude* de Louis Fallens, le *Saül* de Gide — cependant que l'on se réjouit à la reprise des *Frères Karamazov,* et qu'on applaudit la mise en scène new-yorkaise du *Misanthrope.* Au cours de la troisième saison (1922-1923) le phénomène ne fait que s'accentuer. Si l'on excepte deux succès : *Les Plaisirs du Hasard* de René Benjamin, et *Bastos le Hardi* de Léon Régis et François de Veynes — l'impression prévaut de plus en plus que le Vieux-Colombier ne tient pas ses promesses. Il avait annoncé un renouveau de l'invention dramatique. Les pièces nouvelles qu'il présente sont trop peu nombreuses, trop particulières, philosophiques, ardues, puritaines. Les auteurs révélés (Vildrac, Mazaud) déçoivent dès leur seconde pièce. La critique fait la fine bouche.

Je précise bien : la critique. Car le public, tout au long de ces trois années, prouva plusieurs fois à Copeau que son effort d'assainissement n'avait pas été vain. Des peintres, des sculpteurs, des médecins, des professeurs répondirent à son appel d'engagement bénévole et jouèrent les figurants dans une représentation du *Mariage de Figaro.* La province réclama des tournées, provoquant la création d'une seconde troupe, qui fut bientôt obligée de passer les frontières pour aller enseigner la bonne nouvelle en Belgique, en Hollande, en Suède, en Allemagne, en Suisse, en Italie, en Espagne. Dans chacun de ces pays, on commençait d'ailleurs à s'inspirer des principes du Vieux-Colombier. On imitait son style. On traduisait les pièces de son répertoire. Dans la mesure où elle s'était fixé comme objectif principal de redonner le sens des vraies valeurs et de rendre au théâtre sa dignité, l'œuvre de rénovation avait atteint son but. Satisfaction qui n'empêchait point Copeau de mesurer avec amertume toute la distance qui le séparait encore de la perfection, et de l'idéal qu'il portait en lui.

Sans doute puisa-t-il une plus grande fierté en quatre témoignages qu'il reçut au cours de cette période : une fulgurante apparition de Charlie Chaplin; la visite enthousiaste d'Adolphe Appia; celle de la grande actrice italienne Eleonora Duse; et la réception de Stanislavski, le 21 décembre 1922. « J'attache une importance un peu superstitieuse, disait plus tard Copeau, au fait qu'il se soit tenu debout tout un soir, ici, nous dépassant tous de sa haute taille et consacrant par sa présence le lieu de notre travail ».

Se pouvait-il qu'un tel élargissement de son audience devînt la cause d'un éclatement du Vieux-Colombier, comme la dilatation de l'empire romain, selon Montesquieu, avait entraîné sa décadence ? Il était évidemment paradoxal que le premier théâtre parisien continuât à végéter financièrement dans les limites ridicules d'une salle impossible à gérer. Mais le sang de Copeau se coagulait à la seule pensée d'enfreindre en quoi que ce soit la rigueur de ses principes. Un subside gouvernemental ? Il ne voulait être l'obligé de personne. Une salle plus grande ? « C'est parce que » notre théâtre « est petit qu'il est pur; c'est parce qu'il est petit qu'il n'est qu'esprit ». Transformer l'organisation du Vieux-Colombier ? Il « ne serait plus pour moi l'œuvre vivante à laquelle j'ai consacré ma vie et celle des miens ». Elargir son existence ? « C'est à la mort réelle que vous nous destinez, si vous nous appelez à une vie factice, si vous ne respectez pas avant tout notre pensée, si vous ne savez voir qu'une puissance matérielle là où l'esprit a tout fait » (1). Jouvet, Romains, Duhamel eurent beau multiplier leurs efforts pour lui faire entendre raison. Copeau s'entêta. Les positions se durcirent de part et d'autre. Ce fut le signal de la première dislocation. A l'automne 1922, Jouvet partait rejoindre Jacques Hébertot à la Comédie des Champs-Elysées. Jules Romains abandonnait la direction de l'Ecole. Ebranlés, les amis du théâtre négligèrent en majorité de renouveler leur abonnement. Un appel pressant de Copeau recréa provisoirement la confiance. Un lourd malaise n'en pesa pas moins désormais. Le maître se sentit abandonné de ses disciples.

A vrai dire, on ne lui reprochait pas seulement sa tyrannie, son mauvais caractère, son entêtement à refuser toute extension de son entreprise. Sur le plan même de l'art dramatique, on lui faisait grief de durcir aussi son attitude, au point de rejeter pres-

---

(1) *Les Amis du Vieux-Colombier* (n° 1 des *Cahiers*).

que systématiquement toute pièce nouvelle, de juger mauvais tout ce qui n'était point Molière ou Shakespeare. Il s'était proposé d'offrir un asile au talent futur. Se pouvait-il que ce talent n'existât nulle part ? Non, bien sûr. Et cependant, Copeau n'était pas loin de le croire. Plus il allait, plus impérieuses se faisaient ses exigences de perfection. Sa fuite ressemblera par plus d'un point à celle du Misanthrope.

A l'automne 1923, cependant, Copeau ne songeait pas à fuir. Suzanne Bing et Georges Chennevière avaient remplacé Romains à la direction de l'Ecole. Michel Saint-Denis faisait son possible pour remplacer Jouvet à la régie. Le 22 octobre allait sonner le dixième anniversaire de la fondation du théâtre. Sans manifestation tapageuse, Copeau saisit néanmoins cette occasion pour préciser une nouvelle fois ses intentions véritables, et répondre aux attaques les plus virulentes. Lui reproche-t-on un certain « esprit de didactisme » ? C'est que l'on n'a point compris le sens de son œuvre. Il présente des spectacles, parce qu'il ne peut pas faire autrement pour montrer qu'il existe. Mais l'essentiel réside dans le travail obscur, la recherche opiniâtre et laborieuse de l'absolu, qui possède en elle-même une vertu d'ascèse. Alors, activité gratuite ? Evidemment non. Il faudra promouvoir un jour une forme d'art dramatique nouvelle, conforme à la tradition la plus pure — une sorte de tragédie eschylienne adaptée au monde moderne. Mais ce n'est là que le but le plus lointain. Avant d'y parvenir, il importe d'acquérir une parfaite maîtrise du métier, et de pénétrer l'esprit de l'époque. A cette intention, rien ne vaut le genre comique, une comédie, s'entend, « de plus en plus délivrée de littérature et de sentimentalité » (1).

Démonstration: la saison s'ouvrit sur la première pièce d'un jeune auteur de vingt-deux ans, *L'Imbécile,* de Pierre Bost. Elle n'emporta point tout à fait la conviction. *La Locanderia* de Goldoni obtint un plus franc succès. Mais elle ne fut pratiquement suivie jusqu'en février que de reprises, qui, malgré leur triomphe, ne firent qu'aiguiser l'impatience. En fait, tout allait se jouer sur deux spectacles particulièrement chers au cœur de Copeau et qui, par malheur, furent l'un et l'autre des insuccès.

---

(1) En tête du programme de l'*Imbécile,* premier spectacle de la saison 1923-1924.

Le premier était une pièce de René Benjamin, *Il faut que chacun soit à sa place,* écrite en étroite collaboration avec le maître lui-même. Pièce longtemps travaillée, gauchement philosophique peut-être par endroits, mais « unique dans l'art dramatique contemporain », écrivait le chroniqueur de la *Revue Universelle* (1), « non seulement par le genre et par l'invention, mais par la qualité d'un comique qui se contente des procédés de Molière, en tire des effets nouveaux et admirables, et les met au service de la plus haute raison ». Le public également goûta cette farce pleine de fantaisie. Mais l'ensemble de la critique bouda. Copeau, hypersensibilisé, crut à une conspiration.

L'autre spectacle était son propre drame, à lui, Copeau : *La Maison Natale.* Il y travaillait depuis depuis vingt-deux ans. Les souvenirs de son enfance l'obsédaient. Il fallait qu'il s'en délivrât. Mais quelle intrigue artificielle greffer sur ces données immuables ? Son entêtement à bâtir une œuvre à partir d'un pareil thème risquait fort de le mettre en contradiction avec ses propres principes d'animateur et de réformateur. Or, on le guettait à cette manifestation inattendue. Lui qui se montrait si difficile pour juger les œuvres des autres, qu'allait-il proposer en exemple ? Il semble que Copeau n'ait pas vu le piège qu'il se tendait à lui-même. Du moins ne s'y arrêta-t-il point; et sa pièce ayant échoué, comme *Don Gracie de Navarre,* il manifesta tout autant de mauvaise humeur que son illustre devancier.

Tout était-il donc perdu ? Un enfant seul eût pu le croire. Après ces deux expériences — qui ne revêtirent d'ailleurs nullement l'aspect de catastrophes — le *Misanthrope,* le *Paquebot Tenacity,* le *Carrosse du Saint-Sacrement* provoquèrent une nouvelle fois l'enthousiasme d'un public désormais conquis. La fin de cette saison n'en allait pas moins coïncider avec celle du Vieux-Colombier.

Pourquoi ce brusque renoncement ? La faillite ne menaçait pas plus en 1924 qu'en 1920. Copeau pensait-il donc avoir atteint ses limites, et ne plus pouvoir faire autre chose que se répéter? On l'a suggéré. L'intéressé s'est contenté de hausser les épaules. La véritable raison de ce départ est sans aucune doute une raison de santé. A vingt-sept ans — c'est André Gide qui nous le dit — Copeau en paraissait déjà dix de plus. En 1914, il avait été

(1) Lucien Dubech.

réformé. A New-York, un médecin lui avait avoué qu'il était usé comme un homme de soixante ans. Le travail inimaginable qu'il assumait avait épuisé ses forces. Enfin et surtout, c'est en 1924 qu'il ressentit les premières atteintes de la maladie dont il souffrait si tragiquement dans les dernières années de sa vie — et qui l'emporta : l'artériosclérose du cerveau.

Par ailleurs, il n'était pas mécontent de se libérer des contingences du théâtre, pour se donner entièrement à son travail de recherche, de perfectionnement, de formation de soi-même et de disciples bénévoles. D'autant plus que ces contingences devenaient de plus en plus lourdes depuis le succès. On voulait l'obliger à modifier son attitude. La machine tendait à s'affranchir de son obéissance. Il l'a confié à René Benjamin, il l'a confié à Pierre Varillon. Il l'a écrit lui-même. La situation n'était plus tenable. Sans doute son caractère s'aigrissait-il. Mais il y avait de bonnes raisons. Enfin, de plus en plus exigeant vis-à-vis de soi-même aussi bien que vis-à-vis des autres, il pensait que la retraite seule pouvait lui permettre d'atteindre, sinon l'idéal, au moins le climat propre à rechercher les moyens d'arriver jusqu'à lui. Stanislavski, par sa retraite de Pouchkino, ne lui montrait-il pas la voie ? Il avait fait jusqu'alors tout ce qu'il était possible de faire. Il essaierait maintenant de faire mieux — ailleurs. Il se retira, en principe pour un an, en fait pour toujours.

LES COPIAUS

Une fois transmis à Jouvet son répertoire, ses acteurs, les abonnés mêmes de son théâtre (1), il ne semble pas en réalité que Copeau ait immédiatement su ce qu'il allait faire. « Fuir le théâtre pour le mieux servir », c'est bien. Mais le fuir où ? Pour le servir comment ? Il se raccroche au principe de l'Ecole. Trente disciples se sont déclarés volontaires pour tenter avec lui la grande aventure en province. Où s'installer ? Comment vivre ? Après bien des hésitations, on loue le château de Morteuil, dans la Saône-et-Loire. Mais on n'a pas trois mille francs en tout. Des industriels du Nord ont vaguement promis des fonds. Copeau écrit rapidement deux pièces de circonstances qu'il faut aller jouer à Lille pour prouver la solidité du placement. Hélas ! on ne prouve rien.

---

(1) Voir chapitre suivant.

Les industriels se récusent. Impuissant à nourrir tant de monde, Copeau licencie sa troupe. On était installé depuis moins de trois mois.

L'affaire, cependant, ne devait point en demeurer là. Six acteurs (1) décidèrent de s'organiser en une compagnie nouvelle, tirant sa subsistance de représentations données dans les pays d'alentour — avec la permission de Copeau, qui prêtait son matériel, ses costumes, sa fille Marie-Hélène, mais gardait son indépendance. Ces jeunes gens, qui prirent le nom de *Copiaus* n'avaient aucune prétention au théâtre littéraire. Marqués par les exercices de l'Ecole du Cherche-Midi, ils entendaient simplement réaliser de façon plus complète ces premières tentatives : « sortir des sentiers battus et faire appel au masque, au mime, à la danse, au chœur, à la chanson » (2). Premier pas vers une conception du spectacle comme traduction de l'enthousiasme populaire.

La première représentation, donnée en mai 1925, n'était constituée que de courtes œuvres de leur crû. Elle fut dans l'ensemble un succès.

Mais voici que Copeau, sortant de sa réserve, décida brusquement de prendre la direction de la nouvelle troupe. Spécialement pour elle, il écrivit cinq ou six divertissements, soit originaux, soit adaptés de l'espagnol ou de l'italien (3). Plus par déférence que par enthousiasme, les Copiaus acceptèrent la décision, trouvant un peu plus qu'une consolation dans les succès remportés à Dijon, à Beaune, à Mâcon, à Châlons, à Nuits-Saint-Georges. Le spectacle représenté le 15 novembre 1925, et composé par la troupe entière : *Célébration de la Vigne et du Vin* ne constituait-il pas le premier exemple de ces Dionysies modernes, qui allaient devenir l'une des formes d'expression préférées de la compagnie?... Une compagnie bien chancelante pourtant, misérable, déçue, qui décide au bout d'un an de quitter Morteuil, et de s'installer à Pernand-Vergelesses, en Côte-d'Or, au début de 1926.

Là, dans une grande cuverie au sol en ciment, on reprend, avec une certaine allégresse d'abord, les exercices du beau temps

---

(1) Suzanne Bing, Boverio, Chancerel, Michel Saint-Denis, Aman-Maistre, Jean Villard.

(2) Jean Villard Gilles : « *Mon demi-siècle* ».

(3) *Le Veuf, L'Objet, L'Impôt, Arlequin magicien, Les Cassis, Le Roi, son Vizir et son médecin.*

de l'Ecole. Est-ce un nouveau départ ? Hélas ! Au bout de quelques semaines, Copeau retourne peu à peu à sa solitude. Les désappointés, les impatients s'aigrissent. Les passions montent. Quelquefois, une réussite rend un peu d'espoir. *Le Médecin malgré lui,* par exemple, en 1926. Ou l'*Illusion,* « contaminée », à la latine, de l'*Illusion Comique* de Corneille et de *La Célestine* de Fernando de Rojas. *L'Anconitaine* de Ruzzante, l'année suivante, se solde également par un triomphe. Mais c'est vraiment trop peu; et Copeau ne comprend plus ses disciples. Aussi poussent-ils un véritable soupir de soulagement lorsqu'il part, au lendemain de cette dernière pièce, pour les Etats-Unis. Sans attendre, ils montent un spectacle de leur invention : *Le Printemps,* essaient de reprendre et de donner vie à l'idée de la *Comédie des tréteaux.* A son retour — miracle ! — le Patron les approuve.

Bonheur éphémère. Cette belle entente n'allait guère tarder plus que la première à s'évanouir. En 1928, une nouvelle initiative : *La danse de la ville et des champs* obtint un immense succès en Bourgogne, à Genève même où la troupe fut conviée, mais se heurta à l'incompréhension totale de Copeau. Cette fois, c'en était trop. Des tournées triomphales en Grande-Bretagne, en Belgique et en Suisse ne firent que cacher momentanément les plaies. En juin 1929, songeant à la Comédie Française, Copeau rendit leur liberté à ses acteurs. Ce ne fut en réalité qu'une occasion.

Les raisons d'un comportement aussi étrange pendant toute cette période ne sont assurément pas simples. Sans doute convient-il d'insister d'abord sur un état physique particulièrement grave. Mais on ne saurait davantage passer sous silence les tourments d'une profonde crise religieuse. Avant 1914, Copeau était incroyant, sans inquiétude. Au lendemain de la guerre, peut-être en partie sous l'influence d'Isabelle Rivière, sœur d'Alain-Fournier, il se rapproche peu à peu du christianisme. L'année 1925, à ce point de vue, représente pour lui une année absolument cruciale, marquée par la mort de Jacques Rivière en février, la rencontre de Claudel en juin, et deux visites à l'abbaye de Solesmes.

Au début de 1926, au contraire, le désespoir est surmonté. Sa santé s'améliore. Il s'est approché à nouveau de la sainte table. Il reprend confiance. Puis, derechef, les tourments l'assaillent. Peut-être l'idée l'effleure-t-elle d'une certaine incompatibilité entre sa foi et sa profession, en même temps que le torture la hantise de l'œuvre à décrire — qu'il ne parvient pas à réaliser — et qu'achèvent de l'épuiser d'innombrables sollicitations extérieures.

Quelques exemples : au cours de l'hiver 1925-1926, afin de faire vivre sa troupe, il avait accepté de remonter à Paris, pour y donner une série de ces « lectures dramatiques » qui transportèrent d'enthousiasme de si nombreux publics entre les deux guerres, tant en France qu'à l'étranger. L'année suivante, dans le même but, il accepte encore la proposition du *Theater Guild* de New-York, de retourner aux Etats-Unis pour y présenter sa mise en scène des *Frères Karamazov* (1).

Autre genre de sollicitation : en février 1926, Antoine lança l'idée de confier à Copeau la direction du théâtre de l'Odéon. L'intéressé, cette fois, déclina l'offre avec mépris. Le projet de construction d'un nouveau théâtre, prenant la suite du Vieux-Colombier, n'obtint pas plus de succès, bien qu'on le lui ait présenté trois fois, en 1926, 1927 et 1928. Sa décision de retraite définitive semblait irrévocable. Elle ne fut ébranlée en 1928 que par une proposition de Pierre Fresnay, Berthe Bovy, et quelques autres sociétaires, tendant à lui confier la direction du Théâtre Français. Candidature qui échoua d'ailleurs en 1929, au moment où elle semblait le plus près d'aboutir.

Enfin, sur un tout autre plan, Copeau avait accepté en 1927 de tenir le rôle du récitant dans le *Roi David*, d'Arthur Honegger. Quelques mois plus tard, il incarnait le héros de la pièce d'Henri Ghéon : *La Vie profonde de Saint François d'Assise*. Il figurait également dans la distribution lorsqu'on présenta le *Mystère du roi Saint Louis* à l'intérieur de la Sainte Chapelle, et le *Triomphe de Notre-Dame de Chartres* — du même Henri Ghéon — en 1927...

Cependant, à travers toutes ces vicissitudes, sa conception théâtrale s'élargit, s'approfondit. Pour être plus exact, disons qu'il prend conscience peu à peu du but lointain qu'il se proposait instinctivement d'atteindre dès l'ouverture du Vieux-Colombier, à savoir : la mission religieuse de l'art dramatique ou, si l'on préfère, le retour aux plus pures origines médiévales, voire antiques.

Cette méditation sur l'essence de son art et de sa mission prend d'abord la forme de *Notices* destinées à une édition des Œuvres Complètes de Molière, et où il s'assimile peu ou prou à son modèle.

---

(1) Il refuse, en revanche, de se fixer définitivement en Amérique, alléguant que son vrai travail l'attend en Bourgogne.

Plus nettement qu'à l'époque du Vieux-Colombier, où il avait bien été contraint de s'appuyer sur une certaine élite cultivée, il y affirme la nécessité de toucher et de satisfaire la masse, toute la masse... Seconde forme de cette méditation : la préface qu'il compose pour une réédition du *Paradoxe sur le Comédien,* de Diderot. « Le tout du Comédien, y écrit-il, c'est de se donner ». Se donner à quoi ? A l'art, bien sûr, dont l'acteur est le prêtre le plus authentique en même temps que la victime. Mais aussi, et avant tout, au public, avec lequel une véritable communion est strictement indispensable... Cependant, la meilleure mise au point de sa doctrine consiste sans aucun doute dans les deux conférences prononcées en janvier 1931, sur la scène du Théâtre du Vieux-Colombier.

A quelle occasion ? Revenons en Bourgogne au moment du licenciement des Copiaus, en 1929. Le plus grand nombre des acteurs, libres cette fois, avaient eu l'idée de reprendre l'expérience à leur compte, et trouvé un collaborateur précieux en la personne de l'écrivain André Obey. Neuf anciens Copiaus, ayant à leur tête Michel Saint-Denis, six nouvelles recrues : ainsi était née la *Compagnie des Quinze.* Elle reloua la salle du Vieux-Colombier, en confia la rénovation à André Barsacq, construisit à Ville-d'Avray une grande « baraque » de répétitions, et annonça son premier spectacle. Bien qu'elle portât la signature du seul André Obey, *Noé* était en réalité une œuvre d'inspiration collective. Pierre Fresnay offrit spontanément son concours pour l'interprétation du principal rôle. Copeau, de son côté, tint à présenter lui-même la Compagnie, reconnaissant ainsi et consacrant la filiation. D'où les deux conférences mentionnées plus haut, et réunies par la suite en l'unique volume des *Souvenirs du Vieux-Colombier.*

Malgré quelques déceptions, accusées par Gide dans son *Journal,* la dernière impression qu'il ait laissée à ses auditeurs de 1931, c'est que l'on devait s'attendre à voir bientôt le solitaire de Pernand entreprendre une tâche nouvelle, ou plutôt entamer une nouvelle tranche d'un programme d'action qui ne se précisait que lentement.

Quel fut, en attendant, le sort de la Compagnie des Quinze? Après un début quelconque à Paris, elle obtint de véritables triomphes en Suisse, en Belgique, en Hollande, en Angleterre. Au cours de la saison 1932-1933, nous la retrouverons en alternance avec la troupe de Dullin au théâtre de l'Atelier. Cependant, des difficultés analogues à celles qu'avaient rencontrées les Copiaus l'obligèrent à se dissoudre en 1933. Sous une forme légèrement différente, elle se reconstitua pour quelques mois en 1934. Puis ce fut sa disparition définitive.

FLORENCE, BEAUNE ET LE THEATRE POPULAIRE

Si Copeau, pendant ces deux ou trois années, se manifeste au total assez peu, il n'en demeure pas moins sur la brèche, à l'affût d'une occasion, lançant de temps à autre un appel à l'union des gens de théâtre. Tous les prétextes lui sont bons ; conférence, article, lettres à des amis. En novembre 1932, il accepte de partir professer l'art dramatique au Conservatoire national de Bruxelles. On lui promet monts et merveilles : le Théâtre Royal du Parc sera tenu à son entière disposition. Hélas ! il faut bientôt déchanter... Cette déception pourtant, ne s'accompagnera d'aucune amertume. Car c'est alors que se produit l'événement le plus inattendu, mais le plus important aussi de toute sa carrière : l'invitation à mettre en scène le *Mystère de Santa Uliva* dans le cadre des manifestations du Grand Mai florentin.

Le « mystère » en question était une œuvre toscane du Moyen-Age, qu'il s'agissait de monter en plein air — au cloître de Santa Croce — à l'occasion d'une solennité tout ensemble populaire et religieuse. A l'annonce de ce programme, l'enthousiasme s'empara instantanément de Copeau. Pour la réalisation de l'entreprise, il fit appel à André Barsacq, décorateur de la Compagnie des Quinze. Au mépris de tout effet spectaculaire (1), c'était la découverte d'un domaine nouveau offert à l'activité dramatique.

Accomplissement miraculeux, d'abord — et total — du contact direct entre l'acteur et le spectateur. Le public entourait littéralement l'aire d'évolution, et pouvait croire que l'action se déroulait au milieu de lui. En second lieu, nouvelle souplesse, dans ce qu'André Barsacq appelait « la hiérarchie des lieux » (2). Toutes les scènes importantes se jouaient sur une estrade cen-

---

(1) A la différence de la mise en scène par Max Reinhardt du *Songe d'une Nuit d'Eté* dans les jardins Boboli, à l'occasion de la même solennité.

(2) Communication au Centre d'Etudes Philosophiques et Techniques du Théâtre.

trale, tandis que les scènes secondaires étaient reléguées sur des plateaux accessoires. Enfin, dernier élément indispensable à une absolue communion avec le public : la musique et les chœurs. On rejoignait en somme la grande tradition médiévale, élisabéthaine, grecque. Remettre en honneur cette technique, n'était-ce pas courir la chance de susciter à nouveau la production d'œuvres de qualités analogues ?

A quel point cette expérience italienne a marqué Copeau, trois déclarations nous permettent de le mesurer. Celle-ci, en premier lieu, tirée d'une lettre à *Comœdia,* publiée le 25 septembre 1933 : «Florence et Santa Croce m'ont donné le goût de l'espace». Cette autre, d'une lettre à Suzanne Bing: « Florence n'a pas été seulement un grand succès. Cela a été une grande expérience et j'ai pu, pour la première fois, réaliser certaines choses que j'ai trouvées selon mon attente. Maintenant, je me vois mal travailler entre trois murs ». Cette troisième enfin, d'une lettre au grand historien du théâtre Silvio d'Amico : « J'ai eu l'impression vive à Florence que le théâtre catholique pourrait renaître. Toutes les questions de technique sont plus ou moins vaines... *Uliva* a eu une grande importance pour moi. Vous vous en apercevrez peut-être plus tard ».

Si telle fut à ses yeux l'ampleur de la révélation, comment expliquer qu'il ne se soit pas ensuite exclusivement consacré à une œuvre de cet ordre ? Il est à coup sûr permis de s'étonner. Fut-il effrayé par l'ampleur de la tâche? Mal secondé par les circonstances? Peut-être. Indécis, peut-être également; et tissu de contradictions — ou simplement velléitaire. Nous avons déjà noté tous ces traits de sa nature. Mais aussi redisons bien haut qu'il n'y avait pas la moindre incompatibilité entre les exercices de l'époque antérieure à la retraite en Bourgogne et les expériences de plein air dont Florence avait constitué le premier épanouissement. S'il s'est simultanément livré, au cours des seize années qui lui restaient à vivre, à des activités relevant des deux sortes d'approches de l'art sacré, on ne saurait donc en aucune manière parler d'incohérence.

Continuité, ou reprise : c'est d'abord, à partir du 4 novembre 1933, sa collaboration aux *Nouvelles Littéraires* en qualité de critique dramatique. Retour sur son activité passée, c'est ensuite la préface rédigée en 1934 pour la première édition française du livre de Constantin Stanislavski, *Ma Vie dans l'Art,* et dans laquelle — comme pour Molière, nous l'avons vu — il se confond si souvent avec son modèle que l'on peut prendre certaines de ses dissertations pour des confidences. Situation encore, son article sur *La Mise en Scène,* publié en 1935 dans la grande *Encyclopédie française,* où il affirme essentiellement : la nécessité d'une simplification artistique en matière de décoration théâtrale; l'aspiration à renouer avec le théâtre antérieur au XVIe siècle; enfin l'importance capitale du metteur en scène, analogue à celle du meneur de jeu médiéval. Pour être tout à fait complet, il conviendrait d'ajouter : la suite des « notices » pour l'édition des *Œuvres Complètes* de Molière ; la présidence d'honneur de la *Société des Historiens du Théâtre* — à défaut d'une Revue d'Art dramatique, qu'il aurait dirigée en collaboration avec Léon Chancerel; ses tournées de lectures et conférences, qui le menèrent tour à tour en Afrique du Nord, en Grèce (croisière Guillaume Budé, 1937) et dans les Balkans, au printemps de 1940.

Sur le plan des réalisations spectaculaires, sans doute faut-il mentionner sa mise en scène de *Rosalinde* (1) au Théâtre de l'Atelier, qui fut, en octobre 1934, un prodigieux succès. Mais il importe d'insister avec quelque loisir sur le projet très complet et très attentif de formation d'un *Grand Théâtre de Répertoire,* dont la scène devait être celle de l'Ambigu, et dont le Comité d'Etudes constitué pour sa fondation se crut en mesure de rédiger vers la même époque un véritable manifeste. Le nouveau théâtre se proposait d'appliquer les principes et les méthodes qui avaient fait la réputation, et assuré l'influence du Vieux-Colombier : « constitution d'un *répertoire varié* d'œuvres modernes et classiques, avec *alternance* d'environ trois spectacles pendant une même période ; — formation d'une *troupe fixe,* homogène et disciplinée ; — éducation de jeunes acteurs ». Mais élargissant aussi ses horizons, il prétendait s'adresser cette fois au *grand public,* désireux de « contribuer à réduire la funeste distinction qui s'était établie entre le beau théâtre, ou théâtre littéraire, et le *théâtre* tout court, dans son acception la plus large et la plus populaire ». L'ouverture devait avoir lieu le 1er février 1935. On y eût présenté une adaptation de *Macbeth.*

---

(1) Adaptation par Jules Delacre de la comédie de Snakespeare : *As you like it.*

L'échec de ce projet peut-il seul expliquer qu'au cours des deux années suivantes, on voie Copeau accepter de mettre en scène — outre *Beaucoup de bruit pour rien,* au théâtre de la Madeleine — *Napoléon Unique,* de Paul Raynal; *Jeanne,* d'Henri Duvernois; *Le Trompeur de Séville,* d'André Obey ? Nombre de ses amis et de ses proches ne cachèrent pas leur stupéfaction. Lui-même déclara un jour qu'il ne comprenait pas...

En 1936, une tâche infiniment plus noble lui fut confiée par Edouard Bourdet, nouvel administrateur de la Comédie Française : celle de monter chez Molière un ou deux spectacles par an, en alternance avec Jouvet, Dullin et Baty. C'est alors qu'il présenta salle Richelieu : *Bajazet, La Seconde Surprise de l'Amour, Le Misanthrope,* l'*Asmodée* de Mauriac. Mais là ne devait point se limiter son rôle dans l'illustre maison. Après deux ans d'une nouvelle retraite à Pernand-Vergelesses, coupée par un seul voyage à Madagascar pour aller voir sa fille cadette, Edwige, missionnaire bénédictine, Copeau en effet venait d'entreprendre sa dernière tournée de conférences européenne, lorsqu'un télégramme de Bourdet, gravement accidenté, le pressa d'accepter le poste d'Administrateur provisoire de la Comédie Française.

Officiellement investi de ses nouvelles fonctions le 12 mai 1940, il eut tout juste le temps de faire entrer au répertoire *La Nuit des Rois, le Carrosse du Saint-Sacrement,* de reprendre le *Paquebot Tenacity;* un mois plus tard, les Allemands entraient à Paris. Fort peu diplomate, il n'avait pratiquement aucune chance de se maintenir à un tel poste en régime d'occupation. Au mois de mars 1941, il regagnait en effet sa maison de Pernand.

Qu'étaient cependant devenues les perspectives découvertes à Florence, à l'occasion du *Mystère de Santa Uliva*? De 1933 à 1941, trois grands textes affirment et précisent son orientation nouvelle : une conférence prononcée à Coppet en 1935 sur le thème du *Théâtre et le Monde;* un article publié en 1937 dans la revue « Art Sacré », et traitant de la *Représentation Sacrée,* enfin — et surtout — une brochure parue en 1941 dans la « Bibliothèque du Peuple », et intitulée *Le Théâtre Populaire.* A son avis, en 1941 aussi bien qu'en 1913, le théâtre n'existe plus; entendez: au sens le plus pur et le plus exigeant du terme. « Tous les efforts de rénovation dramatique ont jusqu'ici échoué ». Tous, y compris celui du Vieux-Colombier. Ce dernier en effet, malgré tous ses efforts, n'a jamais correspondu « à un mouvement général ». Ce qu'il a obtenu, il l'a conquis de haute lutte sur le public. Or, tous les grands hommes de théâtre dans l'histoire du monde « avaient un génie qui correspondait au goût du public ». Que faudrait-il donc pour rénover profondément le théâtre contemporain? Un grand mouvement populaire. Copeau est si imbu de cette idée qu'en dépit de ses convictions politiques et religieuses, il va jusqu'à faire mention de la tentative hitlérienne, déplorer l'échec français du Front Populaire et citer favorablement l'expérience soviétique. « La question, affirme-t-il, n'est pas de savoir si le théâtre d'aujourd'hui empruntera son attrait de tel maître de la scène plutôt que de tel autre. Je crois qu'il faut se demander s'il sera marxiste ou chrétien ».

Aussi bien, dans ces textes, Copeau insiste-t-il à loisir sur la nécessité préalable d'un changement social, ou tout au moins d'une réfection spirituelle. On ne fabrique pas artificiellement, non plus que l'on n'impose un théâtre populaire. Il naît de lui-même, dans un certain climat, qu'il faut d'abord créer. En 1941, il ne saurait être autre chose qu'un rêve d'avenir. Comment préparer son avènement? Par cette fameuse *commedia dell'arte* dont il n'a cessé de rêver tout au long de son existence. Contrairement en effet à l'opinion si souvent répandue, le goût naturel de la foule est bon. Or ce procédé d'invention dramatique possède tous les secrets permettant de revenir à une stylisation et de susciter un enthousiame populaire de bon aloi. Aucun autre intermédiaire ne saurait de façon plus efficace préparer la voie d'un retour aux célébrations, non pas seulement médiévales, mais antiques, voire primitives : rappelez-vous, dit-il, les bergers de Giono. L'expérience bourguignonne constituait une première esquisse de cette tentative. Son succès doit donner courage. « De quelle grandeur une telle communion ne serait-elle pas susceptible, dans une province où les thèmes lyriques émaneraient du *fond des âges et du fond de l'âme populaire* pour être simplement recueillis et transcrits par un poète? »

Malgré ce que la critique en put dire à l'époque, il est abusif de mettre sur le compte de ces conceptions la mise en scène du ballet d'Igor Stravinski, *Perséphone,* qu'assuma Copeau en 1934 sur la scène de l'Opéra. N'avait-il pas déjà monté, sur la même scène et du même Stravinski, *Œdipus Rex* en 1927, c'est-à-dire six ans avant l'expérience florentine ? Infiniment plus d'importance doit être accordée aux deux autres spectacles qu'il mit en scène une fois de plus à Florence, et en plein air : *Comme il vous plaira* dans le cadre des jardins Boboli en 1937; mais surtout le *Savonarole* de Rino Alesi en 1935. Expérience analogue à celle de 1933, menée avec la collaboration technique d'André Barsacq, et dont le cadre était la place même de la ville, près du Palazzo Vecchio, où Savonarole fut brûlé en 1498. Les principes de réalisation n'ont pas changé. Une plus intense richesse d'émotion peut-être sera-t-elle atteinte, non seulement, comme le dit Barsacq, en raison de la majesté des lieux, mais aussi par la magie d'une véritable foule qui se trouvait mélangée au spectacle, sortant de vomitoires placés sous les gradins du public. Pareille grandeur; semblable exaltation... Et cependant, si l'on excepte le spectacle shakespearien, infiniment moins significatif de 1937, il faudra attendre huit ans pour le voir aborder la tentative suivante (1). Nouvelle marque d'indécision ? Non plus. Cette fois, son parti est pris. On ne le répètera jamais assez. Au cours des neuf dernières années de sa vie, même dans le silence le plus profond de sa retraite — ses notes inédites en font foi — il ne rêvera plus que du théâtre nouveau, dont il a découvert à Florence la puissance d'envoûtement.

La « tentative suivante » eut lieu en juillet 1943, dans la cour des Hospices de Beaune, à l'occasion du cinquième centenaire de leur fondation. Copeau tint à écrire lui-même le texte qui serait joué, l'adaptant d'une pièce populaire du Moyen-Age : le *Miracle du Pain doré*. Spectacle analogue, encore une fois, à celui de *Santa Uliva,* d'autant plus que la cour des Hospices de Beaune présente elle aussi la forme d'un cloître. Au lendemain de la représentation, pour la première fois de sa vie, Copeau se déclare satisfait. « Il m'a semblé, écrit-il à Suzanne Bing, que c'était là le modèle d'une célébration sacrée et le couronnement de ce que nous avons fait depuis une vingtaine d'années... » Et quelques semaines plus tard : « Je considère n'avoir fait que deux mises en scène : Florence et Beaune ».

Pourquoi cette attitude rétrospective? A partir de 1944, Copeau ne s'éloignera pratiquement plus de sa table de travail. Les idées

---

(1) Ne mentionnons que pour mémoire sa brève incursion dans le domaine du cinéma, entre 1936 et 1939, avec des films ayant pour titres : *La Vénus de l'Or, Conflits, L'Affaire du Courrier de Lyon.* Copeau n'aimait guère le septième art. Il avait refusé en 1916 une première offre de la Compagnie Gaumont.

qu'il porte en lui désormais, il semble résolu à ne plus les concrétiser que dans une œuvre écrite. Que sera-t-elle? Sous le titre volontairement banal de *Registres,* il songe à nous léguer la «mise en ordre et en lumière » de son travail passé. Œuvre inachevée, dont Marie-Hélène Dasté n'a pu extraire en 1955 qu'un tout petit nombre de *Notes sur le métier de comédien.* On y trouve, en particulier, d'intéressantes *Remarques sur la Radio* et sur l'importance du *Chœur* dont il avait fait un emploi si minutieux dans ses réalisations de plein air, notamment dans le *Miracle du Pain doré.* Le chœur permet d'abord un élargissement du drame aux dimensions du Temps, de l'Humanité, des Vérités abstraites, du Lyrisme. Il apporte ensuite au Verbe un instrument dont la souplesse égale celle que présentent aux évolutions de l'acteur le dispositif architectural et la hiérarchie des aires de jeu. Se priver du chœur, c'est renoncer « à la *palpitation tragique,* à l'âme même de la tragédie ».

Parallèlement, Jacques Copeau projetait d'écrire une série d'ouvrages dramatiques, dont *Le Petit Pauvre* fut la première et unique réalisation. A ce titre, ne doit-il pas nous apparaître comme son ouvrage le plus précieux, son testament à la fois théâtral et spirituel? S'identifiant dans une large mesure à Saint-François d'Assise, comme il s'était identifié à Molière et Stanislavski, dans cette œuvre dépouillée à l'extrême, il nous donne comme un résumé de toutes ses expériences : aventure américaine, abandon des premiers disciples, fermeture du Vieux-Colombier, retraite en Bourgogne, tourments religieux — cependant qu'il essaie d'appliquer dans toute leur rigueur les plus importantes de ses découvertes dramatiques. La pièce ne devait être, hélas! montée qu'après sa mort, en 1950, dans le village de San Miniato. Elle était mise en scène par le disciple italien de Copeau, Orazio Costa.

En dépit de cette volonté créatrice, nul doute que d'autres spectacles semblables à celui du *Pain Doré* auraient vu le jour si les occasions s'en étaient présentées, et si la santé de Copeau le lui eût permis. N'avait-il pas prévu, par exemple, d'organiser une grande célébration à l'abbaye de Solesmes pour le quatorzième centenaire de la mort de Saint Benoît ? Malheureusement, ses facultés diminuent de jour en jour. En 1948, il va suivre un traitement en Suisse. Le 4 février 1949, il célèbre chez sa fille Marie-Hélène, à Saint-Cloud, son soixante-dixième anniversaire. A peine a-t-il regagné Pernand, au début de l'automne, qu'une attaque oblige à le transporter d'urgence aux Hospices de Beaune. Il y meurt le 20 octobre.

Il repose aujourd'hui dans le cimetière du village bourguignon cher à son cœur, dont les paysans tinrent à porter son cercueil à bras d'hommes, le jour de ses obsèques. Sur sa tombe, une petite pierre : la célèbre dalle aux deux colombes de San Miniato, qu'Orazio Costa avait offert à son maître en hommage de gratitude, lors du *Maggio fiorentino* de 1938.

LOUIS JOUVET

Michel Saint-Denis rapporte qu'un jour, où ils se trouvaient dans un compartiment de chemin de fer, Jouvet lui dit tout à coup : « Tu sais, mon p'tit frère, on est foutu; où qu'on aille, dans l'avenir, on ne pourra jamais faire que du Copeau ». Au lendemain de son départ en Bourgogne, Copeau de son côté déclarait, désignant Dullin et Jouvet, ses deux fils prodigues : « Je suis heureux que d'autres aient continué ce que j'ai commencé. Et je n'ai même pas le sentiment d'abandonner la lutte puisque je laisse derrière moi, pour la mener dignement, deux hommes qui sont mes amis, deux bons ouvriers, qui, tous deux, sont sortis du Vieux-Colombier... » (1).

Disciples d'un même maître, les comportements de ces deux hommes n'en présentent pas moins d'énormes différences. Alexandre Arnoux affirme que l'on ne peut comprendre Dullin si l'on ignore ses profondes racines savoyardes. Bien qu'il soit demeuré longtemps l'une des principales vedettes parisiennes, il est certain en effet qu'il resta pour beaucoup, jusqu'à l'échec du Théâtre Sarah-Bernhardt, le sauvage de la scène française. Jouvet, au contraire, en apparut comme le prince : avec tout ce qu'un tel mot comporte à la fois de prestige et de service, de grandeur et de devoir, de largesses et d'abnégation, de luxe et d'humilité — en un mot, de clairvoyance...

---

(1) Lettre publiée dans *Comoedia*, le 17 septembre 1924.

DERRIERE LES BOCAUX

Dans quelle mesure son « éducation théâtrale » (au sens où Flaubert parle d' « éducation sentimentale ») influa-t-elle sur ce goût de la richesse, intellectuelle et artisanale, qu'il poussa vers la fin de sa vie parfois jusqu'au baroque ?

La famille de Jouvet n'avait que des rapports lointains avec le théâtre — euphémisme pour signifier qu'elle n'en avait pratiquement aucun. Son père, originaire de la Corrèze, était conducteur de travaux publics. Le hasard de ses nombreux déplacements voulut que le petit Louis naquît à Crozon dans le Finistère, le 24 décembre 1887, reçût le baptême à Brive-la-Gaillarde, et fréquentât diverses écoles : à Aurillac, Toulouse, Vorey-sur-Arzon, Le Puy-en-Velay, Lyon. Le technicien aurait-il favorisé la vocation de son fils? Il disparut malheureusement trop tôt pour la connaître. L'enfant avait quatorze ans lorsque son père fut tué dans un accident du travail, à l'entrée du tunnel de Ribes, près de Saint-Martin-Valamas.

Demeurée seule avec trois enfants (Jouvet avait deux frères : Edmond et Gustave), la mère décida de regagner ses Ardennes natales, et s'installa à Rethel. Les trois garçons furent confiés en qualité de pensionnaires au collège Notre-Dame; et sans doute est-ce là que le futur animateur de l'Athénée prit contact pour la première fois avec le monde du théâtre auquel l'établissement accordait une importance toute particulière — en interprétant chaque année, devant un public de parents et d'amis, des pièces de Plaute, Térence, Molière, Corneille et Cervantès.

Ses études secondaires honorablement terminées, qu'allait faire le jeune Breton en exil? A Rethel, il avait un oncle pharmacien. Un autre frère de sa mère était médecin à Reims. Ils décidèrent que leur neveu ferait également carrière dans la pharmacie. Certes, il ne s'inscrivit pas à l'Ecole avec un grand enthousiasme. On commettrait cependant une grave erreur, si l'on pensait qu'il fut un étudiant du dimanche. Une preuve? Le 8 juillet 1907, à l'examen de validation du stage, il obtenait la mention « très bien ».

Néanmoins, sa véritable vocation d'homme de théâtre le hantait. Paris, dans ce domaine comme dans tant d'autres, n'est-elle pas la capitale de la tentation ? Il prépara le concours d'entrée au Conservatoire national d'art dramatique, où il essuya trois échecs. Mais Leloir, qui y professait, le remarqua. Pressentant sa valeur, il le gratifia des plus flatteuses prophéties, et l'admit en qualité d'auditeur libre à ses cours.

Pendant son séjour dans la capitale, Jouvet fit également connaissance d'un groupe de jeunes intellectuels, très anarchisants, qui avaient noms : Banville d'Hostel, André Colomer, Gérard de Locaze-Duthiers, Roger Desvignes, Gabriel-Tristan Franconi, André Lemaître, Celerier, Locsen, Bernard Marcotte, André de Székely. Organisés en « Groupe d'Action d'Art », ils publièrent en décembre 1907 dans le premier numéro de leur revue *La Foire aux Chimères,* un manifeste retentissant, intitulé *Appel à la Jeunesse.* Inspiré d'une immense « foi dans la vie », leur but était à la fois d'ordre artistique et moral. Ils faisaient appel à toutes les bonnes volontés, d'où qu'elles vinssent. Leur rayonnement devait s'exercer jusqu'à Montréal et Budapest...

Avec eux, Jouvet participa à la fondation d'une compagnie, qui prit tout simplement le nom de « Théâtre d'Action d'Art », et dont il fut nommé directeur. Ce nouveau théâtre avait l'appui de l'Université Populaire du Faubourg Saint-Antoine. Il donna des représentations au local de cette Université, au Théâtre du Peuple, à la petite salle du Trocadéro, et surtout au Théâtre de la Ruche des Arts, 2, Passage Dantzig, dans le XVe arrondissement. Il organisa même quelques tournées; et c'est ainsi qu'en 1908, Jouvet interpréta le rôle du Choryphée dans le premier spectacle d'*Œdipe-Roi* donné en province : à Saint-Dizier.

Pour la saison 1909-1910, le Théâtre d'Action d'Art annonça une série de représentations consacrées à l'œuvre de Balzac. Ce programme valut à Jouvet de monter pour la première fois sur la scène de l'Athénée Saint-Germain (futur Vieux-Colombier) afin d'y jouer le rôle du colonel Chabert. Durant cette période d'apprentissage, combien d'autres héros d'ailleurs n'incarna-t-il pas? Il fit vraiment de tout, du meilleur et du moins bon, acceptant presque n'importe quel rôle. Ce qui lui importait avant tout, c'était de jouer, de faire du théâtre. Il fut tour à tour Burrhus dans *Britannicus,* Alceste dans le *Misanthrope,* Pylade dans *Andromaque,* M. Lepic dans *Poil de Carotte,* le père de Don Juan dans la comédie de Molière, et déjà Arnolphe dans l'*Ecole des Femmes.* Mais il interpréta également des pièces de Max Maurey, Nigond, Flers et Caillavet, Courteline, Bergerat, Lemonnier et Soulaine... J'en passe, et non des moins inattendues!

A cette époque, un acteur jouissait d'une certaine popularité auprès du grand public. Il s'appelait Léon Noël. Il avait été un inoubliable Choppart dans *L'affaire du Courrier de Lyon* — portée plus tard à l'écran par Copeau et Dullin — et donnait des cours gratuits d'art dramatique au Théâtre Montparnasse. S'étant lié d'amitié avec le jeune pharmacien, il le prit sous sa protection, et le Théâtre d'Action d'Art ayant cessé, semble-t-il, ses activités, décida de l'emmener avec lui dans les Tournées Zeller, jouer à Bruxelles, Liège, Marseille, *Le Juif Errant* ou *Monte-Cristo.* Ce qui n'empêcha point Jouvey (comme il ortographiait alors son nom) de se produire également sur des scènes de la périphérie, d'accepter une figuration au Châtelet dans *Michel Strogoff* et le *Tour du Monde en quatre-vingt jours.* Mieux encore, il lui arriva, dit-on, de tenir trois ou quatre rôles dans *La Tosca,* où il rencontra Dullin pour la première fois.

Jouvet fit la connaissance de Copeau grâce à Else Collin, qu'il allait épouser à Copenhague le 26 septembre 1912, et qui était une amie de Mme Copeau. Quand Jacques Rouché, directeur du Théâtre des Arts, monta l'adaptation copélienne des *Frères Karamazov,* il lui confia le rôle du Père Zossima. Ce fut le début d'un engagement pour toute la saison 1911-1912, au cours de laquelle il se fit particulièrement remarquer pour son interprétation du rôle de Méteil, dans *Le Pain* d'Henri Ghéon. Ce jeune acteur, écrivait Copeau à cette occasion, « s'impose à l'attention par sa tenue, sa sobriété et même une sorte de profondeur qui annonce l'artiste » (1).

Une expérience cependant l'attendait encore, avant qu'il ne devînt régisseur du Vieux-Colombier : celle du Châteu-d'Eau. Ne nous y trompons pas, en effet. Plus foncièrement acteur que Copeau, Jouvet accepta au cours de son apprentissage des compromissions inconcevables de la part du critique de la *Grande Revue;* mais il n'en déplorait pas moins l'état de la scène contemporaine. C'était là, dira-t-il plus tard, une « époque sordide » pour débuter au théâtre. Plusieurs de ceux qui l'ont connu mettent son légendaire cynisme sur le compte d'une adolescence théâtrale cruellement déçue (2). Bien que d'une intransigeance

(1) *Le Théâtre* — Décembre 1911.
(2) Sylvain Dhomme.

plus tempérée, lui aussi brûlait du désir de faire « autre chose ». Aussi résolut-il en 1912 de tenter sa chance, et de prendre, avec Camille Corney, la direction de ce théâtre aujourd'hui disparu. Tentative de courte durée, qui se solda par un déficit de 2.000 francs... 1912 !

Heureusement, peut-être, l'homme de théâtre à cette époque n'avait pas encore tué l'homme de laboratoire. Acteur le soir, Jouvet continuait à exercer dans la journée le métier d'apothicaire. Le 12 avril 1913, il était même officiellement nommé pharmacien de première classe...

L'EMPREINTE DU DIEU

Lorsqu'en 1913, Copeau se mit en devoir de recruter une troupe afin de tenter sa grande expérience de rénovation dramatique, c'est immédiatement à Jouvet qu'il pensa pour tenir auprès de lui le rôle essentiel de régisseur. Alla-t-il, comme on le dit, trouver l'acteur dans sa loge du Château-d'Eau? Le détail ne me semble pas d'importance. Retenons simplement que le comédien, si peu à l'aise dans la gestion de sa nouvelle salle, rendu amer par ses années d'apprentissage, et militant sinon révolutionnaire dans l'âme, accepta d'enthousiasme — comme acceptèrent de s'embarquer dans la merveilleuse aventure l'immense majorité des pressentis.

Dans ses *Souvenirs autobiographiques et littéraires,* Roger Martin du Gard nous a laissé une évocation de l'ultime répétition à laquelle il assista, l'après-midi du jour précis de l'ouverture du Vieux-Colombier : le 22 octobre 1913. Il ne connaissait encore aucun des acteurs. Les quelques lignes consacrées à Jouvet nous en sont d'autant plus précieuses. « Gaston Gallimard », écrit l'auteur des *Thibault,* « me désigne un grand diable efflanqué, auquel Copeau vient de crier : — « Ne bouge pas, toi ! Tu pleures. Pas un geste ! » On ne voit le figurant que de dos. Il se tient debout au pied du lit, immobile, la nuque basse, les épaules tombantes, figé dans une pose qui exprime de façon saisissante la douleur du valet devant sa maîtresse agonisante. — « Celui-là, me dit Gallimard, c'est notre régisseur : le bras droit de Copeau, un nommé Jouvet. »

Davantage que ce rôle du valet dans *Une femme tuée par la douceur,* la critique remarqua sa composition du « docteur » dans

L'Amour Médecin. Lorsqu'au deuxième acte, Lucien Weber et lui apparurent sous les traits de Messieurs Toniès et des Fonandrès, une hilarité secoua l'assistance...

On n'en finirait pas de citer tous les personnages qu'il incarna sur la scène du Vieux-Colombier. Contentons-nous de citer celui du docteur dans la *Jalousie du Barbouillé,* et de Sir Andrew Aguecheek dans la *Nuit des Rois.* « Peut-être, devait dire Copeau dix-huit ans plus tard à propos de ce rôle, n'a-t-il jamais mis dans le comique plus de savoureuse naïveté, plus de délicatesse ni plus de poésie » (1). Mais hâtons-nous d'ajouter qu'à l'ombre du maître, Jouvet ne devint pas seulement l'interprète que l'on sait. Il s'initia à toutes les techniques de l'art théâtral, médita sur les principes fondamentaux de l'esthétique dramatique — bref, fit son éducation d'artisan, d'animateur, ou plutôt de créateur de la scène.

Pour nous en convaincre, relisons l'une des nombreuses lettres qu'il adressa pendant la guerre à son « patron » et ami et où il n'est question pratiquement que de théâtre.

« Je travaille autant que je le peux, scientifiquement », écrit Jouvet de l'ambulance 1-86 - Secteur 92, « et je songe vaguement à vous devenir je ne sais quel étrange chef-machiniste-bibliomane... Il y a l'éclairage et la décoration qui me hantent. Le décor ! Moi je ne serai jamais décorateur, mais il y a des « façons d'interpréter », avec de certaines matières, de certains modes d'emploi, qui me font chercher et rêver dans un espoir assez vif d'arriver un jour ou l'autre à quelque chose. L'éclairage — ça j'en suis sûr — je suis sûr que Craig ne sera qu'un pauvre homme quand il verra ce que nous ferons. Notre décor a rompu avec toutes les formules actuelles, il faut que l'éclairage aussi fasse de même. J'ai de copieuses notes sur tout cela. C'est terriblement dur pour imaginer scientifiquement, mais j'ai des projets. Je crois que si l'on n'a jamais fait de choses définitives dans tous ces sens, c'est que seuls les théoriciens, techniciens ou des « artistes » s'en sont mêlés. Les premiers ont fait des discours — les autres n'ont rien voulu entendre...

« Tout cela parce qu'il n'y a pas eu un pauvre bougre qui ne pensait pas beaucoup ni bien fort, mais qui aimait la toile, le

(1) *Souvenirs du Vieux-Colombier.*

coton, le bois, le fer et les lampes électriques — qui a essayé tout seul en prenant une de ces matières et en cherchant à lui faire rendre son secret. Le pauvre bougre, je voudrais bien que ce soit moi ! J'ai travaillé tout ce matin sur *des éclairages par réflexion !* et je suis très content de mes idées...

« Je cherche à raisonner mon art, consciencieusement, pour le bien posséder... Je ne serai jamais un grand acteur, et ça m'est bien égal. Mais les bonnes choses que je ferai, comme celles que j'ai pu faire, ont été et seront faites suivant cette façon. Je pense tout le temps, alors, quelquefois, à force de penser dans tous les sens, je trouve quelque chose de juste... »

Ce texte, que j'ai tenu à citer presque dans son entier, aborde plusieurs problèmes essentiels à l'intelligence de l'œuvre de Jouvet. En premier lieu, celui de sa vocation. « Je ne serai jamais un grand acteur », déclare-t-il. Aucune fausse modestie dans cette affirmation. Pendant très longtemps, il se jugea dépourvu de ce qu'il appelait le « physique de théâtre », et se limita, en conséquence, aux rôles secondaires.

Ensuite, le problème de sa collaboration au Vieux-Colombier. Plusieurs phrases et expressions de cette lettre tendraient à faire croire que les questions techniques étaient son monopole. Il ne manque pas aujourd'hui encore de critiques ou d'historiens pour affirmer que l'on a fait la part trop belle à Copeau, et que la plupart des innovations de la salle des Deux-Colombes reviennent en réalité à Jouvet. Certes, ce dernier assuma de grandes responsabilités dans la réalisation. Nous aurons l'occasion de les signaler en leurs lieu et place. Mais il serait erroné de lui attribuer toute l'initiative. Lui-même, nous l'avons vu, reconnaissait qu'il ne pourrait jamais faire autre chose que du Copeau. Presque rien, après son départ, ne fut changé dans la marche de la maison. Enfin, les autres lettres échangées de 1914 à 1917 entre les deux hommes prouvent que si Jouvet méditait et travaillait « tout seul », c'était essentiellement sur les suggestions du maître. Qu'il nous suffise de rappeler ici les longues confidences de ce dernier, au lendemain de la double rencontre avec Gordon Craig et Adolphe Appia, au sujet du dispositif architectural et de la résurrection du théâtre grâce à la *commedia dell'arte...*

Dernier point : l'obsession de comprendre et de transformer son art en science. Tout Jouvet tient en cette formule. Après sa mort, on a rassemblé un nombre considérable de ses notes inédites sous le titre du *Comédien désincarné*. La dite obsession y revient à chaque page comme un leit-motiv. « Une sorte d'inquiétude, d'angoisse, me vient à tout instant, qui ne me laisse aucun repos, de savoir plus, et de comprendre mieux » (1). Un peu plus loin, sous forme de dialogue : « Je voudrais comprendre... — Comprendre quoi ? — Tout ce qu'on ne comprendra jamais » (2). Ou encore : « Croyez-vous qu'il faille tant de science pour faire un acteur ?... — Cette science, si faible soit-elle, est importante» (3). Sans doute nuancera-t-il plus tard cette exigence intellectuelle, en essayant de la greffer sur une sorte de sensation créatrice, d'intuition littéralement bergsonnienne. Il n'en demeurera pas moins hanté par un idéal de rigueur et de lucidité, suffisant à rendre compte de la perfection de ses spectacles aussi bien que de son insatisfaction perpétuelle, de son raffinement et de ses efforts autant que de ses nerveuses et légendaires aspirations...

En juin 1917, enfin renvoyé du service de santé dans lequel il servait depuis la déclaration de guerre, Jouvet s'embarqua pour l'Amérique, aux côtés du « patron », revenu en France rassembler sa troupe, ses costumes et ses décors. Quel rôle exact joua-t-il dans l'installation du *Vieux-Colombier de New-York* ? A toutes les transformations de la salle du Garrick, il est absolument certain qu'il ne collabora point. Commandées par Copeau à l'architecte Antonin Raymond dès le mois d'avril ou mai, elles étaient pratiquement terminées quand Jouvet mit le pied sur le sol américain au début de l'été. En revanche, il est non moins certain qu'il réalisa personnellement le fameux système architectural inspiré de Craig et d'Appia, et qui, légèrement transformé, allait être repris en 1919 à Paris.

Jouvet ne se contenta d'ailleurs pas de construire ce dispositif fixe, aux souples transformations. Il conçut pratiquement seul aussi les décors des quelque quarante-cinq pièces montées au cours du séjour en Amérique, réglant avec un soin tout particulier les éclairages, dans l'art desquels il était passé maître.

Quant aux rôles qu'il interpréta, ils furent très rarement parmi les premiers de la distribution. Se maquillant avec une

(1) Loc. cit. p.10.
(2) Loc. cit. p. 21.
(3) Loc. cit. p. 24.

sorte d'amertume, résignée autant que superstitieuse, toujours il s'arrangeait pour n'avoir point la vedette. Il fut tour à tour Géronte, des *Fourberies de Scapin;* l'évêque, dans *Le Carrosse du Saint-Sacrement;* Louis Thieux, des *Mauvais Bergers ;* Trielle, dans *La Paix chez soi;* un cantonnier, dans *la Blanchette* d'Eugène Brieux; Brid'Oison, dans le *Mariage de Figaro;* Ulric Brendel, de *Rosmersholm;* Claudio, des *Caprices de Marianne;* Josselin, de la *Coupe enchantée.* Dans le *Misanthrope,* il se contenta du rôle de Philinte.

Est-il besoin de préciser que son relatif effacement ne l'empêchait d'être remarqué ni de la critique, ni des spectateurs ? Déjà s'ébauchait le personnage de légende qui allait s'affirmer dans les années suivantes, à mesure que grandirait sa confiance en soi, et que s'exorciserait son complexe de laideur. Qu'on en juge d'après cette impression recueillie par Pierre Brisson en 1920, au lendemain même du retour d'Amérique :

« J'assistais, écrit-il..., à la répétition générale de *l'Œuvre des athlètes,* de Georges Duhamel... Jouvet assumait le dôle de Filiâtre-Desmelin, poète famélique, rédacteur en chef du *Pavillon des Muses...* Je garde extraordinairement vif le souvenir de son apparition funambulesque : une allure à la fois sordide, et rusée, une paupière dormante, un visage de bois, des soubresauts et, par brefs éclairs, je ne sais quels feux follets dans le regard, une voix à saccades, avaleuse de fins de mots avec de petits mâchonnements brouteurs, toussoteurs... Sa silhouette se découpait comme un Daumier parmi les personnages » (1).

La guerre finie, Copeau, nous l'avons vu, ne rapporta guère dans son « Vieux-Pigeonnier » qu'une grande fatigue et beaucoup d'amertume. Dans un moment d'abandon, il alla jusqu'à déclarer qu'après tout, mieux vaudrait peut-être renoncer au théâtre, qui ne réservait que déboires, et se consacrer à une école de comédiens, jeunes et sûrs, dont la formation constituait en définitive l'essence même de son entreprise pour l'instillation d'une vie nouvelle sur la scène française. Jouvet ne partagea point cette façon de voir. Sur le bateau qui les ramenait d'Amérique, il objecta au découragement du patron : « Malgré tout, nous n'avons jamais cessé de travailler ». Or, pour lui, c'était là l'essentiel. Des abaissements ? Il en avait bien connu d'autres

(1) *Revue d'Histoire du Théâtre.* Numéro spécial consacré à Jouvet p. 9.

au cours de son apprentissage! Il savait qu'il importe souvent de s'abaisser pour conquérir; et il se sentait animé d'une volonté féroce de réussite. « Aucun effort n'est inutile », disait Valéry : Sisyphe se faisait les muscles. Jouvet lui aussi sur le nouveau Continent s'était fait les muscles. Il n'était même pas trop mécontent de soi. Sa connaissance du *métier* s'approfondissait. Ses vues s'élargissaient. Le temps n'était pas très loin où il trouverait celles de Copeau un peu trop étroites..

Lorsque le Vieux-Colombier rouvrit ses portes en 1920, il y retrouva le plus naturellement du monde, la place qu'il occupait dès la première saison. « Maintenant que nous nous sommes compris jusqu'au fond du cœur », lui écrivait Copeau le 26 janvier 1915, « toute parole que nous dirons sera de soi-même intelligible, claire, pleine de sens... Nous ne pourrons plus jamais nous décevoir l'un l'autre... Je te retrouve tout entier dans cette sublime phrase où tu me dis que tu ne saurais même plus être flatté d'une approbation et que tout ton désir, toute son ambition, c'est de servir, de te dévouer à une œuvre, notre œuvre en commun, cette œuvre qui ne peut être faite que par nous ».

Quelques nuages avaient-ils un moment assombri leurs rapports, à l'époque — en particulier — où Dullin le premier avait fait défection : dès avant le retour d'Amérique? Pour l'heure, il n'y paraît plus; et l'interminable Autolycus du *Conte d'Hiver* ajoute à ses fonctions celle de grand maître des ateliers d'électricité et de menuiserie. Le nouveau système d'éclairage (on donna le nom de « jouvets » à des lanternes tournantes de son invention), le célèbre dispositif architectural, la substitution d'un sol en ciment à l'habituel plateau de bois : la matérialisation de toutes ces idées est essentiellement son œuvre; et là encore, certains pensent qu'on ne l'a pas suffisamment souligné...

EMANCIPATION

Dans une telle atmosphère de confiance et de collaboration, comment Jouvet put-il en venir à se séparer délibérément de Copeau ? Sans doute, parmi d'innombrables raisons, conviendrait-il de dénoncer le caractère tyrannique du futur solitaire de Bourgogne, qui lassait à la longue les plus sincères dévouements. Jouvet, en tout cas, n'accepta jamais le reproche d'abandon, encore moins de trahison. Je ne quitte point le Vieux-Colombier, disait-il ; c'est le Vieux-Colombier qui m'a quitté.

Nous avons vu qu'au retour d'Amérique, Copeau tendait à accorder plus d'importance à son école qu'à son théâtre. Sur ce point, en particulier, Jouvet n'était pas d'accord. Certes, il ne refusa pas son concours. Il accepta de professer la « théorie de l'architecture théâtrale ». Mais il ne croyait guère à l'efficacité ni à l'opportunité d'un tel enseignement. Il est curieux de constater que ce futur rénovateur du Conservatoire d'art dramatique — aux concours duquel il n'avait jamais été admis — resta pratiquement étranger aux problèmes pédagogiques pendant plus de vingt ans, et que les idées qu'il professa plus tard dans l'honorable institution furent précisément celles qu'il refusait plus ou moins au lendemain de la guerre.

Mais Jouvet reprochait surtout à Copeau son mépris du succès. Pour lui, loin d'être un point de départ, la réussite était un point d'arrivée, en même temps qu'un critère : l'idéal auquel l'artisan de la scène devait tendre. « Le théâtre, disait-il, ne doit jamais perdre de vue ce qu'on appelle *les grands sujets,* mais il doit sans cesse trouver l'accord harmonique entre ces grands sujets et le public de chaque époque, de chaque saison... » Par son refus opiniâtre d'élargir son champ d'action, Copeau finit par lui paraître égaré. C'était le Vieux-Colombier qui ne devait constituer qu'un point de départ, alors que son directeur tendait de plus en plus à le considérer — malgré ses protestations — comme une fin en soi.

Aussi prêta-t-il une oreille attentive lorsqu'au début de l'année 1922, Jacques Hébertot, successeur de Gémier, lui demanda de mettre à l'étude un projet de théâtre d'essai, qui prendrait place dans l'ancienne galerie de peinture des Théâtres des Champs-Elysées, avenue Montaigne. Les pourparlers ne furent pas bien longs. Dès l'automne de la même année, il traversait la la Seine, afin de prendre la direction technique de cette Comédie des Champs-Elysées, où il devait rester jusqu'en 1934. Ses mises en scène, au début, alternèrent avec celles de Kommisarjevski, et surtout de Georges Pitoëff, engagé depuis février. Mais c'est lui qui conçut, construisit et aménagea la petite salle de ce qui fut appelé : le Studio des Champs-Elysées.

Quelques mois plus tôt, en octobre 1921, Jules Romains avait confié au directeur du Vieux-Colombier le manuscrit de sa nou-

nouvelle pièce : *M. Le Trouhadec saisi par la débauche*. Copeau tergiversa, hésita, temporisa, et finalement — les acteurs s'étant endormis, dit-on, lors de la première lecture — préféra *La Fraude* de Louis Fallens. Romains ne goûta guère cette décision. Dès que Jouvet fut en place avenue Montaigne, *M. Le Trouhadec* y trouva l'asile que le Vieux-Colombier, malgré son engagement, lui avait refusé : et Romains le suivit. Ce devait être le premier auteur à succès de la « maison ».

Après avoir joué, en effet, *La Journée des Aveux* de Georges Duhamel, mise en scène par Pitoëff (1), Jouvet allait connaître dès le 14 décembre 1923, avec *Knock*, un triomphe qui ne fut pas seulement celui de la médecine. Triomphe d'autant plus méritoire que Jules Romains avait d'abord pensé donner sa pièce à la Comédie-Française, et que Pitoëff, de son côté, insista longuement pour obtenir le privilège de sa création. « Pièce clé, devait en écrire plus tard Jouvet (2), pièce phénix, pièce saint-bernard, pièce providence, protectrice et tutélaire; pendant vingt-cinq ans j'ai repris *Knock* quatorze fois. Je l'ai joué en moyenne cinquante fois par saison, sans compter les tournées. Pendant la seule année 1925, *Knock*, par quatre fois, est monté à l'assaut et m'a permis de surmonter l'adversité... » A quoi il ajoutait, en manière de profession de foi : « Ce n'est pas un jugement littéraire, mais un témoignage — irréfutable et certain — qui pulvérise toutes les opinions, verdicts, aperçus ou points de vue qu'on peut produire sur cet ouvrage. *Le succès est un argument* » (3).

La comédie étant relativement courte, Jouvet proposa de lui adjoindre en lever de rideau *Le Chapeau de soie*, de Lord Dunsany. Donnant, donnant : Jules Romains exigea de fournir lui-même la pièce complémentaire, et offrit d'abord un petit acte intitulé *Amédée et les Messieurs en rang*. Le moins qu'on puisse dire est que l'accueil du public manqua d'enthousiasme. Qu'à cela ne tienne ! *Amédée* serait remplacé par *La Scintillante*. Nouvelle tiédeur. Jouvet décida alors de faire purement et simplement

---

(1) Jouvet n'accepta cet engagement qu'à contre-cœur, en échange d'une promesse formelle : que Ludmilla jouerait le rôle d'Agnès dans l'*Ecole des Femmes*. La promesse n'ayant pas été tenue, les relatiions se tendirent un instant entre les deux hommes.

(2) *Témoignages sur le Théâtre*.

(3) C'est nous qui soulignons.

l'économie d'un lever de rideau. *Knock* demeura seul à l'affiche, et son succès n'en fut que plus éclatant.

Ce spectacle, d'une importance exceptionnelle dans l'histoire de sa carrière, attira l'attention de la critique et du public, non seulement sur l'œuvre du metteur en scène et nouvel animateur de théâtre, mais aussi sur son talent d'acteur. Ayant d'abord songé, selon son habitude, à se contenter d'un rôle secondaire, il se résolut en effet — *in extremis* — à incarner le personnage principal, renonçant pour la première fois à son maquillage outrancier. L'audace n'alla point de sa part sans une immense appréhension. Il était torturé de vingt-six furoncles le jour de la générale : traduction physiologique de son angoisse. (A la fin de sa vie, la furonculose fit place à de violentes crises d'eczéma). Cependant, la victoire qu'il remporta le débarrassa définitivement de son complexe de laideur. Tout au plus se plaignit-il ensuite que la ferveur populaire l'assimilât de façon trop exclusive à cet unique robot, mécanique et cruel. « Je suis, si vous voulez, disait-il, le mandaté, le représentant, le vivant et provisoire témoignage de Knock, mais Knock m'est aussi étranger que je le suis à ses propos et à ses pensées » (1). Thème central de son essai sur le *comédien,* par essence *désincarné.*

Dans quelle situation se trouvait-il alors vis-à-vis du Vieux-Colombier? Contrairement à celui de Dullin, son départ s'était fait sans éclat. A aucun moment, il ne songea à se poser en s'opposant. Se contentant d'élargir les perspectives, de déployer les moyens de séduction pour satisfaire au moins un public d'élite qu'il évaluait à un ou deux milliers de spectateurs — et qui, s'il est « le plus précieux pour le théâtre... souvent, n'est pas le plus riche » — il utilisa d'abord au contraire le résultat des expériences copéliennes. Le plateau qu'il réalisa pour le nouveau Studio offrait plus d'une ressemblance avec celui du petit théâtre de la rive gauche. Une extraordinaire simplicité inspirait la mise en scène de *M. Le Trouhadec,* où le décor se réduisait pratiquement à deux palmiers animés, dont l'attitude triomphante ou mélancolique symbolisait l'humeur du personnage principal. Nul ne songea à mettre la toile de fond, utilisée pour le premier acte de *Knock,* sur le compte d'une infidélité à la haine du décor peint. Ses effets comiques parurent au contraire à plusieurs

(1) *Témoignages sur le Théâtre.*

comme un reflet du jeu burlesque de Jouvet lui-même. Enfin, l'ancien régisseur du Théâtre des Deux-Colombes déploya aux Champs-Elysées toute sa science des éclairages.

Maître et disciple, d'autre part, demeurèrent bons amis. Lorsqu'en 1924, Copeau à son tour abandonna son entreprise, c'est au nouvel animateur de la Comédie des Champs-Elysées qu'il légua répertoire, acteurs et abonnés de son théâtre. Après un mois de pourparlers, la convention fut rendue publique le 7 août 1924. Afin de couper court aux bruits que répandent toujours en semblables occasions les mauvaises langues, confirmation de cet accord fut donnée par Copeau lui-même dans une lettre datée du 23 septembre, et jointe au Programme de l'avenue Montaigne. « J'entends bien, y lisait-on, que tu ne te tiendras pas pour satisfait de continuer mais que tu développeras et dépasseras ce qui a été fait, selon une tradition acquise que ta personnalité se doit de féconder par de nouveaux apports ». Un certain nombre de communiqués à la presse, dans le même temps, répétèrent la teneur de cette espèce de testament — une lettre publiée dans *Comœdia,* en particulier, qui s'achevait sur ces mots à l'adresse de Jouvet : « Puisses-tu, au moment de tenter ta fortune, en te sentant tout à fait libre, ne pas te sentir tout à fait seul. Il y a toujours un vieil ami auquel tu ne feras jamais appel en vain. Jacques Copeau ».

Ce legs hâta sans aucun doute la fondation d'une Société Louis Jouvet, qui administra désormais la Comédie des Champs-Elysées (1). Au répertoire du Vieux-Colombier, dans la saison qui suivit le départ en Bourgogne, furent empruntées successivement : *La Folle Journée,* d'Emile Mazaud; *Le Testament du Père Leleu,* de Martin du Gard; *Le Pain de Ménage,* de Jules Renard; *La Jalousie du Barbouillé* et le *Carrosse du Saint-Sacrement.* En ce qui concerne les acteurs, tous ne rallièrent pas l'avenue Montaigne. Seuls Romain Bouquet, Valentine Tessier, Jane Lory, Georges Vitray, Albert Savry, Jean Le Goff et Blanche Albane acceptèrent la tutelle du dauphin, et constituèrent les éléments essentiels de la première Compagnie officiellement formée. A l'exemple de Copeau, Jouvet groupa en effet autour de lui l'une des troupes les plus homogènes et les plus disciplinées de la capitale; une troupe dont il se souciait fort peu d'assurer lui-même

(1) Hébertot se retira d'ailleurs en octobre. Cf. Chapitre Pitoëff.

la formation, mais au recrutement de laquelle il veillait avec le plus grand soin, et d'où il s'efforçait de bannir la notion même de vedette.

Du Vieux-Colombier venait encore Lucien Aguettant, qui fut son collaborateur précieux en matière de scénographie et d'étude architecturale; cependant qu'il avait trouvé dès 1923, en la personne de Jeanne Dubouchet, une décoratrice particulièrement dévouée. Avec elle, il avait conçu les décors de *Knock* et de *La Scintillante.* Avec elle, il étudia presque aussitôt des projets de décors pour *Tartuffe* et l'*Ecole des Femmes.* Ce goût pour Molière, il le devait sans doute aussi pour une grande part à Copeau; mais plus que son maître, il voyait en l'immortel Poquelin le héraut proclamant contre les tyrans du goût que la grande règle en matière de théâtre était celle de plaire.

Aussi bien, malgré ses aspirations profondes, auxquelles il donna davantage libre cours à la fin de sa vie, laissa-t-il d'abord à d'autres le soin de servir les classiques, français et étrangers, et s'efforça-t-il de porter surtout à la scène des œuvres françaises contemporaines. Le manifeste de 1913 n'annonçait-il pas que le nouveau théâtre se proposait d'offrir un asile au talent futur ? Par son orientation délibérée, Jouvet pouvait *en effet* prétendre rester plus fidèle que son directeur même à l'esprit du Vieux-Colombier.

JEANNOT LUNAIRE

De Jules Romains, deux ans après *Knock,* il monta d'abord *Le Mariage de M. Le Trouhadec,* avec une musique de scène de Georges Auric. Quelques mois plus tard : *Démétrios,* pièce en un acte. En 1926 — par contre — il faillit bien ne pas monter le *Le Dictateur,* que le dramaturge, tout comme *Knock,* destinait primitivement à la Comédie-Française. Mais l'Administrateur s'effraya du caractère politique de la pièce. Fatigué de ses tergiversations, Romains décida finalement de recourir une fois de plus aux bons soins de Jouvet. Par malheur, la Comédie des Champs-Elysées ne possédait pas le vaste plateau qu'il eût fallu pour cette tragédie. Victor Francen, choisi pour incarner le personnage principal, n'était peut-être pas non plus l'interprète rêvé. Bref, la pièce fut loin d'atteindre, à sa création en France, le succès qu'elle devait connaître sur certaines scènes étrangères.

La collaboration des deux hommes ne devait cependant pas en rester là. En 1920, Jules Romains avait écrit un « Conte cinématographique » intitulé *Donogoo-Tonka ou les Miracles de la Science.* M. Le Trouhadec en était déjà le héros. En 1930, il eut l'idée de transformer ce conte en une comédie à multiples tableaux, que Jouvet mit en scène au Théâtre Pigalle — après avoir refusé la direction artistique de ce théâtre (1). Enfin, l'année suivante, sur la même scène, il présentait le *Roi masqué,* curieuse histoire d'un souverain qui cherche le bonheur dans l'anonymat et ne le découvre que dans la tartufferie.

Trois autres auteurs du Vieux-Colombier trouvèrent également asile à la Comédie de l'avenue Montaigne. Charles Vildrac y donna *Madame Béliard*, en 1925 ; Pierre Bost, *Deux Paires d'Amis,* en 1926. Deux pièces en un acte qui n'eurent pas un grand retentissement. *Le Taciturne* de Roger Martin du Gard, au contraire, devait être à sa façon un véritable événement théâtral.

L'auteur n'y abordait rien moins que le délicat problème de l'homosexualité. Pourtant, si l'on en croit Gide, « le ressort secret de cette pièce » semblait « complètement incompréhensible à Jouvet et à Renoir. Pas le moindre frémissement, pas la moindre chaleur... » La partie semblait donc sur le point de s'engager dans les plus mauvaises conditions. Jouvet, notait encore Gide, « veut qu'il n'y ait pas d'*ambiguité possible;* il l'évitera si bien que le désir inavoué du Taciturne paraîtra inadmissible, et son geste final un acte de pure folie. Tout cela risque de fich' la pièce par terre » (2). Effectivement, des protestations assez vives s'élevèrent dans la salle le 28 octobre 1931, jour de la première représentation. Pour éviter qu'elles ne se reproduisent, ou même s'amplifient, Jouvet se permit des coupures. La pièce ne parvint cependant pas à faire un succès. Sa conséquence la plus immédiate fut que Claudel, fulminant contre un écrivain «immonde», dont il ne voulait « même pas se rappeler le nom », décida de retirer à Jouvet l'autorisation de monter *L'Annonce faite à Marie.*

Pendant plusieurs saisons, cependant, ce dernier parut s'en tenir à un genre de pièces assez inattendu de la part d'un disciple de Copeau : fantaisies légères, agréables, souvent élégantes, mais faciles, jeux d'esprit plus fréquemment que de cœur, poé-

(1) Cf. chapitre Baty.
(2) *Journal* — 4 octobre 1931.

tiques à bon marché, et assez proches en définitive des comédies de boulevard. A ce genre appartiennent d'abord les pièces de Marcel Achard : *Malborough s'en va-t-en guerre,* créé le 8 décembre 1924, avec une musique de scène de Georges Auric; *Jean de la Lune,* dont Jouvet fit en 1929 une création inoubliable, avec ses cheveux teints en roux, et cette légendaire silhouette qui semblait en quelque sorte inséparable du personnage; *Domino,* qui atteignit en 1932 le chiffre de 237 représentations; *Pétrus,* l'année suivante, accompagné d'une musique de scène de Francis Poulenc...

Après un départ difficile, en 1926, la pièce de Sutton Vane: *Au Grand Large,* pleine de candeur et de naïveté, seule pièce étrangère que Jouvet ait montée, avec *Le Revizor* de Gogol, l'année suivante — fit les délices des abonnés de l'avenue Montaigne pendant trois mois et demi. *Le Prof' d'Anglais* de Regis Gignoux, en 1930, connut également un certain succès. Mais, on a trop tendance à l'oublier, Jouvet créa aussi des pièces de Ferdinand Crommelynck: *Les Tripes d'Or* (1925); de Stève Passeur: *Suzanne* (1929); de Bernard Zimmer : *Bava l'Africain* (1926) et *Le Coup du 2 Décembre* (1928); de Jean Sarment, ancien acteur du Vieux-Colombier parti donner ses premières pièces à l'Œuvre, chez Lugné-Poe : *Léopold le Bien-Aimé* (1927). A signaler que Drieu la Rochelle fit également ses débuts d'auteur dramatique à la Comédie des Champs-Elysées avec *L'Eau Fraîche,* créée le 20 mai 1931.

Mais le cas le plus piquant, et qui illustre de la façon la plus étonnante la distance qui pouvait séparer Copeau de Jouvet, est sans aucun doute celui d'Alfred Savoir. Ce dernier, auteur dramatique et critique, avait si peu goûté les réalisations du Vieux-Colombier, qu'il en avait à l'époque publiquement appelé à une « Ligue de Protection contre les Chefs-d'Œuvre ». Pourtant, en 1920, Valentine Tessier obtint un succès tel au cours d'une tournée en province, qu'Alfred Savoir lui suggéra de constituer une compagnie indépendante. L'actrice fit allusion à cette démarche dans une lettre à Copeau, qui lui répondit immédiatement : « Ma chère petite, sais-tu ce que c'est qu'un Alfred Savoir ?... Le résumé de tout ce que nous haïssons, de tout ce que nous avons répudié. Le Vieux-Colombier et ceux qui le composent sont présentement arrivés à ce moment le plus dangereux de tous où, avec la vogue du succès, viennent jusqu'à lui ceux-là mêmes contre lesquels il lutte, ceux qui ne le comprendront jamais dans son essence et dont l'admiration serait déjà pour moi une insulte, si je ne savais que jamais de leur vie ils ne pourront rien sur moi. Valentine, ne te laisse pas toucher par ces gens-là. Je ne sais pas ce qu'il y a de vrai dans leurs propos ni dans leurs intentions, mais je veux te dire tout de suite que s'ils viennent, eux ou d'autres, te demander à moi pour jouer en représentations, je le leur refuserai tout net comme j'ai refusé Jouvet à Guitry, il y a quelques semaines » (1).

Au début de cette même année, en effet, Lucien Guitry avait demandé à Copeau de lui prêter Jouvet. Sans résultat, car sur ce point, les contrats au Vieux-Colombier étaient draconiens. Or, n'est-il pas étrange de constater que, devenu libre, Jouvet accepta de monter de cet Alfred Savoir deux pièces: *La Pâtissière du Village* au Théâtre Pigalle, et *La Margrave* à la Comédie des Champs-Elysées, respectivement le 8 mars et le 18 novembre 1932 ? Ne voyons dans cette attitude aucune revanche de la part du disciple, mais seulement une plus large ouverture, une moins grande intransigeance, un refus presque délibéré de tout dogmatisme. Le théâtre dit « de Boulevard » ne le hérissait pas en lui-même. Sa recherche du succès lui était même plutôt sympathique; il acceptait ses productions, dans toute la mesure où elles lui semblaient offrir des qualités suffisantes.

Un soleil sans ombre n'en illumina point pour autant — hélas! — l'ancienne Comédie Montaigne, dès l'arrivée de son nouveau directeur artistique. Nous avons entendu Jouvet témoigner sa reconnaissance à *Knock*, seule aide contre l'adversité en 1925. Les quatre premières saisons furent en effet particulièrement difficiles. « J'estime avoir collectionné toutes les variétés d'insuccès », lui fera confesser Giraudoux dans l'*Impromptu de Paris*, « l'insuccès avec des pièces qui en devenaient pour nous-mêmes enlaidies, avec des pièces qui en étaient embellies, avec des pièces qui en restaient immuables. J'ai connu le silence sous tous ses régimes, la condoléance sous toutes ses formes, la misère dans tous ses perfectionnements. J'ai eu, au lendemain d'une première triomphale, une seconde avec onze spectateurs... »

D'autre part, même les triomphes qu'il obtenait ne le satisfaisaient pas pleinement, du moins en tant qu'acteur. Les per-

(1) Lettre du 16 août 1920.

sonnages qu'il incarnait — mais n'était-ce pas un peu sa faute? — tous plus ou moins parents de *Jean de la Lune,* se ressemblaient, et contribuaient à le limiter à un emploi presque unique. C'est avec un soupir plein d'amertume qu'il constatait : chaque fois que je parais sur scène, un frisson d'aise parcourt l'assistance et l'on s'apprête à rire en se disant : Tiens, voilà le comique. Or, certes, Jouvet était un admirable clown de fantaisie plus ou moins sentimentale. Mais s'il aimait jouer les naïfs, c'était essentiellement à cause de son intelligence inexorable, de son instinct critique sans cesse en éveil, se traduisant par de véritables tics, non de timidité, mais de lucidité. « Tout en jouant, écrira-t-il plus tard, j'essaie d'apprécier la température d'une scène, d'une représentation, d'éprouver l'attention et la tension du public par rapport à notre jeu. Tout en jouant, j'écoute les comédiens, la pièce et le public... Pendant qu'un comédien dit sa réplique ou sa tirade, je l'observe... Je juge certains détails de sa physionomie, j'écoute le ton et la hauteur de sa voix, je regarde son maquillage, j'observe sa diction, son articulation, le rythme du texte, sa cadence connue, sue, le nombre de mesures qu'il me reste pour me reprendre... » (1).

Amour de la poésie et de la féerie, jeux d'esprit, grâces impitoyables de l'intelligence : tout par bonheur allait se trouver soudain miraculeusement satisfait, par la rencontre de celui qui devait lui faire trouver son point d'équilibre, en même temps qu'il lui révèlerait à lui-même sa véritable vocation : j'ai nommé : Giraudoux.

DE *SIEGFRIED* A *INTERMEZZO*

Le poète d'*Ondine* fut sans aucun doute la découverte la plus importante de Louis Jouvet — la seule, affirme durement Pierre de Boisdeffre, mais il est vrai qu'elle est de taille (2). Cependant, on a dit et imprimé beaucoup d'erreurs à ce propos. Il est inexact, en particulier, que Jouvet soit à l'origine de l'adaptation théâtrale du roman de Giraudoux *Siegfried et le Limousin.* Une première version dramatique de l'œuvre figurait dans les *Mélanges* offerts au professeur Charles Andler, et publiés à Strasbourg en

---

(1) *Le Comédien désincarné* p. 77.
(2) *Histoire vivante de la littérature d'aujourd'hui.*

1924, alors que la pièce ne fut créée à la Comédie des Champs-Elysées que le 3 mai 1928. D'après les renseignements fournis par Bernard Zimmer (1), il semble que ce soit lui qui ait suggéré à Giraudoux de tirer une comédie dramatique de son roman, ce dernier pensant plutôt d'abord en tirer un film. Le premier état de la pièce aurait été soumis au jugement de Benjamin Crémieux. Seulement après un certain nombre d'élagages et de transformations, Zimmer porta le manuscrit à Jouvet, qui l'accepta presque sans hésitations.

Qu'ensuite, pendant les deux mois de répétitions, le metteur en scène ait demandé au dramaturge d'autres coupures et remaniements, d'un texte plein de maladresses : le fait est plus que probable; Giraudoux écouta toujours d'une oreille attentive les conseils du technicien, de cet artisan unique habité par une âme d'artiste... Confiant dans le génie et l'avenir du nouveau venu, Jouvet ne croyait cependant guère au succès de sa première œuvre. « Ça ne fera pas un rond! déclara-t-il à la veille de la générale; mais ce sera l'honneur de ma vie d'avoir monté c'te pièce ». Or, contrairement à toute attente, cela fit beaucoup de « ronds », puisqu'on atteignit le chiffre de 283 représentations : presque un record.

Le lendemain de la première, Antoine proclamait : « L'arrivée au théâtre de M. Jean Giraudoux est un événement qui aura des répercussions profondes sur le mouvement dramatique actuel ». Cet hommage indirect à Jouvet nous apparaît aujourd'hui d'autant plus piquant que, dans un bref *Hommage à Antoine*, paru en 1937, le même Jouvet devait écrire : « Ma jeunesse s'est passée en révolte contre ses théories et son autorité ». — Mais le fondateur du Théâtre Libre n'avait-il pas lui-même crié à ses successeurs éventuels : « Hardi, jeunes gens ! passez-nous sur le corps! »...

Un détail encore à propos de *Siegfried*. En 1928, Jouvet avait retenu pour lui le rôle du baron de Fontgeloy. Quelques années plus tard, lors d'une reprise, il préféra celui de Zelten. De l'avis des meilleurs critiques, ce simple changement dans la distribution transfigura la pièce. De la souvenance et de l'oubli, l'accent glissa vers la lutte entre les deux Allemagne : celle du romantisme et celle de la «vie future». Ainsi apparut dans une véritable révéla-

---

(1) *Revue d'Histoire du Théâtre* — Numéro cité.

tion le rôle essentiel de Jouvet, longtemps masqué par la nonchalance luxueuse des œuvres auxquelles il s'était limité depuis 1922: celui d'illuminer l'œuvre, d'en présenter, avec toute la simplicité un peu sèche même de l'évidence, la signification profonde — voire de créer cette signification — au point que l'on redouta un bon nombre d'années après sa mort que les œuvres de Giraudoux ne pussent lui survivre.

C'est à sa seconde pièce, prétend une vieille expérience, qu'on juge l'ouvrier. Avec *Amphitryon* 38, créé le 8 novembre 1929, le prodige allait-il se renouveler ? Il se renouvela en effet, imposant Giraudoux, d'un manière qui pouvait sembler définitive, comme le premier écrivain dramatique de son époque.

Deux ans néanmoins s'étaient à peine écoulés, lorsqu'il rencontra son premier demi-échec. Cette fois, c'est au Théâtre Pigalle, où il s'était engagé à monter un certain nombre de spectacles après son refus d'en assumer la direction, que Jouvet avait décidé de créer *Judith*. On ne mit en cause ni la mise en scène, ni les décors de René Moulaert et Helge Refn, encore moins l'interprétation de Rachel Berendt, qui mérita toutes les louanges dans le rôle de l'héroïne. Mais on soupçonna une trop grande richesse de masquer je ne sais quelle indigence dramatique. « Eté hier entendre la *Judith* de Giraudoux », note Gide dans son *Journal* à la date du 12 novembre 1931... « La salle n'était qu'à moitié pleine, bien qu'on ne fût qu'à la dixième représentation... » Cette pièce, encore que plus importante que *Siegfried* et qu'*Amphitryon*, ne me laisse pas la satisfaction de ses aînées. Même le très grave débat qui s'y joue semble un jeu d'esprit, un tournoi. L'émotion de certaines scènes se dégage mal du papillotement et du chatoiement dont un style trop précieux les revêt ».

Deux ans plus tard encore, le 24 février 1933, retour à la Comédie des Champs-Elysées pour la création d'une pièce toute différente des trois premières, une comédie fantastique, qui sembla et semble encore à beaucoup la plus giralducienne de toutes les pièces de Giraudoux : *Intermezzo*. Décors et costumes en étaient signés Léon Leyritz; la musique de scène : Francis Poulenc. Une petite fille échappée de l'Opéra y faisait ses débuts de comédienne sous le nom d'Odette Joyeux. La critique ne fut pas tout à fait unanime. Le demi-échec de *Judith* parut néanmoins largement oublié...

Le rôle qu'il avait joué auprès de Giraudoux lors de la composition de *Siegfried,* Louis Jouvet ne cessa de le tenir pratiquement jusqu'à la guerre. Non seulement, en effet, il fut son indispensable interprète et metteur en scène; non seulement il lui prodigua ses conseils techniques au moment des répétitions, au point qu'on a pu dire que Giraudoux écrivait en réalité ses pièces en deux temps et qu'elles résultaient de la collaboration des deux hommes. Mais encore, Jouvet fut pour lui un véritable inspirateur, ou, pour reprendre le mot d'un critique (1), un « catalyseur ».

« L'acteur, reconnaît le dramaturge, n'est pas seulement un interprète, il est un inspirateur; il est le mannequin vivant par lequel bien des acteurs personnifient tout naturellement une vision encore vague; et le grand acteur : un grand inspirateur. En ce qui me concerne, j'ai été bien souvent singulièrement aidé dans ma mission créatrice du fait que certains héros à la voix encore vagissante, à la forme encore molle et indistincte, même pour moi, sautaient directement de leurs limbes dans les corps délimités, délurés et gonflés de vie de mes acteurs... Vous ne serez donc pas surpris si je vous dis que c'est très fréquemment qu'un de ces fantômes, encore suant d'inexistence et de mutisme, prétend prendre immédiatement la forme désinvolte et volubile de Louis Jouvet. Mon intimité avec lui est si grande, notre attelage dramatique si bien noué, que l'apparition larvaire en une minute a pris déjà sa bouche, son œil narquois et sa prononciation. A tel point que cet ami merveilleux et ce comédien génial se dédouble pour moi, même en sa présence, et devient lui-même en moi un personnage qui m'accable de réflexions et de divagations, pour lequel je n'ai ni trouvé, ni cherché d'ailleurs d'autre nom, quand je note ses commentaires, que le nom même de Jouvet. En attendant que dans la nomenclature théâtrale on appelle des Jouvet ceux auxquels il lèguera son emploi, je me vois souvent contraint dans mon esprit d'appeler Jouvet ce personnage railleur, inspiré, dont la générosité s'exprime par la malice ou la hargne, la largeur de vues par des tics, la conviction par le doute, la passion universelle par des réticences, et l'éloquence par le bégaiement, en somme qui est Jouvet. En fait, l'auteur dramatique a mainte-

---

(1) Luc Renaud.

nant deux muses, l'une avant l'écriture, qui est Thalie, et l'autre après, qui est pour moi Jouvet... » (1)

LA REVUE DU FOYER

Ce que fut, au delà des spectacles, l'activité de la Comédie des Champs-Elysées pendant toute la période où le transfuge du Vieux-Colombier en assuma la direction, nous pouvons nous en faire une idée en lisant les numéros de la revue qu'il publia presque régulièrement de 1927 à 1934, et qui, sous le titre d'*Entr'Acte*, se substitua progressivement au programme du théâtre — vers l'époque de la constitution du cartel (2).

Ennemi juré des systèmes, des théories, des écoles, Jouvet traduisit sa volonté d'accueil en s'abstenant presque d'écrire lui-même dans cette revue. Il n'y publia que deux courts articles, et le texte d'une communication qu'il avait faite à un congrès, sur l'art du comédien. En revanche, nombre d'auteurs dramatiques, joués ou non avenue Montaigne, y vinrent parler de la nature du théâtre, de ses problèmes techniques, psychologiques ou sociaux — ou, plus largement, de la littérature et des différents arts.

Jules Romains y développa le thème de la suprématie du théâtre sur tous les autres genres littéraires. Giraudoux y commenta son passage du roman à la scène. Jean Sarment ayant proposé de substituer la notion de sincérité à celle de vérité, Charles Vildrac s'efforça d'analyser cette dernière notion — chère au public, affirmait-il, avant tout autre mérite. Marc Lomon, Jean Cocteau, Henri Ghéon, Bernard Zimmer, Georges Duhamel, Henri Lenormand se penchèrent tour à tour sur le problème de la signification du théâtre, essayant de projeter quelque lumière nouvelle sur la psychologie du spectateur; cependant que Denys Amiel, Jean-Jacques Bernard, Alfred Savoir, Fernand Crommelynck cherchaient à résoudre les équations de degré complexe posées par le langage dramatique.

Dans le domaine de l'architecture et de la décoration, Auguste Perret consacra un important article au théâtre qu'il avait cons-

(1) *Visitations.*

(2) Sur cette constitution, en octobre 1927, voir le chapitre suivant. Un fac-similé de la convention fut publié dans le premier numéro d'*Entr'Acte*. A noter également que l'idée de cette revue semble revenir à Valentin Marquetty, alors administrateur général du théâtre.

truit pour l'Exposition de 1925. Philippe Crouzet rédigea la notice nécrologique consacrée à Adolphe Appia. A noter également de nombreuses contributions des décorateurs mêmes du théâtre, dont la plus importante — de Léon Leyritz — avait pour titre : « La tâche du décorateur au théâtre Jouvet ».

Ce dernier s'est plus d'une fois expliqué sur le rôle qu'il attribuait au décor, et la façon dont il l'élaborait. « Une table, écrit-il, appartient à un lieu, à son propriétaire. Une table abandonnée au milieu des champs retrouve une expression neuve; c'est cela le théâtre. Un objet qui soit un vrai objet et qui soit faux, c'est le véritable vrai, c'est la vérité du théâtre » (1). D'où par exemple, plus tard, le premier décor de *La Folle de Chaillot*, composé d'une façade de café avec des fenêtres suspendues dans le ciel. Comment parvenir à cette stylisation? Non par intuition créatrice, mais par une lente élaboration. « Le sens ne me vient qu'à la pratique même, — décor, mouvement, temps ou rythme, diction, tout est pour moi dans une pièce la possibilité de voir, d'entendre, d'éprouver la pièce; le travail de bureau m'est improfitable et stérile »; car une pièce « ne ressemble jamais à ce qu'elle est sur le papier » (2).

Par ailleurs, le disciple de Jacques Copeau tenait essentiellement à ce que son théâtre — à l'image du Vieux-Colombier — ne fût pas un temple fermé, mais au contraire un centre de large rayonnement artistique. Aussi bien des expositions mensuelles de peinture et de sculpture furent-elles organisées dans l'escalier de la Comédie. D'autres expositions, plus sporadiques, prirent également place dans les différents foyers du théâtre. Elles étaient consacrées à la bijouterie, la céramique, la verrerie, l'ameublement, les tissus, la reliure : en un mot, à tous les arts décoratifs. Privilégiée, l'édition eut droit à une exposition permanente. Pendant toute la saison 1927-1928, la charge de ces manifestations annexes incomba à Jules Kolbert et Valentin Marquetty.

L'art chorégraphique non plus ne fut pas oublié. Des matinées de musique et de danse furent organisées au cours de cette même période. Le second numéro d'*Entr'Acte* consacra une importante fraction de ses pages à Isadora Duncan : textes repris

(1) *Témoignages sur le Théâtre.*
(2) *Le Comédien désincarné.*

un peu plus tard dans *Ecrits sur la danse,* publiés par les soins des éditions du Grenier, qui avaient leur siège au théâtre même.

Outre plusieurs articles réservés au cirque et à la discographie, la revue contient encore l'annonce de la création d'un «groupe d'apprentissage», qui aurait été comme une sorte d'école non seulement de comédiens, mais aussi de décorateurs et de régisseurs. Les secrétaires désignés de ce groupe avaient noms : Jean Le Goff, acteur, et Paul Maraval, régisseur en titre de la Comédie des Champs-Elysées. Par malheur, ce projet ne vint jamais à exécution.

Enfin, il importe de faire une mention spéciale des préoccupations cinématographiques. Sur ce point, l'opinion de Jouvet a varié de façon sensible. A l'époque du muet, il était franchement ennemi du cinéma, auquel il reprochait son manque d'ambiance. Puis, à l'époque du parlant, il revint sur sa condamnation. « Le cinéma, écrivit-il alors, est un puissant rameau greffé sur le tronc robuste du théâtre ». Ou encore : « Il suffit de trouver avec lui une association, un accord, un mode de vivre qui sauvegarde le répertoire du théâtre français et qui serve à sa diffusion et à son efficacité » (1). Plus catégorique encore en 1943, il précisait — non, d'ailleurs, sans humour : « L'apport nouveau du cinéma est d'une importance considérable. Depuis trente siècles qu'il y a des représentations théâtrales, aucune découverte, aucune invention n'a été aussi retentissante, si bouleversante... Elle a pour l'art dramatique fait des adeptes nouveaux, en quantité, le nombre des spectateurs par rapport au nombre de citoyens d'un pays a grossi dans une proportion considérable... ; elle a déjà décongestionné, appauvri et ainsi purifié le théâtre, en ralliant par son charme, son or et sa publicité, nombre de vocations douteuses; les grands poètes respirent plus à l'aise dans nos édifices encombrés autrefois par les médiocres » (2).

Ses débuts à l'écran datent de 1933, année pendant laquelle il tourna les deux premières versions de *Topaze* et de *Knock.* Ces premières expériences ne lui donnèrent rien moins que l'idée d'adapter *Tartuffe* pour le cinéma, puis la quasi-totalité des pièces de Molière. Hélas! l'accord fut impossible entre des producteurs trop pressés et ses propres exigences de perfection. A défaut,

(1) *Témoignages sur le Théâtre.*
(2) *Le Comédien désincarné.*

il accepta de figurer dans la distribution de la *Kermesse héroïque*, les *Bas-Fonds, Drôle de Drame, Hôtel du Nord, Volpone, Un Revenant, Copie conforme, Quai des Orfèvres, Les Amoureux sont seuls au monde, Miquette et sa mère* : plus de trente films en douze ans, de 1933 à la guerre, et de 1946 à 1951. Il ne cacha pas d'ailleurs qu'il aimait profiter des avantages pécuniaires procurés par ses succès personnels au cinéma, afin de réaliser au théâtre des spectacles auxquels il tenait, et dont la rentabilité était nettement plus hasardeuse...

Dans les foyers de la Comédie des Champs-Elysées, deux expositions spéciales furent consacrées à des documents concernant le cinéma. La revue, de son côté, fit une large place dans ses rubriques au septième art. Léon Chancerel, en particulier, y étudia le problème des rapports et prétendus conflits entre la scène et l'écran. René Clair, bien entendu, y défendit la spécificité de l'art cinématographique, cependant que Georgette Camille analysait ses influences psychologiques. Jean Cocteau, enfin, y souligna l'antinomie de la pièce et du film.

1934

Trois événements importants allaient faire de 1934 une année capitale dans la carrière de Louis Jouvet : la rencontre de Christian Bérard, sa nomination en qualité de professeur au Conservatoire national d'art dramatique, et son départ de la Comédie des Champs-Elysées.

Bérard fut amené avenue Montaigne par Cocteau, dont Jouvet avait décidé de monter *La Machine Infernale*. Sans doute la rencontre n'avait-elle rien d'extraordinaire entre le magicien du verbe et le metteur en scène qui déclarait quelques mois plus tard : « Nous avons soif de merveilleux. Nous souhaitons que le théâtre nous dispense le rêve, nous ouvre à nouveau les sources de la poésie; nous voulons que le théâtre soit pour nous une féerie et non une plate image de la vie quotidienne » (1). Aussi bien le scandale d'*Orphée* (dont Pitoëff avait fait les frais) apaisé, la presse ne fut-elle guère plus sensible à la valeur intrinsèque de la pièce, la meilleure du poète, qu'à l'avènement du nouveau décorateur. « M. Bérard a inventé des décors qui le mettent au

(1) « Théâtre et Cinéma » *Le Moniteur* — 20 février 1935.

premier rang des peintres de théâtre », écrivait le critique du journal *Le Jour*. La grande Colette, de son côté, notait : « Les décors sont dus à Christian Bérard, décorateur né » (1). Enfin, sous la plume d'Edouard Bourdet, on pouvait lire dans *Marianne* ce péremptoire éloge : « Les décors et les costumes de M. Christian Bérard... constituent au point de vue scénique et pictural une manière de révolution ».

La collaboration qui devait suivre cette rencontre fut une des plus étonnantes et des plus fécondes de toute l'histoire du théâtre contemporain. Certes, Christian Bérard donna souvent à Jouvet de terribles inquiétudes. Il lui arrivait de disparaître pendant d'interminables jours aux moments les plus fébriles. Jouvet se tourmentait, s'emportait. Moins tyrannique bien sûr que son maître Copeau, il était cependant pointilleux sur les exigences du travail d'équipe. Mais tout, selon le témoignage d'Henri Sauguet, était oublié quand le décorateur réapparaissait et que « face à face les deux artistes semblaient se fasciner dans la contemplation de l'œuvre à créer, Jouvet questionnant, Bérard répondant, comme une table tournante se met à parler, précipitant sur le papier les esquisses, les dessins, les précisions, les idées au rythme éblouissant d'un feu d'artifice, cependant que Jouvet recueillait précieusement (il en a gardé des livres) tous ces fulgurants éclats d'un des génies les plus faits pour la scène de ce temps, recréant, repensant, mettant en ordre, dans son ordre ce prodigieux matériel » (2).

Le second de ces événements était pour le moins inattendu : se voir nommer professeur dans l'institution même dont on n'a jamais réussi à se faire accepter comme élève... Son entrée au Conservatoire apporta une rénovation, des plus nécessaires et des plus efficaces, dans la formation des comédiens. On n'en finirait pas d'analyser les grands principes de sa pédagogie. Se souvenant des leçons de Copeau, il enseigna d'abord le respect des grands textes : l'un de ses élèves s'étant présenté à lui dans une scène de Flers et Caillavet, il arrêta brusquement l'audition en déclarant qu'il n'avait pas été nommé professeur pour entendre de pareilles sornettes. Ensuite, il s'efforça de persuader à ses

---

(1) *Journal* — 15 avril 1934.

(2) *Louis Jouvet et la musique* — Numéro spécial de la « Revue d'Histoire du Théâtre ».

auditeurs la nécessité du métier. « L'acteur d'aujourd'hui, déclarait-il, est à ce degré appauvri et ignorant, les époques qu'il vient de traverser ont été si veules et si peu dominées par les poètes qu'il n'a plus de technique, et qu'il joue indifféremment Victor Hugo, Musset, Marivaux et Molière et Corneille avec une sorte de ton et de diction passe-partout qui rappelle la sauce standard dont on use dans les wagons-restaurants pour accommoder les nourritures les plus diverses. Il faut que l'acteur sache qu'il y a un métier de théâtre, une vocation de théâtre, une profession de théâtre » (1).

A ce métier, outre l'apprentissage artisanal, plusieurs conditions nécessaires. En premier lieu, l'abnégation et la dévotion. Vous devez être, aimait-il à répéter, comme un parfait musicien à l'orchestre : autant l'instrument que l'instrumentiste. Le vrai théâtre exige cette discipline; malheur à vous, si vous la négligez un seul instant. Il faut également à tout prix retrouver le sens de la tradition ; non pas celle du théâtre à effet, produit lamentable du dix-neuvième siècle romantique, puis réaliste; mais la vraie, celle qui remonte à Molière. D'où l'obligation d'étudier avec minutie l'histoire du théâtre, et d'acquérir une solide culture générale, une comédie ou une tragédie étant inséparable du climat historique, social, philosophique, religieux, littéraire, dans lequel elle est née. Au delà de ces nécessités immédiates, il importe davantage encore que l'interprète développe au maximum la connaissance qu'il a de lui-même, son intelligence et sa puissance de sympathie. Car l'intelligence seule ne suffit pas, n'étant point créatrice. Qui dit lucidité, dit « compréhension non pas explication, mais pénétration intime et cela commence par le corps ». En un mot, « il s'agit de retrouver une analogie physique fondée sur la sympathie » — une sorte de sensation consciente. Rien de plus significatif, à cet égard, que les nombreuses références à Bergson et à Pascal contenues dans le *Comédien désincarné*. Cette expression même, donnée pour titre au recueil posthume des notes prises au cours de la guerre et dans les dernières années de sa vie, en songeant à ses cours du Conservatoire, traduit bien l'idée essentielle. L'interprète ne doit pas être « incarné » comme l'acteur qui « agit par dépossession », propriété du personnage — « Ote-toi de là que je m'y mette »; mais « désincarné » comme

(1) *Le Comédien désincarné.*

le comédien qui « opère par une approche, une amitié, une lente insinuation où tout de lui affectueusement s'offre et va jusqu'à se substituer généreusement, libéralement, pour aller ensuite en témoigner publiquement, loyalement ».

Ce haut degré d'idéal, Jouvet le proposait avec un extraordinaire mélange de rigueur bourrue, d'enthousiaste et inquiète sollicitude. Il fut un enseignant rongé de scrupules, un maître impitoyable, un confesseur d'une rare pénétration psychologique. Il savait donner confiance aux timides, décourager les présomptueux, orienter les vocations hésitantes. Le feu intérieur dont il brûlait était contagieux et vivifiant. « Nous le craignions comme la foudre, confesse Jean Meyer, et pourtant il nous donnait des ailes ».

Quant au passage de la Comédie des Champs-Elysées au Théâtre de l'Athénée, il n'a d'autre cause qu'un simple désaccord avec la Société propriétaire de l'avenue Montaigne. Rien de changé par conséquent — à première vue, du moins — si ce n'est le local. Jouvet s'empresse de l'aménager, sans bouleversements excessifs d'ailleurs : suppression du rideau d'avant-scène peint par Jean-Gabriel Domergue et représentant une allégorie du Printemps ; substitution d'un rideau classique par Deshayes; refonte complète de l'appareillage électrique; installation d'un pick-up et de haut-parleurs sur scène, à défaut d'un orchestre qui tiendrait trop de place et coûterait trop cher (Henri Sauguet devait déplorer un peu cette « mise en conserve » de la musique, dont Jouvet disposait en quelque sorte plus à son gré) ; surtout, nettoyage et réfection. Mais pour le plateau, il n'y touche pratiquement pas. Est-ce l'affranchissement définitif de la tutelle de Copeau? Le fait vaut au moins la peine d'être souligné. Il trouve à sa disposition une scène « à l'italienne »; et il s'en réjouit, chante ses louanges : « Merveille de cette machinerie italienne... Quels que soient les édifices dramatiques de demain, ils ne vaudront jamais ceux-ci qui, depuis trois cents années déjà, sont encore si étonnants, si divers, si multiples dans leurs possibilités et si humains... » (1).

OU L'ON REPARLE DE MOLIERE

Malgré ce changement d'outil, la continuité de l'œuvre fut soulignée par le spectacle d'ouverture : reprise d'*Amphitryon 38*

(1) *Témoignages sur le Théâtre.*

— décors de Léon Deguilloux et costumes de Karinska, d'après des maquettes de Cassandre — le rôle d'Alcmène étant tenu par Valentine Tessier. Giraudoux allait d'ailleurs continuer d'être, jusqu'à la guerre, le grand auteur de la troupe. Il signa la première création de l'Athénée : *Tessa,* adaptée du roman de Margaret Kennedy, *La Nymphe au cœur fidèle.* Le rôle principal en était interprété par Madeleine Ozeray. Jouvet comptait beaucoup sur ce spectacle pour assurer l'avenir de son nouveau théâtre. Le succès ne se démentit point pendant 298 représentations.

L'année suivante, nouveau festival Giraudoux. Après une reprise de *Knock,* dans les décors de la création, Jouvet présenta dans la même soirée (21 novembre 1935) le *Supplément au voyage de Cook* et la *Guerre de Troie n'aura pas lieu.* Cette dernière pièce, bénéficiant hélas ! des circonstances, obtint un triomphe. Elle redonnait à la tragédie française ses lettres de noblesse, retrouvait le sens de la tirade, et imposait Giraudoux, non seulement comme le premier, mais pratiquement le seul grand dramaturge du siècle. Si encombrant même, parut-il à certains, qu'on en vint à prier d'autres romanciers d'écrire pour la scène : en particulier, Mauriac et Montherlant.

Louis Jouvet cependant, qui n'avait jamais cessé de penser à Molière, se décida enfin en cette même saison, à reprendre l'*Ecole des Femmes.* A vrai dire, si cette pièce, rarement jouée depuis le XVIIe siècle, obtint en 1936 un succès considérable, supérieur à celui qu'elle avait connu du vivant de Molière, sa mise en scène ne laissa pas d'abord de surprendre par ses entr'actes meublés, ses fameux lustres, ses changements de décors à vue. Les deux premiers détails, Jouvet les justifia par des considérations historiques, le troisième par une logique toute simple et, — il faut bien le dire aussi — un certain goût du rare, du surprenant, du baroque. Contrairement à ce que l'on a souvent cru et à ce qu'imprimèrent les critiques de l'époque, l'ingénieux système permettant d'ouvrir et de fermer tour à tour le mur du jardin était de son invention personnelle. Christian Bérard n'eut qu'à y adapter ses maquettes. Invention prodigieuse : « La manœuvre de ce décor mérite l'attention, écrit Pierre Sonrel dans son *Traité de scénographie,* en ce qu'on y trouve appliqués à un décor construit les principes les plus orthodoxes de la machinerie classique ».

Mais les louanges les plus enthousiastes allèrent sans nul doute au jeu de l'acteur, dont on admira l'intelligence, les trouvailles,

les tics. Son secret? A l'en croire, une instinctive simplicité. « Je joue simplement la pièce, expliqua-t-il, l'histoire que l'on raconte dans la pièce ». Cette simplicité, une fois de plus, n'en était pas moins une illumination. « Enfin ! s'écriait Lucien Dubech, un comédien assez intelligent pour traiter Molière en comique et ses comédies en comédies. Enfin... le retour au véritable esprit de Molière et de son siècle, le retour à l'art classique » (1). Cependant que Robert Brasillach prophétisait, sans le savoir, les futures mises en scène de *Tartuffe* et de *Don Juan*.

Fut-ce à cause de cette réussite particulière, ou plus vraisemblablement de son prestige en général? (Depuis 1934, en effet, Jouvet multipliait ses activités : articles, conférences, tournées). Toujours est-il que Jean Zay, ministre de l'Education Nationale, lui offrit en cette même année 1936 le poste d'Administrateur général de la Comédie-Française. Sa réponse fut catégorique : pour rénover la maison de Molière, il faut d'abord abolir toutes les particularités de sa constitution et en faire un théâtre comme les autres. Malheureusement, l'acte de société qui constitue la Comédie-Française dans son essence est un contrat privé. L'Etat ne peut le rompre. Aucune entente ne fut donc possible; et Jouvet refusa le poste — tout comme Giraudoux à quelques semaines de distance. A défaut, il suggéra de l'offrir à Edouard Bourdet, assisté de quatre metteurs en scène. D'où les nominations mentionnées au chapitre précédent.

Parmi les réalisations de Jouvet au Théâtre Français, notons d'abord son *Ecole des Femmes,* qui retrouvait en quelque sorte sa place chez Molière, et obtint ainsi 446 représentations à Paris, plus 229 en tournée. Le 15 février 1937, l'*Illusion Comique* de Corneille. De tous les spectacles montés avec la collaboration de Bérard, c'était celui qu'il préférait. La machinerie y tenait une large place. Peut-être s'inspirait-elle en partie de certains procédés cinématographiques. Le goût de Jouvet pour le luxe, l'or, la pâtisserie géante aux couleurs naïves, s'y accusait encore. Mais qui s'en serait offusqué à propos de cette féerie parodique à grand spectacle ? « Ni sur son théâtre, ni ailleurs, notait un critique (2), M. Jouvet n'a jamais fait mieux ». Le 28 septembre 1938, il donna encore le *Cantique des Cantiques* de Giraudoux; et le 13 octobre

(1) *Candide* — 21 mai 1936.
(2) Robert Brasillach — 15 mars 1937.

de la même année, *Tricolore*, de Pierre Lestringuez, avec une musique de Darius Milhaud — succès très relatif, qui ne dépassa point la dix-septième représentation.

Cependant, les grands événements du Théâtre de l'Athénée, de 1936 à 1939, demeurent les créations de ses auteurs habituels. Après le *Château de Cartes* de Steve Passeur (9 janvier 1937), *Electre* de Giraudoux fut jouée pour la première fois le 13 mai. Renée Devillers y tenait le rôle principal, Gabrielle Dorziat celui de Clytemnestre. Le 4 décembre de la même année, en supplément à une reprise de *La Guerre de Troie*, l'*Impromptu de Paris* nous intéresse à plus d'un titre. Imité du molièresque *Impromptu de Versailles*, il nous expose en effet les circonstances et les problèmes de la vie au Théâtre de l'Athénée, les méthodes de travail et les difficultés rencontrées par la troupe de Jouvet, en même temps que les aphorismes chers à Giraudoux concernant l'art du dramaturge. Avec le *Corsaire* de Marcel Achard, le 25 mars 1938, il sembla tout à coup que l'on en revenait aux temps badins et funambulesques de *Jean de la Lune*, la naïveté en moins, la prétention en plus. La critique ne fut point particulièrement tendre pour la pièce, ni pour l'auteur. En revanche, on loua sans réserves metteur en scène et décorateur, pour la science et l'art avec lesquels ils avaient utilisé leur fameuse machinerie à l'italienne. C'est, affirmait Brasillach, « le chef-d'œuvre de M. Christian Bérard (dont la manière ravissante, baroque, à la mode de Louis XIII, dorée et savante, vaut beaucoup mieux que tous les snobismes) et le chef-d'œuvre aussi de M. Louis Jouvet ». Enfin, à la veille de la guerre, le 4 mais 1939 : création de l'inoubliable *Ondine*, qui valut à Madeleine Ozeray son plus grand triomphe.

La mise en scène de ce spectacle est particulièrement révélatrice de la manière, des principes et du tempérament de Jouvet. Pendant les six mois que durèrent les répétitions, il ne cessa de harceler décorateurs et costumiers, dont aucun projet ne lui donna satisfaction. Peu de temps avant la « première », il avait déjà dépensé près de 400.000 francs — ce qui représenterait aujourd'hui environ l'équivalent en francs nouveaux — et ne possédait toujours aucune maquette acceptable à son gré. Finalement, l'idée lui vint de téléphoner à New-York — fait extrêmement rare et coûteux à l'époque — à Pavel Tchelitchew. Outre d'innombrables avantages, il lui promit le remboursement de son voyage aller et retour. Par bonheur, le spectacle, accompagné d'une musique d'Henri Sauguet, atteignit 275 représentations à Paris, 36 en tournée, et ne fut interrompu que par la guerre. Au lendemain de la création, un critique s'exprimait en ces termes : « M. Louis Jouvet, qui a une âme d'illusionniste, s'est surpassé... A une époque où le théâtre, découragé par la concurrence du cinéma, s'abandonne aux solutions les plus faciles, il est réconfortant de saluer un pareil effort » (1). Quel chemin cependant avait été parcouru depuis l'époque du Vieux-Colombier, certains le mesurèrent à cette occasion non sans une certaine amertume. Le spectacle était excessif. « Aujourd'hui, constatait Brasillach, la décoration, la danse, envahissent les scènes, travestissent les drames classiques, et je ne vois plus que M. Pitoëff qui soit fidèle à l'ascétisme ». Passe pour les pièces baroques, qui ont été conçues pour une mise en scène somptueuse. Passe même pour les prétendues féeries de M. Marcel Achard, qui en ont bien besoin. Mais Racine, Claudel, Molière, Giraudoux, Shakespeare : qu'ont-ils besoin de toutes ces fanfreluches? « Le théâtre réclame à tout prix une cure de pauvreté! Cher Jean Giraudoux, cher Louis Jouvet, donnez-nous des féeries de mots devant des rideaux nus » (2).

16.000 LIEUES PAR DELA LES MERS

La déclaration de guerre, outre le désarroi dans lequel elle plongea tous les esprits, enleva brutalement à Jouvet la presque totalité de ses techniciens et bon nombre de ses acteurs. Ceux qui restaient gagnèrent momentanément leur vie grâce aux émissions radiophoniques hebdomadaires des théâtres du Cartel. Pour lui, en décembre 1939, il tourne à Nice le film *Un tel père et fils*. Ce travail terminé, sa première intention est de rouvrir le théâtre de l'Athénée avec *Knock*. En fait, il reprendra *Ondine*, qui gardera l'affiche du 23 mars au 15 mai 1940, c'est-à-dire pratiquement jusqu'à l'arrivée des troupes allemandes.

Après l'armistice, il réussit à regrouper quelques amis en zone libre, obtient pour eux quelques émissions à la radio, puis regagne Paris où il étudie les moyens de reprendre son activité. Mais les Allemands dictent leurs conditions. Ils ne veulent pas de Giraudoux. Sa finesse les effraie. Ils ont peur que toute l'astuce de

(1) James de Coquet. *Les Annales*.
(2) 15 mai 1939.

leur censure ne soit la dupe de ses sortilèges. Ecartant également Jules Romains, ils souhaitent voir interpréter des adaptations de Gœthe et de Schiller. Jouvet ne peut s'accommoder de pareilles contraintes. « Que me reste-il maintenant, sinon mon métier ? déclare-t-il dès le mois de septembre 1940. Eh bien, il faut partir, pour le faire librement. »

Partir où? En Suisse, d'abord, où il reprend l'*Ecole des Femmes,* puis à nouveau en zone libre. Mais ce n'est pas assez loin. Une lettre qu'il reçoit lui parle de l'Amérique du Sud : « Si votre compagnie ne part pas, il n'y aura pas là-bas de saison française cette année ». Il avait quitté Paris le 2 janvier 1941. Cinq mois plus tard, le 6 juin, après une seconde tournée en Suisse, il s'embarquait avec sa troupe à Lisbonne, et débutait le mois suivant au Théâtre Municipal de Rio de Janeiro.

Jusqu'au mois de septembre, de Rio à Montevideo, en passant par Sao Paulo, Buenos-Aires, Rosario, Santa-Fé (avec la *Folle Journée* d'Emile Mazaud, la *Jalousie du Barbouillé,* la *Coupe Enchantée* de La Fontaine, *M. Le Trouhadec saisi par la débauche, La Guerre de Troie n'aura pas lieu, Je vivrai un grand amour* de Steve Passeur) la tournée fut un triomphe perpétuel. Cependant, les difficultés à vaincre étaient énormes. Trente-quatre tonnes de matériel, réparties en deux cent trente-trois colis, ne se déplacent pas facilement à travers des pays où la géographie et les moyens de communication ne ressemblent guère aux nôtres. Ajoutons à cela les rudesses du climat et de l'altitude, dans beaucoup de villes, qui paralysaient les acteurs. L'épuisement physique valait celui qu'il avait connu avec Copeau, en Amérique du Nord, à l'époque de la précédente guerre.

Allait-il donc rentrer en octobre ? « Si vous devez retourner en France, Monsieur Jouvet, nous nous inclinons, lui déclara le préfet de Rio. Mais si vous pouvez demeurer sur ce continent, permettez au vieil ami de la France que je suis de vous dire : Ici, vous la servirez bien ». Sur ces instances, auxquelles vinrent s'ajouter les invitations des gouvernements argentin, urugayen et canadien, Jouvet accepta de rester pour une nouvelle saison, qu'il prépara avec sa troupe pendant huit mois.

Au répertoire des nouveaux spectacles : *Tessa, On ne badine pas avec l'amour,* le *Médecin malgré lui, Judith,* l'*Occasion* de Mérimée, *Léopold le Bien-Aimé* de Jean Sarment, la *Belle au Bois* de Supervielle, l'*Annonce faite à Marie* et l'*Apollon de Marsac.*

Dans les notes qu'il a jointes à l'édition de ses Œuvres Complètes, Claudel ne mentionne point cette mise en scène de l'*Annonce*, reprise à Paris en 1946. Elle a pourtant son importance, qui n'est d'ailleurs pas uniquement théâtrale. Il semble en effet qu'elle coïncide plus ou moins avec le début de ce qu'on pourrait appeler la *conversion* de Jouvet. Dès cette époque apparaissent les tourments moraux et religieux qui allaient l'obséder jusqu'à la fin de sa vie, au point que, dans les dernières années, il assistait à la messe même en semaine. Pendant quatre années d'exil, note-t-il simplement dans *Prestiges et perspectives du théâtre français*, « nous nous sommes retrouvés, mes camarades et moi, dans les conditions primitives des comédiens d'autrefois, réfléchissant sur nos occupations et cherchant un sens de vie. En cherchant un sens à ma vie, j'ai trouvé celui de mon métier ». Cette recherche, on ne cesse de la sentir en lisant les notes prises à cette époque et recueillies dans le *Comédien désincarné*. Renversant sa proposition, on peut dire que c'est dans et par le théâtre qu'il a découvert Dieu, la religion, la foi; car « le théâire fait la preuve de la spiritualité », il est « la poussée la plus avancée vers la révélation totale ». Avec lui, on part d'un jeu et on atteint aux plus hautes vérités humaines. Cette fois, ce n'est plus à Bergson, ou à Pascal, que se réfère sa démarche. Nous sommes en pleine atmosphère platonicienne. L'univers dramatique ressemble, à s'y méprendre, à la célèbre caverne. « Rien de plus futile, de plus faux, de plus vain »; mais aussi « rien de plus nécessaire que le théâtre ». Il est « la seule vérité vraie de la fausse réalité dans laquelle vivent les hommes, la seule réalité qui leur soit essentielle, espèce de folie qui, loin d'être enlevée par la mort du comédien, se perfectionnera pour lui dans le sens de Dieu »...

L'*Apollon de Marsac* avait été envoyé de Suisse par Giraudoux au mois de mai 1942, sous le titre *L'Apollon de...* A Jouvet de trouver le nom du dieu. Plus tard, il fut rebaptisé à Paris *de Bellac*. Certains critiques firent la fine bouche devant cette pochade. Je me demande cependant si elle ne nous apprend pas plus sur l'art de Giraudoux que ne l'aurait fait un nouveau chef-d'œuvre. Cette enfant ingénue et terrible, qui veut connaître le secret pour réussir dans l'existence, éclot devant nos yeux comme un bourgeon gonflé de toutes les jeunes filles virtuelles du théâtre antérieur. Mais, différence précieuse, nous assistons ici à une éducation terminée d'habitude avant le lever du rideau. Agnès, disciple d'Apollon, c'est Ondine avant qu'elle ne devienne femme, Ondine avant la rencontre. Et l'Apollon-Jouvet n'est autre que l'auteur. La déclaration pour laquelle Agnès s'entraîne longuement sur le lustre ou le papillon, Ondine la fait d'instinct au premier regard du chevalier Hans. Nous savons donc un peu maintenant ce qu'est « l'instinct » des jeunes filles de Giraudoux, ce qu'il suppose de fards, de méthode, de répugnances vaincues. Ce qu'il suppose aussi quelquefois de souffrance. De tout cela est fait ce qu'on nomme leur poésie.

La réalisation de ces spectacles suppose un travail considérable, que Jouvet ne cesse de diriger et de surveiller lui-même : vingt-deux décors, deux cents costumes à fabriquer. Loin de la France, il a fallu s'assurer de nouvelles collaborations. On a fait appel à des décorateurs portugais, argentins, brésiliens, Eduardo Anahory, Joas-Maria dos Santos, Enrique Liberal, Ana-Inès Carcano. Deux musiciens : Paul Misraki et Renzo Massarani, ont prêté leur concours, tandis que l'on renouait le contact avec Darius Milhaud et Vittorio Rietti, alors aux Etats-Unis, en compagnie de Pavel Tchelitchew et Barbara Karinska. Cette deuxième saison ne s'en termina pas moins dans de mauvaises conditions financières.

Les suivantes devaient apporter encore bon nombre de déboires, voire de catastrophes. Le 21 septembre 1942, l'incendie du théâtre Ateneo, à Buenos-Aires, détruit la plus grande partie des décors. En novembre, la troupe part pour le Chili, où elle obtient un succès considérable, puis gagne le Pérou en janvier 1943. Mais Romain Bouquet, malade, doit rester en clinique à Santiago, où il mourra le 16 avril. Enfin, en février, cinq acteurs abandonnent la troupe, dont Madeleine Ozeray. Les finances sont à nouveau très basses. On est presque sans nouvelles de France. Pendant deux ans, il faudra néanmoins continuer à sillonner le Nouveau Continent. Après le Pérou, l'Equateur, la Colombie, le Vénézuéla, Cuba, Haïti, le Mexique, la Martinique, la Guadeloupe... Jouvet rentre à Paris le 18 février 1945. En 46 mois, il n'a donné que 376 représentations, et n'a pas touché un million de spectateurs.

HEUREUX QUI COMME ULYSSE...

1945 : Giraudoux est mort depuis plus d'un an. Pourtant, c'est encore lui qui fournira le spectacle de réouverture du Théâtre de l'Athénée. Il avait prédit la création de *La Folle de Chaillot* pour le 17 octobre. Avec un retard, dont il tint à s'excuser, Jouvet ne put la présenter que le 22 décembre. Le rôle avait été spécialement écrit pour Marguerite Moreno qui y remporta son dernier triomphe : la pièce fut jouée pendant près d'un an et demi. Une anecdote : dans un article du *Figaro,* en date du 30 octobre, Jouvet fit directement appel au public pour lui fournir costumes et accessoires de l'époque 1900.

A l'occasion de ce spectacle, certains critiques ne manquèrent pas d'accuser Jouvet — tout comme ils accusèrent Jean-Louis Barrault quelques années plus tard, quand il monta *Pour Lucrèce* — d'avoir procédé à certains remaniements arbitraires. Nous savons aujourd'hui ce qu'il faut penser de telles accusations. Giraudoux écrivait souvent plusieurs versions de sa pièce — ou d'un acte, ou d'une scène — et choisissait ensuite à l'épreuve des répétitions. L'intervention de Jouvet, tout comme celle de Barrault, n'a consisté qu'à choisir lui-même parmi ces versions celle qui lui semblait la meilleure (1). C'est peut-être d'ailleurs ce qu'il aurait fait de la même façon si Giraudoux avait été là, ce dernier s'en rapportant à son jugement.

Au cours des cinq années qui devaient précéder sa mort, le directeur de l'Athénée, que le public parisien retrouvait comme une idole, reprit la plupart de ses anciens succès : *Knock, Ondine,* l'*Ecole des Femmes.* Madeleine Ozeray n'était plus là. Dominique Blanchar, la fille de Pierre Blanchar, la remplaça dans les rôles d'Ondine, d'Agnès — de l'*Ecole des Femmes* et de l'*Apollon de Bellac* — cependant que Monique Mélinand faisait également dans la troupe d'éclatants débuts.

Parmi les créations, citons d'abord celle des *Bonnes,* de Jean Genêt, le 19 avril 1947. Création audacieuse, étant donnée la personnalité de l'auteur. Création un peu décevante aussi. Jouvet manqua-t-il de discernement en préférant ce dramaturge à son secrétaire, Jean Anouilh? On l'accusa surtout d'avoir obligé Genêt à réduire sa pièce de trois actes à un seul, la rendant ainsi plus obscure encore qu'elle n'était dans sa conception primitive. Ce qui est certain, c'est que lors de la reprise au Théâtre de la Huchette, en 1954, on joua une version sensiblement différente.

---

(1) La Collection Louis Jouvet possède quatre versions intégrales, variantes des 2 actes de *La Folle de Chaillot.*

Mais la véritable importance de cette pièce tient au fait qu'elle est comme une préfiguration de ce que nous appelons aujourd'hui l'*Antithéâtre,* et que sa préface peut être considérée comme un manifeste. « Je ne sais, y écrit Genêt, ce que sera le théâtre dans un monde socialiste, mais dans le monde occidental, de plus en plus touché par la mort et tourné vers elle, il ne peut qu'être... un reflet de reflet qu'un jeu cérémonieux pourrait rendre exquis et proche de l'invisibilité. Si l'on a choisi de se regarder mourir délicieusement, il faut poursuivre avec rigueur, et les ordonner, les symboles funèbres ».

Le 24 décembre de la même année, création de *Don Juan.* Si l'on en croit Léo Lapara, ce fut le sommet de la carrière de Jouvet : « Cette interrogation perpétuelle qui toujours l'empêcha de s'en remettre au hasard, cette constante tension de l'esprit, ce désir jamais apaisé de comprendre, de faire comprendre, de saisir ce qui se passait derrière un visage, ce qui se cachait derrière un geste, l'impérieux besoin de jauger la densité humaine d'un être — comme il disait — l'amenèrent peu à peu à se mesurer avec ce qui, par nature, est indéfinissable, avec ces moments de la vie et de la mort que jamais ne vient éclairer une trop vive lumière. L'instant pathétique de cette rencontre fut d'abord *Don Juan* » (1). Il y avait très longtemps qu'il méditait de monter cette pièce, la plus grande qu'il connût, qui n'avait point dépassé la quinzième représentation du vivant de Molière, n'avait jamais été reprise jusqu'en 1847, et que trois comédiens seulement avaient interprétée depuis cette date. Bien avant la guerre, il se confiait de son projet à Robert Brasillach, déclarant notamment qu'il voyait dans le ton d'Elvire celui de l'*Introduction à la Vie dévote,* et dans Sganarelle le « petit frère » de Saint François d'Assise. Son spectacle devait être à la fois « shakespearien et espagnol ». Au vrai, selon le mot de Mme Dussane (2), le spectacle fut tout d'abord une délectation visuelle, où l'on retrouva tout le talent du metteur en scène, et son génie « elliptique ». Seule fut contestée la fantaisie excessive du dénouement, avec son ballet de squelettes. Quant à l'interprétation, elle ne manqua pas de susciter quelques perplexités. L'audace blasphématoire de don Juan parut timide. Jouvet fut-il paralysé en la circonstance par

(1) *Le Figaro Littéraire* — 12 août 1961.
(2) *Notes de Théâtre.*

ses scrupules religieux? Si l'on en croit Pierre Brisson (1), l'explication serait autre. Jouvet acteur était plus proche de Knock ou de Jean de la Lune que de don Juan ou de Tartuffe. Ces derniers rôles, il s'en *délivra* en quelque sorte, pour les avoir trop longtemps portés en lui, et parce qu'il voyait dans la création des pièces de Molière le couronnement de son labeur. Mais il y avait dualité de l'interprète et du metteur en scène. Il le savait d'ailleurs, et il en souffrait. Cela expliquerait les semi-triomphes et les semi-échecs de ses dernières saisons.

Dans les années qui suivirent, Jouvet fit plusieurs tournées triomphales à l'étranger. Déjà, avant la guerre, de 1926 à 1931, il avait parcouru la Suisse, le Luxembourg, la Hollande, la Belgique, l'Italie. En 1947, il alla en Ecosse. En 1948, il visita l'Egypte, l'Italie, la Pologne, la Tchécoslovaquie, l'Autriche, l'Allemagne. En 1950, il devait élargir sa tournée jusqu'à l'Espagne et l'Afrique du Nord; en 1951, jusqu'au Canada et aux Etats-Unis. Cependant, le 18 février 1949, il reprenait à Paris les *Fourberies de Scapin* sur la scène du Théâtre Marigny (compagnie Madeleine Renaud-Jean-Louis Barrault) ; et le 27 janvier 1950, présentait son interprétation de *Tartuffe*.

Soirée déroutante, où il parut à beaucoup victime de son excès de recherche. Le décor « demi-deuil » et « inéclairable » de Braque ne manqua point de surprendre, comme choqua la bizarrerie de certains costumes masculins. Le personnage même du faux dévot, à la mine ascétique et mélancolique, sembla en contradiction flagrante avec les indications de Molière. Commentant la pièce dans des entretiens privés, et ses propres cours au Conservatoire, Jouvet n'alla-t-il pas jusqu'à déclarer que Tartuffe était un personnage sympathique, sincère, un séducteur qui trouble un instant Elmire? On lui reprocha encore d'avoir minimisé la scène de l'Exempt, d'avoir inventé de toutes pièces le groupe de juges apparaissant à point nommé, à l'heure du dénouement. On l'accusa de certaines graves erreurs de distribution...

Faut-il voir là, une fois de plus, la preuve d'un certain déséquilibre entre ses tendances opposées, aggravé par ses inquiétudes religieuses, et l'impression pénible d'appartenir déjà au passé ? Cette explication me semble trop facile. Les scrupules de l'artiste dramatique, plus que les faiblesses de l'homme, doivent

(1) *Revue d'Histoire du Théâtre* — Numéro spécial.

nous indiquer les véritables raisons de son comportement. Or, on trouve dans le *Comédien désincarné* les notes suivantes, qui me paraissent éclairer le problème sous son vrai jour. De 1949, d'abord : « Travail sur *Tartuffe,* aisé, mais je suis inquiet de cette aisance, de cette facilité, et cependant je sens qu'à mon âge, en ce moment, il faut que je sois dans cet état de détachement et de sérénité pour pratiquer. La seule question est de savoir si le public sera satisfait, s'il agréera ce que je peux encore faire, si mes idées ne sont pas déjà un peu démodées ou éventées. Je ne crois pas cependant que pour ce qui est de Molière quelqu'un d'autre ait plus réfléchi, maturé les problèmes de ses œuvres ». Considérations à rapprocher de ces autres notes, datées de Buenos-Aires, 1941 : « *Approfondissement de l'exécution* : La pièce se gauchit, s'alourdit, comme un vin qui décante, ou plutôt comme une sève qui s'épaissit et forme des cals, des gommes. — Ce qu'on trouvera plus tard dans Giraudoux. — Ce qu'il n'y avait pas dans Molière à l'origine. — *Les sens perdus,* la signification, la résonance, le sens de l'époque et le *sens actuel...* » (1).

De Molière à Sartre, il y a évidemment un peu plus qu'un abîme. Comment Jouvet a-t-il pu le franchir en dix-huit mois? On ne laissa pas de témoigner quelque surprise, lorsqu'on le vit mettre en scène *Le Diable et le Bon Dieu,* présenté au Théâtre Antoine le 7 juin 1951. Avait-il choisi l'auteur de l'*Etre et le Néant* par un souci d'audace analogue à celui qui l'avait poussé vers Genêt — d'ailleurs célébré par Jean-Paul Sartre ? Ou bien avait-il été séduit par le problème métaphysique évoqué dans la pièce? Il est pour le moins curieux de constater que ses deux dernières créations (l'une effective, l'autre seulement projetée) sont d'inspirations absolument opposées. On a dit de l'énorme machinerie de Sartre, tirée d'un épisode d'*El rufian dichoso* de Cervantès, qu'elle était anti-claudélienne, une sorte de *Soulier de Satan.* Ce qui est certain, c'est qu'elle affirme l'incompatibilité de la liberté humaine et de l'existence de Dieu. Jouvet, sans doute, n'approuvait ni cette conclusion, ni les blasphèmes dont elle s'accompagnait; mais il était intéressé par le problème du Bien et du Mal posé au long de ces actes. Il estimait d'autre part que l'homme doit se rapprocher des pauvres et le théâtre tendre vers

(1) C'est Jouvet lui-même qui souligne.

un symbolisme, montrant que la vraie richesse humaine est toute spirituelle.

Fait unique dans son histoire, Jouvet n'assista point à cette première. Il prenait ce soir-là le train pour Toulouse. Accident ? Caprice? Ni l'un, ni l'autre. Maurice Sarrazin avait fait appel à lui pour mettre au point l'éclairage d'un de ses spectacles. Pour rien au monde il n'aurait refusé son aide à un centre dramatique de province. Au Grenier de Toulouse il s'intéressait depuis 1946. En novembre 1950, il fit la connaissance d'Hubert Gignoux et se passionna au cours de l'hiver pour l'activité de son Centre, à Rennes. Quelques mois plus tard, il devait l'accueillir sur la scène même de l'Athénée. Quinze jours avant sa mort, il applaudit l'initiative qui confiait à Jean Vilar le Théâtre National Populaire. En ces grands animateurs de foyers d'art dramatique, il voyait les véritables continuateurs du Cartel.

N'est-il pas un peu exagéré de prétendre qu'il ait voulu, par la mise en scène immédiate d'une adaptation théâtrale de Graham Greene, expier son péché sartrien ? Nous n'avons pas à sonder les reins et les cœurs. Mais il est vrai que nous possédons plusieurs indices de ses préoccupations morales et religieuses, au cours de sa dernière année. Le jour du Mercredi des Cendres, il avait lu lui-même la célèbre prière de Willette, au cours de la messe annuelle des artistes, à Saint-Germain l'Auxerrois. Pendant le tournage du film *Une Histoire d'amour,* il insista auprès du metteur en scène pour que fût développé avec plus d'abondance le problème de la compréhension entre enfants et parents. Enfin lorsqu'il se passionna pour *La Puissance et la Gloire*, il fit plusieurs fois remanier la pièce par les adaptateurs du roman anglais (1), prit conseil du Révérend Père Laval, afin d'assurer l'orthodoxie de l'œuvre. Il attendait du spectacle un grand succès spirituel... Hélas ! le dit spectacle ne devait jamais voir le jour.

Jean-Louis Barrault rapporte qu'aux obsèques de Charles Dullin, en 1949, Louis Jouvet se penchant vers lui murmura : « Dans deux ans, ce sera mon tour » (2). Horrible prophétie ! Sans doute, dès cette époque, se sentait-il irrémédiablement atteint. A la veille de sa tournée triomphale en Amérique du Nord, il craignait de ne

(1) Pierre Bost, Pierre Darbon, et Pierre Quet.
(2) *Le Figaro Littéraire*, 12 août 1961.

jamais revoir la France. Cette perspective de la mort contribua largement à augmenter ses inquiétudes spirituelles.

Dès octobre 1950, il avait prié son collaborateur Lucien Aguettant de revoir et de classer ses documents, relatifs au Vieux-Colombier et à la Comédie des Champs-Elysées. Avec le même Lucien Aguettant, l'architecte Sonrel et Camille Demangeat, il projetait de réaliser un film sur l'évolution du dispositif théâtral. Dix mois plus tard, en août 1951, il pressait à nouveau Aguettant pour la réalisation de ce film.

Quelques jours après, au bar de l'Athénée, la semaine même qui suivit sa nomination en qualité de conseiller auprès de la direction des Arts et des Lettres pour la décentralisation dramatique, il fut pris d'une syncope fatale. Hémiplégie du côté gauche. Complication pulmonaire.

Il s'éteignit le 16 août 1951, à 20 h. 15.

CHARLES DULLIN

LE CHATELARD

Le qualificatif d' « enfant terrible » du théâtre conviendrait-il à Charles Dullin, s'il n'était si galvaudé? Dès son plus jeune âge, toutes les circonstances paraissent s'être liguées pour faire de lui le héros d'un destin exceptionnel.

On conviendra qu'il n'est point banal de naître le dix-huitième et dernier enfant d'un juge de paix de 64 ans, et d'une mère de 41 ans. Jacques Dullin en effet, juge de paix à Yenne (Savoie), était presque quadragénaire lorsqu'il épousa en 1860 une jeune fille de 16 ans, répondant au nom de Camille Vouthier. Il lui donna 18 ou 21 enfants — le benjamin ne semble pas particulièrement soucieux d'acquérir sur ce point une certitude (1) — dont 13 vécurent, les derniers si éloignés d'âge des premiers que certains se connurent à peine. L'arrivée du petit Charles ne fut nullement considérée comme une catastrophe. Son père, déjà presque un vieillard, se pencha au contraire sur son berceau avec infiniment de sollicitude. C'est tout juste si cet homme coléreux, dur et peu sérieux, ne trouva pas *in extremis* cette unique occasion de donner libre cours à la tendresse paternelle. Quant aux derniers de ses frères et sœurs, ils l'entourèrent des soins les plus attentifs, craignant de perdre comme quelques autres ce bébé extrêmement nerveux et de faible santé.

Pendant onze ans, il vécut là où il était né le 8 mai 1885, au château du Châtelard, dans une atmosphère si étrange que sa

---

(1) Cf. *Souvenirs et notes de travail d'un acteur.*

sœur Pauline a pu prononcer le mot d'ensorcellement. Atmosphère d'abord toujours un peu mystérieuse des vieilles places fortes. Les souvenirs de celle-là, située aux confins des trois communes de Yenne, Saint-Paul et Traize, près de la Dent du Chat, remontaient aux temps héroïques des guerres d'Henri IV. Des ossements humains traînaient encore derrière la plaque de certaines cheminées... Atmosphère envoûtante de ces villages de montagne, où les légendes les plus lointaines trouvent encore crédit parmi des gens à l'esprit faible et aux allures inquiétantes... Atmosphère enfin presque invraisemblable d'une famille peu commune.

Le grand-père paternel de Charles, François Dullin, notaire à Yenne, avait eu un frère, Antoine, prêtre renégat. En revanche, le frère de sa mère, Charles Vouthier, avocat au barreau de Turin, et qui avait fait du théâtre amateur à Aix-les-Bains, en compagnie d'une certaine Ratazzi, avait fini ses jours à la Trappe d'Haucombe. Le petit Charles ne connut directement ni le « grand-oncle curé », mort en 1863, ni l'oncle avocat, décédé trois ans plus tard à l'âge de 31 ans; mais il entendit énormément parler d'eux, et le récit de leur destinée ne manqua pas de solliciter son imagination. Plus près de lui, l'exemple de son frère Jacques, parti clandestinement pour l'Algérie, éveilla également en lui des rêves d'aventures. Mais aucune influence sur son esprit d'enfant n'égala celle de l'Oncle Joseph.

Ce frère aîné de son père, prénommé Joseph-Elisabeth, avait voulu étant jeune partir aux Indes comme son frère Louis. Il ne devait pas dépasser Marseille. Apparemment déséquilibré, il revint au Châtelard où, volontairement cloîtré dans la chambre mystérieuse d'une vieille tour, il mena l'existence la plus énigmatique, se levant quand les autres se couchaient, passant des nuits solitaires dans la grande salle commune, se servant à minuit de copieux repas... Sa présence et ses habitudes ne pouvaient manquer d'échauffer l'imagination des enfants. Mais son rôle ne se bornait point là. C'est lui qui se chargea, dès leur plus jeune âge, de l'initiation scolaire de ses neveux et nièces; lui qui parla pour la première fois au petit Charles de La Fontaine, de Molière, d'Harpagon... Son secret ne devait être découvert par la sœur préférée de Charles, Pauline, que sur son lit d'agonie en 1904 : il n'était pas un homme.

Ajoutons à ces personnages les petits charbonniers italiens transhumants, quelques enfants de paysans qui partageaient ses jeux, Philippe, le contrebandier d'allumettes; à ce décor, la toile de fond des paysages alpins; et à ces rêveries, les prières auxquelles Mme Dullin initiait ses fils aussi bien que ses filles : nous comprendrons que le futur directeur de l'Atelier ait pu écrire dans ses *souvenirs* : « Ma vocation théâtrale est faite de toutes ces imaginations qui ont peuplé mon enfance; elle s'est construite en dehors de moi. Je la dois aux poètes, à mon vieil oncle, à Philippe, aux chemineaux, à la nature des paysages, à mille et mille choses étrangères au théâtre ».

LA VACHE ENRAGEE

En effet, dans ces toutes premières années, aucun élément ne semble orienter particulièrement le petit Charles vers le théâtre. C'était un enfant nerveux et maladif, nous dit sa sœur. Il vivait en sauvage. On ne saurait mieux définir les dimensions de son univers poétique.

Car la poésie semble constituer sa première, peut-être au fond sa seule vocation. A l'âge de onze ans, en octobre 1896, il entre en classe de septième au petit séminaire de Pont-de-Beauvoisin. Sa mère avait décidé de consacrer à Dieu le dernier-né de la famille. Rageant, rongeant son frein, s'étiolant, il écrit des vers « plus désespérés que ceux de Gilbert ». Ses études ? Elles seront bien courtes. Dès la fin de la quatrième, grâce à l'intercession de son frère « l'Africain », il quitte le petit séminaire et s'en va tenter l'aventure à Lyon... Toute sa culture, il l'acquerra donc lui-même, et ceux qui l'ont approché savent combien elle était vaste. Dans son livre d'hommage et de souvenirs, Alexandre Arnoux souligne ce mystère comme l'une des raisons primordiales d'admiration envers son ami.

A vrai dire, l'aventure lyonnaise se limite à de bien modestes dimensions. D'abord commis chez un bonnetier de la rue Grenette, puis clerc d'huissier, il travaille ensuite dans un magasin de lainages en gros. Mais son goût pour la poésie se développe, auquel s'ajoute bientôt celui de la musique. En compagnie de quelques amis (Henri Béraud, Romain Bouquet et son frère, Albert Londres) il fréquente l'opéra de Lyon, s'y enthousiasme pour Wagner, pour Debussy. La joyeuse bande a fondé un cercle, *le*

Pot au Feu, et une revue, *La Houle,* où le jeune Charles publie quelques poèmes, cependant qu'il se taille ses premiers succès en disant des vers dans des soirées mondaines.

Sa vocation proprement théâtrale semble avoir pris corps au cours de ces quatre années, peut-être à l'occasion de sa découverte d'Ibsen, qui le bouleversa. Jouer la mort d'Aase avec sa sœur Pauline n'était cependant qu'une distraction de grand enfant. Un jour, brusquement, il se présente chez un ex-pensionnaire de la Comédie-Française, qui lui prédit un brillant avenir. Un peu plus tard, il entre au Conservatoire de Lyon, où on lui fait travailler *Jean-Marie* d'André Theuriet, le *Luthier de Crémone,* le *Supplice d'une femme.* Mais il a perdu sa mère, puis son père. Le Châtelard est vendu aux enchères. Alors il file à Paris, sans argent, en compagnie de son ami Béraud, qui d'ailleurs réintègrera bientôt le domicile paternel.

Cette fois, c'est vraiment la grande aventure qui commence. Nous sommes en 1904. Elle durera pratiquement jusqu'en 1913, date de la fondation du Vieux-Colombier.

De cette période héroïque, une légende facile s'est emparée. Elle n'empêche qu'à aucun autre moment de sa vie, peut-être, Dullin ne donna pareille mesure de son opiniâtreté. Car il fit de tout, pour subsister. Il lui arriva de réciter des vers dans des cours, en compagnie d'un violoniste; de se produire, toujours en récitant, dans une cage de fauves; de se nourrir pendant huit jours d'huile de foie de morue. La grande aubaine était de pouvoir participer à quelque soirée poétique, dans un salon bourgeois. Seul port d'attache : le *Lapin Agile,* sur la butte Montmartre, fréquenté par Apollinaire, Max Jacob, Fargue, Dorgelès, Mac Orlan, Picasso...

Petit à petit, il parvint à se faire engager momentanément dans des salles de quartier. Par Larochelle d'abord, qui dirigeait, outre le Théâtre Montparnasse, ceux de Grenelle, des Gobelins et de Saint-Denis. Il y interpréta le Javert des *Misérables, Don César de Bazan,* la *Maison du Baigneur...* Au Théâtre Montmartre, ensuite, il s'initia aux *Deux Orphelines,* la *Porteuse de Pain,* le *Courrier de Lyon.* On le vit même dans *Biribi,* au Théâtre de Belleville. Jamais plus tard il ne renia ces débuts, affirmant au concontraire qu'il avait appris à peu près tout ce qu'il savait — en fait de technique dramatique — à l'école du mélodrame.

De Belleville, il passe à Montrouge; sans parler de quelques échappées en province. Bien entendu, il s'est présenté lui aussi au Conservatoire, et il a échoué. Un jour, il tente sa chance auprès d'Antoine, qui le « distribue » dans une adaptation nouvelle du *Jules César* de Shakespeare. Mais déjà sa mauvaise santé l'accable : son épaule, une menace de tuberculose... Après un séjour à l'hôpital, il doit aller se reposer à Lyon.

Les années 1907 à 1910 sont sans aucun doute les plus mal connues de sa carrière, peut-être parce qu'elles sont aussi les moins importantes. Il y joua ici ou là, à Paris, en banlieue, en province, fonda à Neuilly un *Théâtre de Foire* (auteur : Alexandre Arnoux, partenaire : Saturnin Fabre), hélas! sans lendemain. Sa véritable chance allait lui être offerte en 1910, grâce à la rencontre de Robert d'Humières.

Ce dernier dirigeait alors le Théâtre des Arts. Entré un jour par hasard au Lapin Agile, il fut frappé par ce jeune Savoyard qui récitait la *Ballade des Pendus,* de Villon, et l'engagea. Au lendemain de l'*Eventail de Lady Windermere,* Dullin suivit un moment le metteur en scène Durec au Petit Théâtre; puis tous deux regagnèrent le Théâtre des Arts, passé dans l'intervalle aux mains de Jacques Rouché. Dullin y créa d'abord le rôle de Pierrot dans le *Carnaval des Enfants,* de Saint-Georges de Bouhélier. Au cours de la même saison, on lui offrit un petit rôle dans les *Frères Karamazov,* adaptés de Dostoïevski par Jacques Copeau et Jean Croué. Il enrageait qu'on ne lui eût pas confié le rôle de Smerdiakov, pour lequel il se sentait fait, quand les auteurs vinrent le lui proposer, comprenant leur erreur. Il commença par écrire une longue étude sur le personnage, afin de s'en bien pénétrer. A l'épreuve des répétitions, il comprit combien ce travail était inutile, voire néfaste, et que rien ne remplace l'inspiration du plateau. « Je puis dire, devait-il noter plus tard, que depuis ce temps-là, aussi bien comme acteur que comme metteur en scène, je me suis efforcé de ne jamais laisser le sens critique et l'intelligence prendre le pas sur l'instinct ». Cette grande expérience lui avait permis également, selon sa propre expression, de faire le point. « Dès ce moment je sentis... la réforme nécessaire : secouer le joug du naturalisme, prendre du mélodrame ce qu'il avait d'authentique au point de vue théâtral, placer le poète à la source de toute inspiration et rendre à l'instinct, qui est bien le don le plus merveilleux de l'acteur, sa vraie place ».

Ce rôle de Smerdiakov fut son premier vrai triomphe. Après un court passage au Grand Guignol, pendant les vacances d'été, il revint pour une saison au Théâtre des Arts, où on lui confia même une mise en scène (1). Déjà, sa renommée grandissant, les directeurs des théâtres de boulevard lui faisaient des offres tentantes. Peut-être les eût-il acceptées sans la démarche de Copeau, à la veille de fonder le Vieux-Colombier.

DU LIMON A NEW-YORK

C'est dans le studio montmartrois de Dullin en effet — on s'en souvient — que le directeur de la *N.R.F.* fit passer ses auditions au mois de juin 1913, en vue du recrutement de sa troupe. Quand celle-ci s'en alla ensuite au Limon préparer les premiers spectacles, Dullin faisait partie de l'expédition. Bref, pendant toute la première saison du Vieux Colombier, il fut sans aucun doute l'un des collaborateurs les plus appréciés de Copeau. Malgré le désir de ne pas engager de vedettes, il fut aussi l'un des acteurs les plus remarqués du public et de la critique.

Peut-être devait-il sa célébrité, d'abord, au pittoresque de sa personne. Fier de ses humbles débuts, buissonnier par tempérament, pauvre hère par nécessité, de cette bohême il se faisait gloire, arborant en particulier son célèbre mouchoir autour du cou, en guise de cravate. Mais on n'avait pas oublié non plus ses succès au Théâtre des Arts. Dans le premier spectacle du Vieux-Colombier, *Une femme tuée par la douceur*, sa composition de Nicolas lui valut des suffrages à peu près unanimes, qu'aucune de ses créations suivantes ne lui fit perdre. Au moindre détail d'interprétation, sa personnalité éclatait. On était surtout frappé par son extraordinaire talent à changer de visage, sans que le moindre artifice de maquillage intervînt.

Au cours de cette même saison, il créa le rôle de Louis Laine, dans l'*Echange* de Claudel, le double rôle du père Leleu et de son voisin, dans le *Testament du Père Leleu* de Roger Martin du Gard. Il créa également l'*Eau-de-Vie* d'Henri Ghéon, reprit les *Frères Karamazov*. Aucun de ses autres succès ne put néanmoins égaler celui qu'il remporta dans le rôle d'Harpagon, plus de vingt fois repris, travaillé, amélioré, perfectionné jusqu'à la fin de sa

---

(1) *Marie-Madeleine,* de Hebbel.

carrière; et l'on peut dire, au prix d'un horrible jeu de mots théâtral, que le Vieux-Colombier lui dut ce jour-là une fière chandelle. Car depuis plus d'un mois, la grande presse boudait. La farce de l'*Amour Médecin* l'avait déroutée. A la représentation de l'*Avare,* elle avoua son intérêt.

Lorsque la guerre éclate, en août 1914, Charles Dullin a 29 ans. A cause de sa mauvaise santé, il n'a jamais fait de service militaire. Il s'engage, et s'en va rejoindre un régiment de dragons sur le front de Lorraine. Toujours en première ligne, souvent exposé, il ne sera renvoyé à l'arrière qu'au bout de trois ans, à la suite d'une blessure. Durant toute cette période, il n'abandonne cependant pas tout à fait le théâtre. D'une part, il ne cesse de correspondre — comme Jouvet — avec Copeau, qui le tient au courant de ses projets et en particulier de ses rêves de *commedia dell'arte.* D'autre part, il lui arrive encore de dire des vers, comme à Mourmelon, en 1916, et de jouer dans le théâtre aux armées. Cette petite expérience, analogue à son « théâtre de la Foire », lui fit entrevoir, selon sa propre expression, l'apport de la plastique et du rythme dans le spectacle. L'improvisation restait à ses yeux « une école merveilleuse pour le comédien parce qu'elle suscite en lui l'ingénieuse utilisation de tous ses moyens d'expression et qu'elle développe sa personnalité » (1).

Après une première démarche infructueuse, tentée par Copeau à la fin de 1916, Dullin enfin démobilisé obtint en 1917 la permission de rejoindre à New-York la troupe du Vieux-Colombier. Arrivé sur le continent américain, il n'eut rien de plus pressé, dit-on — dans son admiration pour William Hart — que d'emprunter quelques dollars, afin d'acheter une cravate rouge et un chapeau de cow-boy. « Ce pays m'exalte beaucoup et je l'admire », écrivait-il alors à sa sœur. A quoi il ajoutait cette comparaison, pleine pour nous d'enseignement : « Copeau n'est pas tout à fait de mon avis. C'est qu'au fond il est moins vivant que moi. C'est un litttéraire qui préfère les livres à la réalité ». Mais surtout, en présentant au public américain son interprétation de l'*Avare,* il se tailla personnellement un succès au moins égal à celui qu'il avait connu à Paris, et consolida pour un temps la situation du Vieux-Colombier de l'autre côté de l'Océan.

---

(1) *Souvenirs* p. 57.

Pourquoi donc cet abandon de Copeau quelques mois plus tard, avant même le retour en France? Sur cette séparation des deux hommes on a copieusement jasé, quelquefois avec beaucoup de fiel. Sans prendre parti pour l'un ou l'autre, on peut affirmer, je crois, que leurs deux totalitarismes pouvaient difficilement coexister de façon pacifique à l'intérieur d'une même troupe. A simple titre d'information, relevons ces allusions transparentes qui, dans des lettres de cette époque à sa sœur, peuvent nous éclairer sur les griefs de Dullin :

« J'ai eu des désillusions avec tous les hommes que j'ai eu la faiblesse ou la générosité de croire supérieurs aux autres. Maintenant je reconnais leurs qualités, je vois leurs faiblesses, je les prends pour ce qu'ils pèsent, mais je ne les enrichis plus de ma confiance illimitée ni de mes illusions. Je veux être un grand acteur et je le serai ». Ou encore : « Je ne puis plus supporter les contraintes, je sais que je suis devenu violent, pessimiste, que je suis destiné à vivre comme un sauvage, à l'écart mais aussi je me sens courage et volonté pour assumer les terribles conséquences de cet état. Je suis seul, assez dégoûté de l'amitié, des boniments et des histoires. J'ai réalisé de cruelles vérités. J'ai été jusqu'à ce jour exploité, victime de ma générosité et de l'amour de mon métier. Cela ne sera plus dans l'avenir, je te le promets, car il me pousse chaque jour des défenses terribles » (1).

Il n'en serait pas moins inexact d'en conclure à une brouille définitive. Les deux hommes s'accueillirent plus tard mutuellement sur leurs scènes respectives. Ils devaient se retrouver avec Baty et Jouvet à la Comédie-Française. Copeau n'essaya à aucun moment de cacher qu'il considérait le théâtre de l'Atelier comme l'une des filiations les plus authentiques du Vieux-Colombier. Dullin, de son côté, interrogé quelques années avant sa mort sur son ancien patron, déclara simplement : « Je ne veux me rappeler qu'une chose : dans le travail d'un texte, je ne fus jamais en désaccord avec Copeau. Il avait le respect de ce texte et le sens linéaire d'une œuvre. C'était alors assez exceptionnel pour faire figure de révolution. J'ai — pour ma part — plus appris à son contact en un an que je n'avais appris depuis le début de ma carrière » (2). A quoi il ajoutait, dans une lettre à Marie-Hélène

(1) Pauline Dullin — *Les ensorcelés du Châtelard.*
(2) Jean Sarment — *Charles Dullin.*

Dasté : « Dans le début nos rapports furent vraiment des rapports de disciple à maître et non pas des rapports d'acteur à directeur. Il est impossible qu'avec des caractères violents et entiers comme l'étaient les nôtres, ces rapports n'aient pas été traversés d'orages. Plus d'une fois nous nous fâchâmes, mais c'est je crois ce qui donne tout son prix au témoignage que j'apporte aujourd'hui. Dans le travail, nous n'eûmes jamais la moindre querelle, ses indications étaient si claires, si lucides que l'idée de discuter ne pouvait venir qu'à des acteurs incompréhensifs » (1).

CHARLES DULLIN, PROFESSEUR

En quittant le Vieux-Colombier, l'acteur prodigue n'allait faire, hélas! que passer d'une tutelle sous une autre, et qui n'allait pas lui donner beaucoup plus de satisfactions. Au lendemain de la guerre, en effet, le grand animateur de théâtre Firmin Gémier avait fondé le *Conservatoire Syndical,* destiné à contrebalancer l'influence estimée néfaste du *Conservatoire National.* Dullin, devenu libre, se hâta d'adhérer à cette entreprise, et se vit bientôt confier par le « maître » le soin d'assurer son propre cours, au théâtre Antoine. Cet exercice professoral fut de relativement courte durée. Faute de fermeté dans la direction, le cours ne comptait plus que quatre élèves lorsque Gémier abandonna le Conservatoire Syndical pour la direction de la Comédie-Montaigne (devenue plus tard Comédie des Champs-Elysées) et du Cirque d'Hiver.

Dullin, qui avait suivi, se vit alors nommer directeur de la nouvelle « Ecole d'art dramatique Firmin-Gémier ». A vrai dire, cette confiance n'alla point sans quelques heurts. Tandis que Gémier rêvait du *Théâtre National Populaire* qu'il fonda peu de temps après, Dullin formait le projet d'une école à lui, où il renouerait avec la grande tradition du spectacle. Son programme (si l'on peut parler de programme à propos d'un homme aussi peu systématique) comportait cinq points essentiels : 1° — opérer un choix judicieux parmi les grandes pièces du passé. 2° — fournir aux jeunes auteurs une scène d'essai. 3° — supprimer les décors en profondeur au profit d'un tréteau nu. 4° — utiliser

(1) Lucien Arnaud — *Charles Dullin.*

la plastique et le rythme comme éléments primordiaux de la mise en scène. 5° — travailler dans un esprit de communauté.

Les pièces représentées au cours de cette période 1919-1921 (*La Grande Pastorale* au Cirque d'Hiver, mise en scène par Gaston Baty (1), *L'Avare*, Le *Simoun*, les *Amants puérils* de Crommelynck, la *Mégère apprivoisée*) ne donnèrent guère plus de contentement à Dullin, qui prit peu à peu ses distances et commença à voler de ses propres ailes. Dans la salle à manger de son appartement — 177, boulevard Péreire — il monta une scène de fortune. On y joua, entre autres improvisations, un mimodrame d'Alexandre Arnoux : *Moriana et Galvan*, redonné ensuite à l'hôtel du grand couturier Poiret. Au mois de juin, une dernière tournée avec la troupe de Gémier pour présenter l'*Annonce faite à Marie* devant les troupes d'occupation (Dullin jouant le rôle de Jacques Ury); et ce fut la séparation. Dans le train, au cours du voyage, le nom de la nouvelle entreprise avait été trouvé. Elle s'appellerait l'*Atelier*.

Un autre événement de cette époque vaut la peine d'être mentionné : en 1921, il tourne son premier film, *Les Trois Mousquetaires*, dans lequel il tient le rôle du Père Joseph. Trois ans plus tôt, en 1918, il avait éludé les propositions fastueuses d'Hollywood qui, nous dit Alexandre Arnoux, voyait en lui avec raison un nouveau Rio Jim. De même, vers 1929, il refusera la somme fabuleuse de 5 millions, offerte par Fritz-Lang. Comment expliquer ces apparentes contradictions? De la façon la plus simple. Mais avant toute chose, disons bien haut qu'il n'aimait pas le cinéma. Il s'en est expliqué plus tard (en 1930) dans un numéro de *Correspondance*. Tout en reconnaissant qu' « un art ne détruit pas un autre art », Dullin jugeait angoissante, du point de vue théâtral, la concurrence du dernier-né. A ses yeux, le luxe, le confort, l'atmosphère de détente et de laisser-aller des salles obscures exerçaient sur les spectateurs une influence néfaste, faisaient oublier aux jeunes générations l'effort nécessaire non seulement pour juger une pièce, mais pour participer à sa célébration. Surtout, le septième art risquait de corrompre le goût.

« Ce qui en fait le danger, écrivait-il, ce n'est pas, comme on le dit volontiers, parce qu'il s'apparente au théâtre et le dépasse en possibilités, mais parce qu'il y a accord entre le cinéma et le

---

(1) Voir chapitre suivant.

spectateur moderne. Que cet accord soit basé le plus souvent sur une décadence du goût et une paresse de l'esprit, sur des raisons étrangères à l'art et superficielles, c'est certain, mais il y a aussi un appel profond que le public entend sans chercher à l'analyser. A une époque de vitesse, le cinéma multiplie les images, effleure toutes les questions, offre des synthèses rapides... A un siècle d'instruction obligatoire, il instruit en divertissant. Dans un temps où l'aventure est à la mode, il satisfait le goût du romanesque ».

Pourquoi Dullin succomba-t-il donc plusieurs fois à la tentation? Hélas! L'impécuniosité en est la cause. Certes, il refusa énergiquement de sacrifier sa vocation à la richesse. Il s'en fait gloire dans ses *Souvenirs.* Mais à certains moments, il avait besoin de se renflouer. N'en était-ce pas encore la meilleure façon ?...

SAINT-SULPICE ET LES URSULINES

Quoi qu'il en soit, son indépendance aussitôt acquise, Dullin ne perdit pas un instant. Renouvelant l'expérience de Copeau au Limon et de Stanislavski à Pouchkino, il partit avec une première équipe en province, dans le hameau de Néronville, aux confins du Loiret et de la Seine-et-Marne. Au sein de cette première équipe, deux noms à retenir : ceux de Marguerite Jamois et de Lucien Arnaud. Le manifeste de l'*Ecole Nouvelle du Comédien* fut rédigé en ce coin perdu du Gâtinais, au mois de juillet 1921. Il commençait par cette phrase : « L'Atelier n'est pas une entreprise théâtrale, mais un laboratoire d'essais dramatiques ». But numéro un : la régénération du comédien. Au point de vue pratique : soumission des plus fortes personnalités aux exigences de la collaboration — dévouement — combativité. Bref, on le voit : rien de foncièrement nouveau, par rapport à l'entreprise du Vieux-Colombier...

L'expérience dura trois mois : ceux de l'été 1921. La bourse commune étant pratiquement vide, on monta en quinze jours de travail acharné un spectacle qui comprenait, outre une «parade» de Gueulette, le *Divorce* de Regnard et les *Boulingrins* de Georges Courteline. On joua à Moret-sur-Loing — sans succès —, à Château-Landon — triomphalement —, dans des granges, à la lumière de bougies ou de phares d'autos. Véritable roman comique, dont les héros survivants ont gardé un impérissable souvenir.

Cependant, il fallait gagner Paris, au double sens du mot. On s'installa d'abord dans une boutique, proche de Saint-Sulpice, au numéro 7 de la rue Honoré-Chevalier. En lettres orange sur fond outremer, Lucien Arnaud peignit l'enseigne. La scène occupait pratiquement toute la pièce, le public n'étant pour ainsi dire pas prévu. C'est là pourtant que fut mise en répétition pour la première fois *La Vie est un songe* de Calderon, adaptée par Alexandre Arnoux. Mais l'activité principale était constituée par les cours de l'Ecole, qui avaient lieu chaque jour de 9 heures à midi, de 14 à 17 heures, et le soir encore de 21 à 24 heures (au nombre des élèves : Antonin Artaud). On travaillait beaucoup, et l'on improvisait, à la façon de la célèbre *commedia dell'arte.* Certes, ce modeste studio ne faisait pas courir le tout-Paris. Il recevait pourtant d'illustres visiteurs : Jacques Copeau, Marcel Achard, Hébertot, Max Jacob. On commença à parler de lui, quand la troupe, un peu par hasard, s'en fut donner une représentation de l'*Avare* à Lyon, salle Rameau.

Au printemps suivant — 1922 — on respira plus largement dans le cadre d'une vieille salle désaffectée de la rue des Ursulines, devenue depuis cinéma, et où Dullin présenta deux ou trois fois par semaine des spectacles de dimensions normales. On redonna dans ce nouveau local le *Divorce* de Regnard, auquel on ajouta trois intermèdes espagnols : *Visites de condoléances* de Calderon, l'*Hôtellerie* de Cervantès, les *Olives* de Lope de Rueda. On y créa également deux pièces nouvelles : *Chantage* de Max Jacob, et *Monsieur Sardory* de Magdeleine Bérubet, collaboratrice des premières heures de Néronville. Pourtant le grand triomphe de cette période fut sans aucun doute et une fois de plus l'*Avare,* non seulement à cause de l'interprétation même de la pièce, à nouveau revue, corrigée, perfectionnée par Dullin, mais surtout pour l'innovation véritablement révolutionnaire d'une improvisation en guise de lever de rideau. Les acteurs inventaient eux-mêmes leurs personnages, le plus souvent de prétendus spectateurs venus trouver Dullin, et l'interviewant sous un prétexte quelconque, tandis qu'il se grimait. La plus belle part de ce triomphe, recueilli dans la chronique d'Antoine à l'*Information,* revint sans conteste à l'actrice Génita Athanasiou, dont les expressions plastiques s'efforçaient d'illustrer successivement les différents thèmes proposés « à la demande » par le public : la mer, le feu, le soleil, la révolution... Marguerite Jamois elle-même, se lançant un jour dans une improvisation analogue, évoqua la Violette...

Sa première grande victoire, cette ancienne et fidèle élève du cours Gémier ne devait cependant la remporter qu'au mois de juin suivant, lorsque Copeau offrit sa scène à la jeune troupe : nouveau pas vers la consécration. Elle y connut un franc succès dans l'*Occasion* de Mérimée, montée et représentée au cours du mois, ainsi que *La Vie est un songe* de Calderon.

Quand la saison théâtrale s'acheva en juillet, l'époque préliminaire de l'Atelier touchait à sa fin. Il lui fallait pourtant encore passer l'été. La troupe se retrouva comme l'année précédente à Néronville. Même vie, mêmes aventures héroï-comiques. On mit en chantier *Huon de Bordeaux* d'Alexandre Arnoux, dans des décors naturels de champs et de forêts, cependant que Dullin voulait transformer la maison en véritable ranch, et mettait pour ce faire à rude épreuve sa célèbre ânesse Gitane. Aux spectacles villageois déjà présentés, on ajouta cette année-là : *le Testament du père Leleu,* repris du Vieux-Colombier, *Arlequin poli par l'Amour,* de Marivaux; et l'on regagna en octobre la minuscule boutique de la rue Honoré-Chevalier.

THEATRE D'ELEVES

On ne devait pas y rester longtemps. Dullin rêvait d'une grande salle pouvant abriter un public nombreux et d'origine sociale variée. Les Ursulines sur ce point représentaient un progrès, non un idéal. On se mit donc en quête; et le hasard voulut que se trouvât libre à ce moment précis ce même théâtre Montmartre de la place Dancourt, où le jeune Savoyard avait joué le mélodrame, et qui avait servi entre temps pour des spectacles cinématographiques. Avec l'insouciance et le goût du risque qui le caractérisaient, Dullin s'y installa sans attendre, transformant le nom de cette salle désormais plus que célèbre en celui qu'elle porte encore aujourd'hui de *Théâtre de l'Atelier.* Il allait y demeurer jusqu'à la guerre, soit pendant dix-huit ans.

Les débuts furent difficiles. L'installation était au moins rudimentaire. Son pittoresque faisait davantage penser à une grange d'amateurs qu'à une salle parisienne officiellement exploitée. On n'avait pas un sou d'avance. De plus, ne songeant qu'à son art et nullement au commerce, Dullin entendait alterner les spectacles et ne monter que des pièces débordant de poésie. On n'aurait su mieux rêver dans ce domaine que le spectacle d'ouverture — *Monsieur de Pygmalion,* de Jacinto Grau — où l'intrusion de marionnettes au sein du monde réel ne constituait que l'instrument le plus anodin d'évasion. Le 22 décembre, *Huon de Bordeaux* inaugurait l'usage d'un nouveau dispositif à plusieurs étages, dont les transformations permettaient la succession rapide des tableaux. Un mois plus tôt, le 20 novembre, Pirandello avait assisté lui-même à la répétition générale de sa première pièce représentée en France : *La Volupté de l'Honneur.* C'était infiniment plus de poésie que la majorité des spectateurs n'en pouvait supporter. Aussi bien le succès de toutes ces pièces fut-il extrêmement limité, et le public constitué de quelques «mordus» héroïques. Quant à la critique officielle, elle rendait bien de temps en temps quelques hommages; mais on s'obstinait en général à considérer l'Atelier essentiellement comme un théâtre d'élèves.

On ne se trompait pas tout à fait, dans la mesure où Dullin lui-même accordait une importance primordiale à son école, et aux exercices d'assouplissement. Les cours en effet continuaient. Ils continuèrent jusqu'à sa mort, et lui survivent encore aujourd'hui. Le maître s'y montrait extrêmement sévère. Sans doute était-il aussi peu systématique dans sa pédagogie que dans le reste de son activité. « Le jeu étant en quelque sorte la part de l'âme et de l'esprit, il est ridicule de vouloir lui imposer des règles... Le metteur en scène qui tient les fils de ces marionnettes supérieures ou inférieures que nous sommes... doit toujours laisser à la personnalité de l'acteur la possibilité de se manifester », écrivait-il dans ses *Conseils* à un jeune élève. Cependant il tenait fermement à un certain nombre de principes, sur lesquels il ne transigeait point, et que sa légende a largement fait oublier.

C'est ainsi, par exemple, qu'il était scrupuleusement attaché aux techniques traditionnelles de la diction, laquelle occupait une place de choix dans le programme de l'*Ecole.* Peut-être faut-il voir l'origine de cet attachement dans les difficultés personnelles que Dullin rencontra avec sa voix faible, rauque, un peu cassée, prononçant les *r* avec peine, du fond de la gorge. Il n'en triompha que par une ardeur d'application à la Démosthène, qu'il s'efforça de communiquer ensuite à ses élèves. Il accorda de même une importance capitale à ce que Mme Dussane appelle « la technique libératrice » (1), c'est-à-dire l'ensemble des procédés physiques et respiratoires destinés à faciliter les gestes de l'élève normalement paralysé; il y tenait si fort qu'il allait jusqu'à plier ses disciples aux exercices traditionnels de la vieille méthode Gravollet.

Le programme contenait encore des cours de gymnastique, de rythmique, de danse, de pantomime. Il nourrissait la plus grande admiration pour les acteurs japonais et l'utilisation qu'ils font de leur corps. Ses premiers fidèles en avaient vu une preuve dans le prologue improvisé de l'*Avare* aux Ursulines.

« J'ai toujours été attiré par les principes du vieux théâtre japonais », écrira-t-il plus tard dans sa revue *Correspondance* (2). « J'avouerai même que je lui dois beaucoup; c'est en étudiant ses origines et son histoire que j'ai affermi mes idées sur une rénovation du spectacle théâtral.

« Même si nous laissons de côté tout ce qui, dans une représentation, est spécifiquement japonais, en écartant les dangers d'une virtuosité qui conduit parfois à un abus des *trucs d'acteurs* et à la grimace, l'emploi que le comédien peut faire de son corps, de sa voix, de ses gestes, est une leçon qui devrait nous profiter.

« L'acteur japonais part du réalisme le plus méticuleux et arrive à la synthèse par un besoin de vérité. Chez nous, le mot *stylisation* évoque tout de suite une sorte d'esthétisme figé, de rythmique terne et docile ; chez eux la stylisation est directe, éloquente, plus expressive que la réalité même. »

Stylisation : n'est-ce pas le mot-clé de l'art de Dullin? La perfection de la technique, au niveau de l'acteur, doit en effet conduire, non pas à *jouer* le personnage qu'il incarne, mais à le *vivre*. D'où l'exigence — comme pour Jouvet — d'une formation humaine et d'une culture générale aussi vaste que possible. D'où également la nécessité d'entendre à la fois «la voix de soi-même» et « les voix du monde », c'est-à-dire de cultiver sa vie intérieure et son expérience sensible. Jouer du plus intime de soi. Ne pas être le prisonnier d'un jeu *ne varietur*, lentement mis au point. Ne pas tendre à la « tradition » des rôles. D'ailleurs, qu'est-ce que la tradition? Il n'existe plus aujourd'hui que « des conventions, les unes issues du classicisme, les autres du romantisme,

(1) *Notes de théâtre.*
(2) N° 16 — mai 1930.

les autres du naturalisme, les autres inventées pour remplacer celles que nous avons perdues » (1). C'est dans cette perspective qu'il accordait tant d'importance à l'improvisation et à la *commedia dell'arte.*

Lui-même donnait l'exemple, inventant sans cesse de nouveaux traits dans ses interprétations personnelles, étonnant les autres membres de la troupe par ses innovations — notamment dans le rôle de l'*Avare,* jusqu'à la fin de sa carrière. En ce sens il a pu écrire et donner l'impression qu'il accordait la première place à l'instinct. Entendons-nous bien sur ce mot. Il s'agissait pour lui d'interpréter le personnage tel qu'on le sentait, mais une fois le métier bien en main.

Est-il besoin de préciser que cette dernière proposition a pour corollaire la nécessité du goût dans le choix des œuvres et des personnages, ainsi que l'oubli délibéré des appétits du public? « Quand on commence à faire des concessions au public, en flattant ses bas instincts, on est perdu pour l'art dramatique... Ton vrai devoir, c'est de chercher à élever ce public et pour cela de t'appuyer sur des œuvres qui ont en elles assez de force et de beauté pour remplir ce but. » Sans doute une telle attitude comporte-t-elle des risques de misère. Qu'importe ! Pour ce qui est de « la vie matérielle, qui aujourd'hui réclame pour elle seule le meilleur de notre activité, je ne te dirai pas : Dieu y pourvoira, mais je te dirai : si tu es bien avec ton Dieu, si tu es sincère avec toi-même, tu ne sombreras pas, parce que tu auras dix fois, cent fois plus de force que tes ennemis qui eux, n'ayant la plupart du temps aucune foi, n'ont jamais cette sincérité morale qui donne la fermeté d'une ligne de conduite » (2). On croirait lire l'histoire même de l'Atelier !...

Enfin, un point sur lequel Dullin insistait également avec force : l'esprit de communauté. Ne pas rechercher la vedette, n'être que l'un des serviteurs de l'œuvre dramatique. Se dévouer totalement, dans un climat de confiance et d'amitié. C'est très exactement ce qui se passa dans l'équipe de l'Atelier, véritable foyer d'art, ne se séparant ni pour les vacances à Néronville, ni pour les promenades collectives au Bois de Boulogne, où l'on se livrait même à des compétitions sportives. Des dévoue-

---

(1) *Notes de travail d'un acteur.*
(2) *Conseils à un jeune élève.*

ments comme celui de Lucien Arnaud sont significatifs à cet égard.

Mais il va de soi que dans l'esprit des détracteurs, l'expression « théâtre d'élèves » avait un sens nettement péjoratif. Aussi bien ne furent des succès, ni les deux pièces de jeunes : *La Promenade du Prisonnier* de Jean Blanchon, *Celui qui vivait sa mort* de Marchel Achard; ni *Carmosine* de Musset, ni *La Mort de Souper* de Nicolas de la Chesnaye; ni même l'*Antigone* de Sophocle, adaptée par Cocteau, avec des décors de Picasso et une musique d'Arthur Honegger. Au printemps, le bruit courait déjà d'une fermeture de l'Atelier. Henry Bernstein donna au Gymnase un spectacle au bénéfice du théâtre de la place Dancourt. Antoine et quelques autres firent campagne dans la presse pour que n'éclatât point cette honte. Comme en réponse à ces rumeurs, Dullin prononçait au Collège de France, le 25 mai, une conférence sur les tentatives d'une rénovation théâtrale.

LES GRANDES MISES EN SCENE

Malgré le tournage du film *Le Miracle des Loups*, la situation n'était donc pas brillante lorsque la compagnie regagna Néronville pour y prendre ses quartiers d'été. Heureusement, Dullin obligea Marcel Achard (en l'enfermant) à composer pendant ces trois mois une pièce nouvelle, dont la réussite au cours de l'hiver 1923-1924 fut littéralement extraordinaire. Cette pièce s'intitulait *Voulez-vous jouer avec moâ ?* Marcel Achard y interprétait lui-même le rôle de Crockson... Tout n'était point méprisable pourtant, parmi les autres pièces montées au cours de la même saison, et signées en majorité par de jeunes auteurs : Jarl Priel, Jean Variot, Bernard Zimmer... *Petite Lumière et l'Ourse*, d'Alexandre Arnoux, offrait même une assez grande originalité dans la féerie. Mais on lui reprocha précisément d'être trop littéraire.

Le souvenir du prologue improvisé de l'*Avare* ne quittait pas Dullin. Or, le hasard voulut qu'un des spectacles de cette saison, un peu court, demandât un complément. Excellente aubaine, qui fournit l'occasion d'un lever de rideau : *La Parade du Sou*, joué sur simple scénario, tout à fait à la manière de la comédie italienne. On alla jusqu'à y introduire des chansons; et la réussite fut telle que Dullin, sous le feu de l'enthousiasme, décida immédiatement de monter un spectacle de music-hall — à sa façon, bien entendu... Cette fois, la réussite fut loin d'atteindre au miracle. La critique se montra sévère, tandis que le public, lui — évidemment — semblait intéressé.

La saison suivante (1924-1925) connut un autre succès retentissant avec *Chacun sa vérité,* de Pirandello. Certes, la renommée grandissante du dramaturge entrait pour une bonne part dans ce triomphe. Cependant, le spectacle fait également date dans l'histoire du théâtre en général — et la carrière de Dullin en particulier — en raison de sa mise en scène. Les spectateurs d'abord se souviennent du fameux couloir central, de longueur démesurée, qui s'en allait buter contre la paroi du fond, et du bout duquel les personnages surgissaient comme de fantomatiques apparitions. Ils n'ont pas oublié non plus le jeu de lumière final: tandis que l'obscurité envahissait progressivement la scène, le feu d'un projecteur s'intensifiait autour du visage de Dullin, figé par un rire diabolique, qui glaçait le public au point de retarder de quelques secondes les applaudissements.

Le *Georges Dandin* de Molière eût pu être également du plus haut intérêt, si Dullin l'avait monté selon ses désirs. A son avis, en effet, la pièce ne mérite aucunement les clowneries dont on l'affuble d'ordinaire. Il se proposait donc de la dépouiller de cette fâcheuse tradition, et de la présenter carrément en costumes modernes, dans un style presque noble. Pareille audace ne pouvait se tolérer que jointe à une perfection absolue. Ne l'ayant pas atteinte, Dullin préféra renoncer et laissa à l'un des membres de la troupe, Kouchitachvili — qui avait déjà présenté l'*Eventail* de Goldoni l'année précédente, pendant le tournage du *Miracle des Loups* — le soin de monter la pièce au gré de ses conceptions personnelles.

Un honorable succès accueillit encore, au cours de cette même saison, la *Révolte* de Villiers-de-l'Isle-Adam, et surtout le *Dieu de vengeance* de Schalom Asch. Faut-il croire que l'avertissement affiché au contrôle (« *Le Dieu de vengeance* n'est pas un spectacle de famille ») attira le public? Plaisanterie : pareille publicité eût répugné au directeur de la place Dancourt. Mais la qualité de la mise en scène frappa une fois de plus. La pièce se déroulait au fond d'un sous-sol abject. Dullin voulut en éliminer tout détail réaliste. Une lumière blafarde dans l'escalier, une certaine façon de grouper les personnages, un habile dosage de silences et de répliques, prononcées sur des tons savamment calculés et alternés : tous les détails visaient à une stylisation, d'où l'œuvre sortît plus intensément humaine.

Le grand succès de la saison suivante: 1925-1926 — au cours de laquelle Dullin tourna le film *Le Joueur d'échecs* — ne fut dû cette fois ni à Pirandello, avec *Tout pour le mieux,* ni à Marcel Achard, dont on donna pourtant *Je ne vous aime pas,* mais à une pièce du théâtre élisabéthain : *La Femme silencieuse* de Ben Jonson, adaptée, il est vrai, par le même Marcel Achard. Dans cette pièce, dont les décors avaient été dessinés par Jean-Victor Hugo et la musique composée par Georges Auric, Dullin, nous dit Lucien Arnaud, « réussit une synthèse de tous les facteurs qui doivent intervenir dans la constitution d'un théâtre complet : décor, adaptation, mise en scène, interprétation... Mùsique, danses, acrobaties, mimique, plastique, disposition des ensembles, agrément des costumes, tout concourait à satisfaire les sens du public » (1).

Cette réalisation, considérée souvent par les connaisseurs comme l'une des plus représentatives du style Dullin, traduit sans aucune doute quelques-unes de ses idées les plus chères. Cependant, ce serait une grave erreur que de croire à une méthode particulière de mise en scène, de la part d'un homme si peu dogmatique, si peu systématique, et si pénétré de la valeur de l'instinct. Je ne pense pas formuler le moindre paradoxe en affirmant que son principe essentiel était de ne point avoir de principes. Dans un style plus simple, disons si l'on veut qu'à ses yeux : la mise en scène ne doit pas être imposée artificiellement par l'homme de métier au poème dramatique, mais qu'au contraire : elle doit s'imposer comme naturellement à l'artisan de théâtre, par la vertu et la puissance du dit poème; — ce qu'il exprimait lui-même par les quelques formules suivantes :

« Le metteur en scène doit traduire dans un langage technique les intentions de l'auteur, celles d'ordre psychologique, d'essence poétique ou de verve comique... Ce langage lui est rendu familier par la pratique quotidienne de son art... Mais l'imagination et la sensibilité jouent un rôle prépondérant dans cette création du metteur en scène, qui doit servir l'œuvre sans

---

(1) Lucien ARNAUD — *Charles Dullin.*

jamais la déformer. Le metteur en scène est le mandataire spirituel de l'auteur ».

Une telle attitude a pour conséquence première un effort de simplicité, de dépouillement, d'abnégation, tout à fait voisin de celui du Vieux-Colombier, et où l'on retrouve une réaction avouée contre les excès réalistes d'Antoine. Aux yeux de Dullin, tout accent mis sur la décoration, les costumes, ou tel autre détail visuel du spectacle trahit l'œuvre à représenter, dans la mesure où il accapare l'attention du public en la fixant sur un élément secondaire. L'essentiel demeure le contenu du texte; et la perfection de la mise en scène consiste à se faire si discrète qu'elle se dérobe elle-même, au moment précis où elle souligne et met en valeur le monument dramatique dont elle ne constitue que l'éclairage; — ce qu'il traduisait par cette autre formule : « J'ai le sentiment d'avoir toujours recherché la mise en scène en partant de l'intérieur de la substance même de l'œuvre, de sa résonance humaine», d'avoir cherché « à établir le contact le plus direct entre l'auteur et le public, et non à mettre en valeur mon propre travail ».

Par la même attitude s'explique en second lieu le refus catégorique d'utiliser la machinerie : à la fois parce qu'elle est une façon elle aussi de donner une importance trop grande au décor, et parce qu'elle interdit toute latitude de variation, d'improvisation. Sur ce point, on peut dire que Dullin est délibérément réactionnaire. « Les progrès mécaniques, écrit-il dans une page célèbre, ne peuvent rien apporter pour l'instant au théâtre. Ils ne partent pas d'une intelligence véritable de notre art. » Sans aller jusqu'à demander un tréteau nu, comme son maître Copeau, il ne s'en efforce pas moins vers un pélerinage aux sources, que sont à la fois : le vieux théâtre grec (jusqu'à Euripide), le théâtre d'Extrême-Orient (véritablement autochtone) et la scène élisabéthaine, infiniment plus convenable dans sa naïveté à mettre en valeur l'essentiel des pièces de Shakespeare, que les systèmes modernes permettant vingt-cinq changements de décors à l'heure. L'erreur contre laquelle il essaie de lutter, et qu'il taxe dédaigneusement de supercherie à la Robert Houdin, est une « conséquence logique de l'esprit dans lequel a été conçue la scène à l'italienne », dont il ne veut sous aucun prétexte.

Sur le plateau de l'Atelier, ou des autres théâtres mis quelque temps à sa disposition, Dullin n'a pour ainsi dire jamais cessé de tâtonner, afin de trouver la meilleure utilisation possible d'un espace relativement restreint, au service des œuvres à monter. De simples rideaux unis, pour commencer — en guise de décors; puis des rideaux doublés de broderies; un plan incliné; des colonnes fixes permettant quelques combinaisons angulaires; une scène pivotante; un système architectural; des panneaux amovibles ; des tentures mobiles... Il n'y avait pas, dans son esprit, perfectionnement d'une solution à la suivante. La première convenait seulement mieux à telle pièce, la seconde à telle autre. Mieux encore : l'une convenait mieux tel jour, ou telle année; la seconde à tel autre moment. Dullin n'était jamais prisonnier d'une mise en scène, aussi excellente qu'elle lui parût à l'instant de sa création. « L'art, disait-il, est avant tout une floraison qui demande des conditions atmosphériques et fugaces. Chaque fois que je fais une reprise, je recommence ma mise en scène. Pour que l'œuvre reste vivante, il faut retrouver les sources d'inspiration dans l'œuvre elle-même, et non pas sur le cahier du régisseur ». Sa mise en scène de l'*Avare,* nous l'avons dit, n'a jamais cessé de varier jusqu'à sa mort...

Ce relativisme, Dullin l'a même poussé si loin que, si l'on en croit le témoignage de ses collaborateurs, il modifiait plus de vingt fois au cours des répétitions d'une pièce l'ordonnance de son interprétation, des décors, de la disposition des personnages, ne mettant un point final à ses hésitations que le soir de la première — et encore parce qu'il ne pouvait pas faire autrement, qu'il fallait bien en finir un jour ou l'autre. C'est, disait-il, qu'on n'en a jamais terminé de se laisser pénétrer par une œuvre, de communier avec elle, d'en découvrir toutes les nuances et les richesses. Il improvisait pratiquement toutes ses réalisations. Une seule fois, il voulut s'astreindre aux méthodes traditionnelles d'études sur maquettes en cabinet. Il en avait assez de s'entendre opposer l'exemple de Louis Jouvet. On allait voir s'il n'était pas capable, tout autant qu'un autre... Il y passa des semaines, Finalement, à l'épreuve du plateau, il détruisit tout ce qu'il avait fait, et se remit à improviser en tempêtant, selon sa vieille et chère habitude.

De tous les progrès apportés par la technique moderne, un seul trouve grâce à ses yeux : la lumière; parce qu'elle n'est pas un élément palpable, concret, grossier. Encore convient-il de ne pas la confondre avec la science des éclairages, qui ressortit à la mise en scène décorative et se rattache par conséquent à la conception italienne. Ni l'Amérique, ni l'Allemagne, ni la Russie, ni la France n'ont encore, à son sens, véritablement compris tout le parti que l'on peut tirer d'une utilisation astucieuse de la lumière dont il déclare : « C'est le seul moyen qui puisse agir sur l'imagination du spectateur sans distraire son attention ; la lumière a une sorte de pouvoir semblable à celui de la musique; elle frappe d'autres sens, mais elle agit comme elle; la lumière est un élément vivant, l'un des fluides de l'imagination, le décor est une chose morte ».

Ce rapprochement avec la musique, dont il confiera un jour à Robert Brasillach qu'il voit de moins en moins la possibilité de ne pas l'utiliser au théâtre (1) — et pour la composition de laquelle Darius Milhaud dira combien il était exigeant (2) — permet de comprendre pourquoi, malgré les apparences, aucun paradoxe ne se cache dans l'alliance entre une volonté de dépouillement, voire d'effacement du décor, et un effort de spectacle. A ceux qui lui reprochaient cette dernière tendance, il répondit dans l'un des numéros de sa revue (3) : « Ce goût du spectacle, que j'ai toujours eu et dont on m'a fait si souvent grief, il est maintenant international », précisant dans un autre article : « L'acharnement que j'ai mis à défendre le spectacle partait d'une conception synthétique et non pas du désir de faire prédominer la mise en scène. J'ai toujours tenu le texte et le jeu comme des éléments essentiels et si j'ai parfois donné l'impression d'aller trop loin dans une formule, c'est que toutes les recherches comportent un stade où l'effort est apparent, désagréable et parfois même agressif » (4).

Résumons-nous : pour Dullin, tout excès dans la décoration est plus est plus ou moins une forme de naturalisme. Or, le naturalisme est la négation même du théâtre. L'univers dramatique est un monde à part, *sui generis*, qui doit constituer un tout, produire une impression spécifique ; et tous les éléments sans exception, c'est-à-dire tous les arts, doivent y concourir — synthèse signifiant puissance d'unité et non richesse multiple, lumière et non pas spectre. « La scène, écrit-il, est un monde hors du

(1) *Animateurs de théâtre.*
(2) *Notes sans musique.*
(3) *Correspondance* — 1 A.
(4) *Correspondance* — 24.

monde, un grenier sordide et merveilleux, le rond-point des corridors, des loges. » A quoi il ajoute : « Il a fallu quelques précurseurs pour orienter nos recherches dans le bon sens et faire sentir que le théâtre n'était pas fait d'éléments disparates, mais constituait un art en soi. »

Quels sont ces précurseurs ? Malgré son opposition véhémente, Dullin a rendu hommage à Antoine pour sa probité artistique, et les menus services qu'il a rendus au théâtre contre ses propres théories. Il a également payé sa dette de reconnaissance à Copeau, plusieurs fois. Mais celui qu'il sent le plus proche de lui-même est sans aucun doute Meyerhold. Certes, il n'aime pas beaucoup son grand principe de « bio-mécanique », même s'il l'applique couramment dans ses cours. Mais il se sent avec lui de grandes parentés ; surtout à distance. Il en va un peu des rapports entre Dullin et Meyerhold, comme de ceux qui unirent Copeau et Stanislavski (les disciples après les maîtres). Ils se sont rencontrés une fois, en 1930, quand le metteur en scène soviétique représenta *La Forêt* et le *Revizor* au théâtre Montparnasse. Il en est résulté beaucoup d'émotion, mais non l'impression d'une découverte. Dullin s'assimilait à l'animateur russe de telle façon que l'on peut presque voir un auto-portrait dans les lignes suivantes : « Meyerhold est un créateur de formes, un poète de la scène. Il écrit avec des gestes, des rythmes, avec toute une langue théâtrale qu'il invente pour les besoins de sa cause et qui parle aux yeux autant que le texte s'adresse à l'oreille. Il crée ses moyens d'expression selon le sens profond de l'œuvre ; il décortique le fruit, rejette le superflu, va droit au cœur et quand il n'y a pas de cœur, *il montre le squelette* » (1).

L'HEURE DU CARTEL

Les pièces qui suivirent la *Femme silencieuse* furent loin de connaître un égal triomphe. Déjà, c'était devenu comme une loi à l'Atelier, qu'après une pièce à succès, Dullin montât des spectacles que la critique ou le public boudait — quand ce n'étaient pas les deux ensemble. Comment expliquer ce phénomène ? Inconscience, de la part de l'administrateur ? Pas le moins du monde. Que n'a-t-on pas dit ou écrit sur la piètre gestion du

(1) Souligné dans le texte (*Correspondance* — 1931).

théâtre de la place Dancourt ! Certes, il fut souvent question de sa fermeture prochaine. Mais quoi, elle n'est pas intervenue avant une vingtaine d'années; et encore ne sont-ce point des raisons financières qui l'ont imposée. Alors, goût du risque ? Sans aucun doute. A l'exemple de Cyrano, Dullin ne se sent à l'aise que sous la « pistolétade excitante des yeux ». Il lui faut un bel échec pour le ragaillardir, déclare Alexandre Arnoux. Au reste, dans un *atelier,* ne fait-on pas quantité d'ébauches pour un chef-d'œuvre ? Au cours d'une conférence radiodiffusée, Dullin lui-même affirma un jour : « On n'écrit pas la véritable histoire du Théâtre qu'avec des succès. Si une telle affirmation a de quoi surprendre, il me serait aisé de la fortifier, car c'est souvent dans les échecs que j'ai recherché l'originalité, l'invention, et ce ferment qui, exploité plus tard par moi-même et par d'autres, conduira à une réussite, car une réussite est toujours l'aboutissement d'efforts qui, en leur temps, ont choqué par leur nouveauté ou qui, parce qu'ils étaient trop à l'état d'indications, n'ont même pas été remarqués. »

Par ailleurs, nous l'avons vu, une réussite artistique ne peut être pour lui que momentanée. Passée l'heure de son miracle, il n'y a plus que répétition, stéréotypie, donc mécanisme, chose dont il a le plus horreur. Enfin, et surtout, s'il tient profondément aux chefs-d'œuvre du passé, s'il déclare nécessaire un pélerinage à leur source, il n'en continue pas moins de rêver aux talents modernes et futurs, qui doivent être le souci principal de l'animateur de théâtre. Plus les années passent, plus cette préoccupation se précise. « Mes idées sur le théâtre ont beaucoup changé », confiera-t-il à un critique en 1936. « Ces changements tiennent en une phrase : quand j'ai commencé, je voulais faire de l'Atelier une école de comédiens, aujourd'hui, je voudrais en faire une école d'auteurs. » A Ben Jonson, succédait en 1926 la première pièce de Roger-Ferdinand, *Irma,* accompagnée d'une musique d'Henri Sauguet, et dont la mise en scène se situait dans la même ligne que celle de la *Femme silencieuse.*

Si l'on peut contester la valeur de certains talents découverts par Dullin — comme celui de Roger-Ferdinand — il n'en faut pas moins reconnaître que le spectacle offert à chacune de ces créations présentait un intérêt capital d'expérimentation. L'année suivante, par exemple, la *Comédie du bonheur* d'Evreïnoff n'était pas seulement un véritable « carnaval théâtral » ; elle fut aussi la première pièce à proposer aux spectateurs plusieurs dénouements possibles. En 1927, la *Danse de vie* de Hermon Ould constituait la première prise de contact avec le théâtre anglais tout à fait contemporain : les rythmes de Marcel Delannoy s'y combinaient de façon saisissante avec de savants jeux d'ombre et de phosphore, dans le mélange le plus subtil de rêve et de réalité...

En cette même fin d'année 1927, les *Oiseaux* d'Aristophane, adaptés par Bernard Zimmer, devaient avoir un grand retentissement, pour une cause à l'origine extrêmement mince. Dullin avait exigé la fermeture des portes dès le début de la représentation. Un jour, le critique Fortunat Strowski, en retard, se vit interdire l'entrée de la salle. Ses confrères prirent la mouche. Quelques bagarres s'ensuivirent, des incidents répétés en cours de représentation. Finalement, les journaux décidèrent de ne plus annoncer le spectacle. Dullin fit alors lancer des tracts sur Paris par l'aviateur de Marmier. Malheureusement, un paquet tomba sur la mosquée de la rue Saint-Jacques, dont le responsable intenta un procès pour violation de domicile. C'est alors que Jouvet, Baty et Pitoëff prirent fait et cause pour Dullin, exigeant des journaux qu'ils rétablissent l'annonce du spectacle de l'Atelier, ou suppriment celles des trois autres théâtres. « Voilà, affirme Dullin, la vraie origine du Cartel » (1).

Comment expliquer maintenant — sinon par des considérations financières — qu'en 1928, Dullin ait accepté la création d'une société de production cinématographique? « Ne nous attardons pas trop sur les contradictions dont il était coutumier, répond Lucien Arnaud, nous y perdrions notre temps. De tous ses actes naissait une totalité logique ou illogique qu'il savait imposer. Aussi toute question à leur sujet aurait-elle été inutile. » Cette société, d'ailleurs, mourut en bas âge. *Maldonne,* d'Alexandre Arnoux, fut le seul film important qu'elle réalisa avant de sombrer, quelques mois après sa naissance.

L'Atelier allait-il subir le même sort ? La situation n'était pas brillante à l'ouverture de la saison 1928-1929. Fort heureusement, un nouveau miracle se produisit — non avec la pièce de Steve Passeur, *A quoi penses-tu ?* — mais avec une nouvelle

(1) Contrat d'association morale et artistique entre les quatre metteurs en scène.

pièce de Ben Jonson, *Volpone,* adaptée en français par Jules Romains, d'après une première transposition allemande de Stefan Zweig. Elle devait être primitivement montée par Jouvet, qui l'échangea contre *Malborough s'en va-t-en guerre* de Marcel Achard. Le riche décor architectural d'André Barsacq fut peut-être un des éléments essentiels du succès remporté par ce spectacle, avec lequel Dullin jouait presque son va-tout. Les plus brillantes réussites avaient atteint jusque là une centaine de représentations. Celle-ci, au bout de trois cents, n'accusait aucune faiblesse. Brusquement, Dullin décida néanmoins qu'il fallait en finir. On ne faisait pas du théâtre pour gagner de l'argent. Il était temps de passer à autre chose...

JOURS DE GLOIRE

Nous voici arrivés au début de la saison 1929-1930. Dix ans, très exactement, nous séparent de la guerre. Ces dix ans seront vraiment ceux de la gloire pour le théâtre de l'Atelier. Le suivre pas à pas, de réalisation en réalisation, tout au long de ces dix années exigerait un nombre de pages infiniment supérieur à celui de ce chapitre. Aussi bien me contenterai-je de dire quelques mots des spectacles les plus importants, ou les plus significatifs, et qui, selon un rythme désormais presque acquis, ne seront guère plus d'un ou deux par saison.

En 1929, donc, première pièce de Raymond Rouleau, alors acteur de la troupe : *L'Admirable Visite.* Ce spectacle, froidement accueilli, fut cependant pour Dullin une excellente occasion de poursuivre ses expérimentations sur l'usage du son et de la lumière. La visite en question était en effet celle d'un rêve, extrêmement difficile à matérialiser au théâtre. Peut-être Dullin se piqua-t-il au jeu, se faisant fort de réaliser sur une scène ce qui était plutôt, il faut bien le dire, d'essence cinématographique... Il imagina de rendre les acteurs muets, cependant que des appareils sonores et déformants, disséminés un peu partout, feraient entendre leurs voix devenues fantomatiques, inquiétantes ; — le tout étant accompagné d'effets violents de lumière, capables d'évoquer un train, un bateau, des étoiles...

Au cours de la même saison, création de *Patchouli.* Cette seconde pièce de Salacrou (la première ayant été montée à l'Œuvre par Lugné-Poe) avait été retenue presque simultanément par

Dullin et Jouvet, qui croyait beaucoup en elle. Une distribution éblouissante réunissait autour de Dullin et de sa femme : Julien Bertheau, Raymond Rouleau, Agnès Capri, Tania Balachova. Pourtant, la représentation de cette pièce d'amour fut un échec retentissant. Est-ce parce qu'un rideau tomba de travers ? Ou parce qu'un siège s'effondra sous le poids de Tania Balachova au moment où elle déclarait : « J'ai besoin, aujourd'hui, de distractions violentes » ? Certes, ces incidents déclenchèrent l'hilarité. Mais la critique presque unanime, Paul Reboux en tête, se ligua contre une fantaisie que le chroniqueur du *Temps* lui-même traitait de « pièce fausse ». Dullin furieux essaya de lutter. Il recueillit des jugements favorables et autorisés, parmi lesquels celui de Giraudoux. Puis il se lassa, se contentant d'assurer Salacrou de toute sa confiance, par la promesse formelle de monter au moins trois autres de ses pièces.

Cette promesse, il la tint dès la saison suivante, en créant le 15 avril 1931 *Atlas-Hôtel,* refusé un peu plus tôt par Jouvet, qui l'avait pourtant presque « commandé » à Salacrou. Cette fois, ce fut un triomphe. Il succédait — à quelques spectacles près — au *Musse* ou *l'Ecole de l'Hypocrisie,* de Jules Romains, dont le rôle permit à Dullin, en quelques tirades célèbres, de déverser sa bile contre la Société.

Quelques mois plus tôt, il avait été nommé par l'Académie Française lauréat du prix Paul Hervieu...

Mais sans doute est-il temps de parler d'une entreprise importante, pour ne pas dire capitale, dans l'histoire du théâtre de l'Atelier : la publication de *Correspondance.* Le premier numéro de cette revue, en principe mensuelle, avait paru en 1927. Il ne contenait encore que le texte d'une conférence prononcée par Dullin le 21 mai. Son titre de *Dédicace,* et le nom même de la revue, indiquaient suffisamment le dessein profond de l'animateur, qui rêvait d'établir un contact suivi et fructueux avec le public, sans lequel il ne saurait bien sûr y avoir de théâtre possible. « *Correspondance,* écrivait-il, a été créé pour aider à regrouper un public de théâtre et pour établir entre ce public et nous une certaine communauté d'idées et d'aspirations ». Renouvellement, éducation : un peu ce qu'avait projeté de faire Copeau avec ses *Cahiers* au lendemain de la guerre... La revue allait donc accorder une large place aux discussions, publier des lettres de spectateurs, même et surtout les moins favorables ; et l'on s'efforcerait d'y répondre. Mais avant toute chose, Dullin entendait renseigner son public sur ses intentions, ses réalisations, ses méthodes de travail... La charge de cette publication fut d'abord assumée par le secrétaire général de l'Atelier, René Bruyez. Puis un comité de rédaction fut fondé, qui comprenait cinq jeunes auteurs : P.-A. Bréal, Morvan-Lebesque, André de Richaud, Salacrou, et Simone-Camille Sans — alias Simone Jollivet.

En premier lieu, on s'explique sur les motifs de la réforme entreprise par l'Atelier. Lutte systématique : contre le mercantilisme des théâtres de Boulevard ; contre les conséquences néfastes de la vedette ; contre l'abus des machines ; contre les conditions fiscales imposées aux théâtres d'art. On parle ensuite de la synthèse dramatique ; des conflits suscités à l'époque moderne par les problèmes de la mise en scène : article de Jacques Copeau ; de l'architecture théâtrale : article d'André Barsacq ; des rapports entre le théâtre et la musique, la scène et l'écran. Des études sont consacrées aux différents théâtres folkloriques ou étrangers : articles du professeur Mazon sur le théâtre grec, de Sylvia Beach sur la scène élisabéthaine, de Gérard d'Houville sur la comédie italienne, de Dullin sur Meyerhold ; et l'on met le public au courant des activités de l'Ecole. Tous ces numéros, dont la publication s'étage de 1927 à 1932, constituent une documentation de première importance sur le théâtre de l'Atelier...

La saison 1931-1932, cependant, fut marquée par un certain nombre d'événements : *Tsar Lénine* de François Porché, dont la mise en scène se rapprochait beaucoup des réalisations de Meyerhold — et qui suscita quelques manifestations politiques ; *Le Village* d'André de Richaud, où Jean-Louis Barrault fit ses débuts d'acteur ; plus encore, le prêt de la salle de l'Atelier à la Compagnie des Quinze, dirigée par Michel Saint-Denis, qui monta — entre autres spectacles : le *Lanceur de graines* de Giono et le *Viol de Lucrèce* d'André Obey.

A chacune des deux saisons suivantes, un grand succès était réservé : aristophanesque d'abord, avec une adaptation de la *Paix* par François Porché ; puis shakespearien, avec *Richard III* — adapté par André Obey. Au lendemain de ce dernier triomphe, Dullin précisait en ces termes ses intentions profondes : « Mon programme est très net, très précis. Tant que je ne trouverai pas dans le théâtre moderne ce que l'on est en droit d'attendre de l'art dramatique, je monterai des chefs-d'œuvre du passé, consacrés, authentiques. Je crois que la représentation de grandes œuvres peut fournir un heureux exemple pour les auteurs et les acteurs modernes. C'est en prenant de la hauteur que le théâtre se tirera de la médiocrité où il est descendu » (1). Le propos manquait d'aménité pour André de Richaud, dont il avait monté un an plus tôt le *Château des Papes* (musique de Darius Milhaud) ; pour Bréal, dont il allait bientôt créer *Les Trois Camarades.* Mais avec lui, on aurait eu grand tort de se formaliser. Il n'avait le défaut que d'être trop souvent sincère.

Au reste, ces phrases ne sentent-elles pas à dix lieues leur Vieux-Colombier ? En octobre suivant, c'est dans le théâtre même de Dullin que Copeau présentait sa célèbre mise en scène de *Rosalinde* ou *Comme il vous plaira,* adaptée de Shakespeare par Jules Delacre. Nous avons dit ailleurs le succès de ce spectacle, souligné par l'échec d'une concurrence étrangère au grand Théâtre des Champs-Elysées. La centième fut marquée par une célébration mémorable, au cours de laquelle Jean-Louis Barrault et Paul Higonnenc montèrent un pittoresque numéro de mime, dont Dullin en personne faisait les frais.

La situation financière était pourtant si peu brillante à l'été 1934, que Dullin accepta de tourner le film des *Misérables,* avec Marguerite Moreno. Ensuite, on recommença quelque peu à languir. Ni le *Médecin de son Honneur* de Calderon, ni le *Misanthrope et l'Auvergnat* de Labiche ne furent des réussites. Le succès même du *Faiseur* de Balzac, qui fut la grande bataille de l'année, et où l'on vit les acteurs gagner par la salle les décors jaunes et roses de Touchagues, à l'aide de praticables coiffant l'appui des loges du rez-de-chaussée, ne suffit pas à renflouer les caisses. Aussi Dullin sacrifia-t-il une fois de plus au cinéma, et tourna en 1936 dans l'*Affaire du Courrier de Lyon.*

Le Camelot de Roger Vitrac, au début de la saison suivante, ne fut guère remarquable que par la présence du chanteur Georgius dans le rôle principal. Mais vint ensuite l'énorme succès du *Jules César* de Shakespeare, adapté par Simone Jollivet, et dont Darius Milhaud avait écrit la musique d'accompagnement. La mise en scène, très discutée d'ailleurs par la critique, tenait évi-

---

(1) Roger Régent —*Un entretien avec Charles Dullin* (*L'Intransigeant* — 6 avril 1934).

demmment du paradoxe, étant donnée l'exiguïté du plateau... Immense succès encore, en 1938, du *Plutus* d'Aristophane — ou mieux : de Dullin et Simone Jollivet d'*après* Aristophane, puisque (on le sait) quelques scènes seulement de l'auteur grec sont parvenues jusqu'à nous. Darius Milhaud en écrivit une fois de plus la musique, et Madeleine Robinson y joua son premier grand rôle. C'est pour cette pièce que Dullin s'était astreint pendant les vacances à l'étude d'une mise en scène scientifique, qu'il abandonna au bout de quatre jours de répétitions...

Au cours de la même saison, on joua encore *La Terre est ronde* de Salacrou, dont le succès fut détourné de son véritable sens par l'actualité politique, et que Dullin, incertain de la réussite, fit amputer de son grand monologue final au profit d'une scène de pendaison demandée à l'auteur. De nombreuses critiques accueillirent la mise en scène du *Mariage de Figaro* à la Comédie-Française, tant à cause d'une certaine « gesticulation » excessive, que du rôle de Chérubin confié à un jeune garçon sans expérience du théâtre. Tandis qu'il attendait les réactions du gouvernement devant un projet de décentralisation dramatique, remis l'année précédente au secrétaire de Daladier, Dullin joua également le rôle de Corbaccio dans le film *Volpone*. Puis, ce fut la guerre.

SARAH-BERNHARDT

Le déclenchement des hostilités trouva Dullin d'autant plus désemparé qu'il ne l'avait jamais envisagé une seconde, ignorant à peu près tout des événements extérieurs au théâtre. L'univers dramatique est un monde à part, et qui se suffit à lui-même : cet axiome d'esthétique prenait pour lui le sens littéral d'une règle de vie. Il se barricadait dans son Atelier, un peu comme dans une tour d'ivoire. On se souvient qu'il avait toujours été plus ou moins misanthrope. La guerre sur ce point n'arrangea rien. La plupart de ses collaborateurs durent rejoindre leur poste aux armées. L'essor de son théâtre fut absolument brisé.

Peut-être eût-il alors sombré dans le plus noir découragement, si Darius Milhaud ne lui avait demandé d'assurer la mise en scène de *Médée* à l'Opéra. Travail nouveau, qui l'occupa plusieurs mois ; après quoi il se retira à Férolles, près de Crécyen-Brie (Seine-et-Marne) où l'exode le surprit, et où il revint grâce à son cheval Boby.

Cependant, la retraite lui pèse. Comme Copeau, à l'autre guerre, il brûle de poursuivre son œuvre, de refaire du théâtre. Plus heureux que son maître, il reprendra sa tâche avant la fin de l'année. Pourquoi pas à l'Atelier ? Reproches, étonnement : la décision suscita à l'époque d'innombrables commentaires. En vérité, Dullin ne faisait là que réaliser un très vieux rêve, celui d'une salle à la dimension de son zèle apostolique, pouvant contenir le maximum de spectateurs. Fut-ce une erreur ? L'époque pour une pareille tentative était-elle bien choisie ? Ceci est une autre histoire...

Il s'engoua d'abord pour le Théâtre de Paris — rue Blanche — où il accepta une co-direction assez inattendue avec Volterra. Cette alliance ne devait pas excéder la durée d'une saison. Saison terne, peu favorisée par la sombre atmosphère de cette première année d'occupation. Trois spectacles marquants : *Le Ciel et l'Enfer,* de Mérimée ; *Mamouret* de Jean Sarment, qui obtint un véritable succès, et où Dullin, malgré son peu d'enthousiasme, tira le meilleur parti de la scène tournante installée avant lui dans ce théâtre ; puis une reprise de l'*Avare* avec un nouveau décor en tryptique : jardin, salle, rue — le plus efficace sans doute de tous ceux qu'il utilisa au cours de sa carrière pour monter le chef-d'œuvre moliéresque.

La rupture consommée avec Volterra, commença vers la fin de 1941 la grande aventure du Théâtre Sarah-Bernhardt. Allergiques à toute consonance juive, les Allemands avaient impérativement suggéré de l'appeler désormais Théâtre de la Cité. L'Ecole d'art dramatique s'y transporta en même temps que la troupe. Elle avait alors pour principaux professeurs : Jean-Louis Barrault, Madeleine Renaud, Fernand Ledoux, Jean-Paul Sartre. Dullin eut le courage de ne pas se laisser imposer un programme par les autorités d'occupation. Mais hélas ! le nouveau théâtre n'était plus celui de l'Atelier. Rapidement, il se révéla inapte aux expériences dont la salle de la place Dancourt aurait permis la réalisation. Aussi bien, les grands succès de cette période — 1941-1947 — furent-ils essentiellement des reprises : celles de *Richard III, La Vie est un songe* (avec des costumes de Jean Hugo), *Volpone, La Terre est Ronde.*

La Princesse des Ursins de Simone Jollivet, qui constituait le spectacle d'ouverture, fut un échec. Pour les *Amants de Galice,* de Lope de Vega, Jean Marais fit faux bond dix jours avant la générale. *Crainquebille* d'Anatole France, ni le *Gendarme est sans pitié* de Courteline, ne firent rire personne à la saison suivante. La *Matrone d'Ephèse* de Paul Morand obtint un certain succès de critique, mais ne réussit pas à emplir une salle trop vaste. Quant à *Monsieur de Pourceaugnac,* dont Dullin rêvait depuis longtemps comme d'une excellente occasion de théâtre total, il ne put être réalisé selon ses désirs, à cause des énormes difficultés matérielles auxquelles il se heurta. Une seule grande création — mais de quelle importance ! — au cours de ces années d'occupation : *Les Mouches,* première pièce, et sans doute la meilleure, de Jean-Paul Sartre.

Que le public ait boudé ensuite *Maurin des Maures,* adapté par André Dumas du roman de Jean Aicard, se comprend sans grandes difficultés. Mais qu'au lendemain de la Libération, la mise en scène du *Roi Lear* n'ait pas été un triomphe, emplit d'un étonnement qui touche presque au scandale. De l'avis de tous les observateurs sincères, c'était un véritable chef-d'œuvre, plein de trouvailles et de renouvellement, avec son décor mobile dans tous les sens. Mais on commençait à se lasser. Les attaques, qui n'avaient jamais laissé tout à fait Dullin en repos — il faut dire aussi qu'il ne faisait rien pour les apaiser — allaient en se multipliant. On le critiquait maintenant de façon presque systématique. Sans doute le gouvernement lui conférait-il successivement les dignités de chevalier, d'officier, puis de commandeur de la Légion d'Honneur. Mais peut-être, confiait-il un jour à un ami, est-ce « pour mieux m'étrangler ». N'allait-on point jusqu'à mettre en cause sa personne, son âge ? C'eût été miracle vraiment que sa misanthropie s'en fût trouvée tempérée.

L'An Mil de Jules Romains, alors en butte aux violentes attaques de la presse d'extrême gauche et d'extrême droite, fut pratiquement un échec. L'année précédente, *Le Soldat et la Sorcière* de Salacrou avait été un avènement attendu. Pierre Renoir et Sophie Desmarets y avaient fait de leur mieux dans les somptueux décors de Chapelain-Midy, qui avaient coûté des sommes folles. La pièce était tombée au troisième acte. Par bonheur, le séjour de Dullin au Théâtre Sarah-Bernhardt s'acheva sur la brillante réussite du *Cinna* de Corneille, dans un décor architectural de Pierre Sonrel. On fut ébloui, écrit Mme Dussane (1), « de retrouver neuf et étincelant, le vieux texte décapé des alluvions de la routine par sa merveilleuse, et respectueuse, intelligence. »

LA FIN DU JOUR

Pourquoi ce nouveau départ, en 1947 ? Cette fois, il ne s'agit plus d'un rêve, ou d'un caprice, mais d'une lamentable contrainte, qui le fit comme mourir une première fois. Les titres des journaux de l'époque sont suffisamment significatifs à cet égard. Du *Spectateur,* le 3 avril : « Le départ de Charles Dullin a été demandé ». De *Samedi-Soir,* le 17 mai : « La Ville de Paris chasse Charles Dullin de Sarah-Bernhardt ». De *Combat,* le 21 mai : « Paris chasse Dullin ». Et du même *Combat,* le 3 juin : « Paris a chassé Dullin ».

Ce n'étaient pourtant point les projets qui lui manquaient. Celui d'un théâtre européen à Genève, d'abord. Projet grandiose, auquel il attachait une énorme importance. Hélas ! le premier contact avec le public génevois fut une catastrophe. Certes, il remporta ensuite son habituel triomphe avec l'*Avare.* Mais la représentation du *Faiseur* se solda par un nouvel échec. En outre, Dullin constata que la salle, pratiquement inconnue de lui auparavant, était fort peu utilisable pour les réalisations qu'il projetait. D'où l'effondrement... Quant à ses rêves de spectacles, ils comprenaient : *La Tempête* de Shakespeare, les *Guêpes* d'Aristophane — qu'il adaptait avec Maurice Sarrazin, directeur du Grenier de Toulouse... Idéal et spleen : le besoin d'argent se faisant cruellement sentir, il accepta une fois de plus les secours du septième art et tourna *Quai des Orfèvres,* avec Louis Jouvet...

Son dernier grand succès devait être *L'Archipel Lenoir* de Salacrou, qu'il monta en 1948 au Théâtre Montparnasse, prêté par Marguerite Jamois, et reprit la saison suivante au Théâtre de Paris, après l'avoir joué tout l'hiver en Alsace, en Belgique, en Suisse, et jusqu'en Afrique du Nord, dans le cadre des tournées organisées par Karsenty... Son dernier film devait être *Les Jeux sont faits* de Sartre, dans lequel il tourna en 1948, aux côtés de Marguerite Moreno, Micheline Presle et Marcel Pagliero...

---

(1) *Notes de théâtre.*

A la mi-juin, nous le retrouvons dans sa propriété de Férolles, préparant avec fièvre la création de la *Marâtre,* adaptée de Balzac par Simone Jollivet et musicalement accompagnée par Delannoy. Rêve longtemps chéri, lui aussi. Après une grande première au théâtre lyonnais des Célestins, son projet était d'emmener la pièce en tournée à travers la province, alternée avec l'*Avare,* puis de la présenter sur une scène parisienne. Hélas !... L'accueil de Lyon en octobre 1949 fut d'abord des plus réservés. L'annonce de la mort de Copeau l'affecta plus profondément qu'il ne voulut le laisser paraître. Il partit néanmoins en tournée : Saint-Etienne, Grenoble, Clermont-Ferrand, Roanne, Aix-en-Provence.

A Roanne, première défaillance. A Aix, nouvelle chute ; on doit le transporter dans une clinique marseillaise. Nous sommes le 8 novembre. Quatre jours plus tard, il rentre à Paris ; mais c'est pour être conduit peu de temps après à l'hôpital Saint-Antoine, où on l'opère le 7 décembre, et où il meurt le 11, à trois heures de l'après-midi.

D'odieux journalistes étaient venus le persécuter jusque sur son lit d'agonisant. Il repose aujourd'hui dans le cimetière de Férolles, où des amis pieusement ont tenu à déposer en hommage une poignée de cette terre de Savoie, qu'il n'avait jamais cessé de chérir.

GASTON BATY

SAINT THOMAS, GUIGNOL ET L'ALLEMAGNE

Gaston Baty n'appartient pas à l' « écurie » du Vieux-Colombier. Par bien des aspects de son œuvre, il semblerait même appartenir à une écurie rivale, si l'on ne savait par ailleurs combien il fut unique en son genre, et solitaire. Deux points essentiels le rapprochent néanmoins de Copeau : il fut d'abord un intellectuel et un théoricien.

Né à Pélussin, à la pointe sud-est du département de la Loire, le 26 mai 1885, il avait pour père un négociant en bois. Toute sa vie devait être marquée par l'influence des dominicains d'Oullins, dans la banlieue de Lyon, chez lesquels il fit la totalité de ses études secondaires : éducation libérale, mais d'une méthode intellectuelle extrêmement rigoureuse. Jusqu'à la fin de sa vie, Baty resta un catholique militant. J'entends servir, confiait-il un jour à François Porché, un « théâtre selon saint Thomas » (1). Sans doute, cette foi profonde ne pesa-t-elle point de façon exclusive sur le choix des pièces qu'il décida plus tard de monter ; — certains critiques, au reste, le regrettèrent. Mais le thomisme explique très certainement dans une grande mesure sa conception du spectacle comme reflet de la beauté absolue. Il explique aussi cette confiance inébranlable en ses idées et son refus poli de la discussion, auxquels Marcelle Maurette a rendu hommage (2), mais que d'autres lui ont amèrement reprochés.

---

(1) Cf. également : *Lettre à Benjamin Crémieux : Saint-Thomas contre Racine* (Les Nouvelles Littéraires, 23 Oct. 1926).

(2) Revue *Hommes et Mondes*, décembre 1952.

1903 : il quitte Oullins pour l'Université de Lyon, où il suit entre autres les cours de Baldensperger, et passe sa licence en 1906. De ces études, brillantes, Gaston Baty devait retenir une prodigieuse culture. Mais Lyon est la patrie de Guignol. Durant son séjour dans cette cité, il se passionne pour les marionnettes, recueille amoureusement quelques pièces du vieux répertoire local, cependant qu'il compose et édite sa première pièce : *La Passion,* drame en 5 actes (1). Car s'il aborda lui aussi le théâtre à plus de trente ans, sa vocation dramatique, pas plus que celle de Copeau, ne fut une vocation tardive. Elle était déjà fort nette au temps de l'adolescence, et les dominicains ne firent aucune tentative pour la contrarier.

Licencié ès-lettres, le jeune dramaturge part en 1907 pour l'Allemagne. A l'Université de Munich, il suit des cours d'histoire de l'art et s'initie à l'étude des primitifs allemands. Le romantisme d'outre-Rhin ne manque pas non plus de le séduire. Mais à Munich vient de s'ouvrir le Künstler Theater, fondé en cette même année 1907 par Fritz Erler, dont il connaît les travaux, ainsi que ceux de Georg Fuchs (2). Auprès de cet animateur, Baty fera son véritable apprentissage de la scène.

Marié en 1908, il doit jusqu'à la guerre aider son père au commerce des bois. Occasion de voyages jusque dans les forêts de Finlande et de Roumanie. Ici ou là, il s'arrête pour compléter sa culture théâtrale, se documenter sur les différents mouvements européens, en particulier celui de Max Reinhardt (2). Tous ses loisirs sont consacrés au théâtre. En 1911, composition et publication hors commerce d'une seconde pièce : *Blancheneige,* conte allemand en quatre actes. Cependant, c'est déjà vers la mise en scène qu'il s'oriente délibérément, comme vers l'art du théâtre total. Lentement, au cours de ces six années, il élabore ce qui deviendra sa doctrine « ne varietur » : c'est bien le cas de le dire !... Elle se traduira d'abord par quelques mises en scènes complètes, établies en collaboration avec son ami Charles Sanlaville — alors élève à l'Ecole des Beaux-Arts de Lyon, et futur décorateur de la *Chimère* ; puis, de janvier à juillet 1914, par une chronique théâtrale régulière aux *Cahiers,* revue catholique de littérature et d'art.

---

(1) 1905.
(2) Cf. chapitre sur Jacques Copeau.

Sans doute ne s'est-il pas désintéressé des efforts français d'avant-guerre. Il a suivi avec intérêt l'aventure des Ballets Russes, la tentative de Jacques Rouché au Théâtre des Arts (tentative dont la sienne propre sera finalement si proche), la première saison du Vieux Colombier : mais d'un peu plus loin. Il n'a jamais beaucoup fréquenté Paris.

Au cours de la guerre, il ne cesse de penser « théâtre ». Interprète, puis agent du service de renseignements, il prépare la reprise des spectacles français en Alsace. Peu s'en faut qu'il n'assume alors sa première direction théâtrale, à Strasbourg. Mais l'événement décisif de sa carrière n'aura lieu qu'après l'armistice. En avril 1919, il rencontre Gémier à Lyon, soumet à son approbation quelques-unes de ses mises en scène, dont celle de *Macbeth* ; en mai, les deux hommes signent un contrat pour la saison suivante. Un dernier voyage à Berlin en octobre, pour reprendre contact avec Max Reinhardt ; et Baty monte définitivement à Paris, embarqué dans la grande aventure du Cirque d'Hiver.

PREMIERES ARMES

Cette aventure devait être aussi tumultueuse que brève, puisqu'elle ne dura que cinq mois : décembre 1919-avril 1920. Disons, pour schématiser, qu'elle déchaîna l'enthousiasme populaire à peu près autant que la colère des critiques.

Baty fut d'abord chargé des éclairages, pour la représentation d'*Œdipe, roi de Thèbes*, de Saint-Georges de Bouhélier. Bien qu'on ignorât jusqu'alors tout à fait son nom et son existence, son travail fut beaucoup admiré. Il écrivit à cette occasion une étude comparative fort intéressante sur Gémier et Reinhardt, le premier ayant été accusé de plagiat du second.

Après quoi, Gémier lui confia sa première mise en scène : celle de la *Grande Pastorale* de Charles Hellem et Pol d'Estoc, spectacle inaugural d'une série d'œuvres régionalistes restituant les traditions de la Vieille France, mais qui, hélas ! ne connut jamais de suite. La ferveur religieuse du jeune Baty s'accordait de façon merveilleuse avec la conception mystique — bien que laïque — du théâtre populaire de Gémier. Ainsi que le déclarèrent les auteurs eux-mêmes, il fut difficile de dire avec précision quelle avait été la part de chacun des collaborateurs dans le travail. N'importe ; la mise en scène fut grandiose. Si grandiose même qu'elle éveilla la méfiance de certains critiques. Le danger de telles réalisations, écrivait par exemple Henry Bidou dans le *Journal des Débats,* « est de nous donner de splendides illustrations d'un texte insignifiant... Le théâtre, c'est le texte. Le reste amuse l'œil et n'est rien » (1). Ainsi s'amorçait la fameuse querelle de la mise en scène et de la littérature, qui allait poursuivre Baty jusqu'à la fin de sa carrière.

Le mois suivant, Saint-Georges de Bouhélier confiait au Théâtre des Arts sa pièce des *Esclaves.* Il demanda à Baty d'en assurer la mise en scène. Nouvelle bataille littéraire, aggravée par la politique : Antoine, qui avait primitivement annoncé la pièce à l'Odéon, l'avait finalement ajournée par crainte de ces remous passionnels. Baty, cependant, s'en tirait à son avantage. « Au moyen d'éclairages évocateurs et de justes mouvements de figuration », écrivait Gustave Fréjaville, M. Baty « a su donner à ce drame l'atmosphère à la fois réaliste et poétique qui lui convient » (2).

Quelques mois plus tard, Gémier prenait la direction de la Comédie-Montaigne, dont il faisait Gaston Baty metteur en scène attitré. Les scènes officielles, expliquait-il dans une petite brochure de propagande, « ne se dégagent pas d'une routine séculaire et les grands théâtres du boulevard, accablés de charges accrues au delà de toute mesure, ne les supportent qu'en faisant maintes concessions aux goûts les moins nobles du public. Les *théâtres d'art* n'entrebâillent leurs portes qu'à des initiés ou ne servent que des intérêts de petite chapelle... Il y a place pour une autre scène, qui se refuserait aux compromissions, aux complaisances, mais qui appellerait à elle toutes les élites. On saurait que l'art n'y est jamais ennuyeux, et que chez elle la stylisation ne signifie pas sécheresse... Le Théâtre est l'art définitif et complet en qui s'exaltent tous les autres, plus beaux d'être réunis ; chacun donne au thème commun l'expression dont il est capable ; tous coopèrent à l'œuvre intégrale. Défendre cette conception, c'est sauvegarder la tradition des Grecs, de notre vieux drame national, de Shakespeare et de Molière... » Bien que portant la signature de Gémier, cette déclaration n'en trahit pas

(1) 15 mars 1920.

(2) *Journal des Débats* — 27 avril 1920.

moins les idées les plus chères et le style même de Gaston Baty. Cette expérience non plus ne fut pas de longue durée ; mais elle apporta au jeune disciple d'Erler le complément indispensable à son apprentissage. Il était passé maître en matière de décor et d'éclairage : en un mot, d'art plastique. Il lui manquait encore le sens du jeu, celui de l'acteur. Gémier, sur ce point, rectifia heureusement ses erreurs ou ses défaillances. L'importance de cette saison de cinq mois, reconnut-il lui-même, reste hors de proportion avec sa durée. « A la base du bel effort de Dullin, comme à la base du nôtre, il y a notre maître commun Gémier ; nous ne lui en témoignerons jamais trop de reconnaissance. »

Le *Simoun* de Lenormand, spectacle d'ouverture, fut un franc succès, qui dépassa la centaine de représentations. « La mise en scène de M. Gaston Baty, écrivait Gignoux dans le *Figaro,* est simple et belle » (1). Un peu plus prolixe, Jean Schlumberger précisait : « Mise au point parfaite. Rien de tapageur. Les lieux sont évoqués avec ingéniosité et goût, au moyen de quelques toiles, de lumières, et d'une ossature de décor fixe... » (2). Ce fut, à vrai dire, le seul succès commercial de la saison.

Parmi les cinq mises en scène de Baty au cours de ces quelques mois, celle du *Héros et le Soldat* de Bernard Shaw fut sans doute pour lui l'occasion de profiter au maximum des leçons de Gémier. Celle de l'*Annonce faite à Marie* fit apparaître le plus nettement le décalage entre les deux hommes. Le drame claudélien avait été presque imposé par Baty. Gémier avouait lui-même qu'il n'y comprenait pratiquement rien. Il avait néanmoins accepté de le monter pour deux raisons. D'abord parce que, confiant en son metteur en scène, il n'hésitait pas à s'appuyer sur les relations de ce dernier dans le monde littéraire afin d'élargir son rayonnement — de même, au reste, que Baty profitait sans vergogne de l'audience extraordinaire du maître dans les milieux officiels du Théâtre. Ensuite, c'était un moyen pour lui de rivaliser avec les théâtres dits d'avant-garde, alors qu'il s'était jusque là peu ou prou limité au réalisme et aux spectacles populaires. Jamais les rivalités entre « théâtres d'art » (Lugné-Poe, Gémier, Copeau, Antoine même) ne furent plus vives qu'à cette époque. Le combattant qu'était Gémier voyait d'un bon œil dans

(1) 23 décembre 1920.
(2) *N.R.F.* — 1er février 1921.

l'*Annonce* l'occasion d'une nouvelle escarmouche, dont Lugné-Poe surtout en l'occurrence serait la victime. Montée un peu trop vite, il semble néanmoins que la pièce ne remporta point le succès escompté. Elle fut en tout cas la dernière de la gestion Gémier à la Comédie-Montaigne, qui ferma ses portes le 31 mai 1921.

LA CHIMERE

Qu'allait faire Gaston Baty ? Comme Dullin, son aprentissage terminé, il décida de voler de ses propres ailes. Dans quelle direction ? C'est ce qu'il commença par claironner le plus fort possible.

Au cours des deux années précédentes, il avait publié dans la revue *Les Lettres* deux études retentissantes (*Les Cathédrales dramatiques* et le *Drame prétendu réformé*) où il tentait de préciser les principaux articles de sa doctrine. Une troisième profession de foi, publiée en novembre 1921, allait mettre le comble à la polémique et au scandale. Elle était intitulée *Sire le Mot*, et le révolutionnaire n'y invitait à rien moins qu'à renverser ce tyran maudit. Fi de l'hégémonie de la littérature ! Tandis que le programme de la Comédie-Montaigne spécifiait encore qu'en aucun cas le texte ne « serait sacrifié aux prestiges extérieurs », mais s'accompagnerait seulement en toute circonstance de sa traduction plastique, ce même texte se voyait cette fois reléguer au rang des autres composantes du spectacle. Toute prééminence lui était catégoriquement refusée. Il importe, affirmait Baty, de le remettre à sa place et de rendre au théâtre son caractère « visuel », qui *doit* suggérer tout ce que le texte ne dit pas, c'est-à-dire pratiquement le plus important... On sent combien tout cela pouvait être en opposition avec les principes d'un Jacques Copeau, voire d'un Jouvet ou d'un Charles Dullin. De violentes batailles se déchaînèrent à la suite de cette publication.

Le mois suivant, en décembre, paraissait cependant un quatrième texte, signé, non plus de Baty, mais des « Compagnons de la Chimère ». Qui étaient ces « compagnons » ? Tout simplement un petit groupe de volontaires, dont plusieurs anciens collaborateurs de Gémier, qui acceptaient d'enthousiasme l'autorité de ce jeune nouveau maître, et décidaient de tenter, à leur tour, l'aventure.

« La Chimère, expliquait le manifeste, c'est la femme-oiseau des contes du Nord. Ses ailes robustes l'emportent en plein ciel ; mais elle a des serres qui s'ancrent bien dans le sol... Symbole d'un art épris d'universitalité et d'équilibre... Symbole aussi d'une entreprise toute au service d'un idéal, mais qui n'oublie rien des petites réalités quotidiennes et prétend construire sur un terrain solide.

« *La Chimère* n'est pas une affaire, mais une œuvre.

« *La Chimère* n'a pas de capitaux, mais une foi.

« *La Chimère* n'a pas de nid ; mais elle ne se laisse pas mettre en cage.

« *La Chimère* ne se sert pas de l'art ; elle le sert. »

Afin qu'aucune équivoque ne subsistât dans l'esprit du public — ou des critiques — sur les intentions de la nouvelle troupe, les *compagnons* commencèrent presque aussitôt, en février 1922, la publication d'un *Bulletin d'Art dramatique,* également intitulé *la Chimère,* véritable journal de bord de l'entreprise. Certes, les collaborateurs de cette revue affirment bien haut qu'il ne saurait être question pour eux de s'enfermer dans les limites étroites d'une formule ou d'un dogme. Il n'en reste pas moins que l'ensemble de leurs textes définit d'une façon précise la conception théâtrale de Baty, conception qui pourra s'éclairer sur certains points, mais ne variera pratiquement plus jusqu'à la fin de sa carrière, et à laquelle ne cesseront de se référer les critiques pour juger de ses réalisations : splendeur et danger des professions de foi ou des arts poétiques...

« Nous voici quelques-uns à fonder un théâtre sur la foi, l'enthousiasme et la pauvreté volontaire », affirme l'opuscule de présentation. Condition préliminaire indispensable en effet : échapper à l'emprise de l'argent. Aucune rémunération au départ ; et plus tard, même en cas de succès, interdiction de tout bénéfice. Quant au fond même de la doctrine, en voici à peu près l'articulation dialectique. Premier point : l'art dramatique n'est original qu'en tant que synthèse des autres arts. Une preuve ? Les grandes époques du Théâtre sont celles où se trouvèrent réalisés équilibre et harmonie des divers éléments qui le composent : la Grèce antique, le Moyen-Age français, Shakespeare et la scène élisabéthaine... Si nous constatons aujourd'hui une décadence de l'art théâtral, il faut en dénoncer la cause dans l'envahissement du rationalisme ou de l'intellectualisme — en un mot, de la littérature — qui a commencé avec la Renaissance, et s'est particulièrement aggravé à partir du dix-huitième siècle. Conclusion : rénover le théâtre doit consister à retrouver l'esprit de ses grandes périodes, c'est-à-dire le débarrasser de la littérature, et lui faire exprimer tout ce qu'expriment les arts autres que celui de la parole, y compris les suggestions de l'inconscient.

Ces idées ne cesseront d'être reprises ou développées par Baty lui-même et ses principaux collaborateurs dans les différents numéros du Bulletin, qui paraîtra jusqu'à la fin de 1923, puis dans celui du *studio des Champs Elysées,* qui le remplacera au cours des années 1926-1927.

Qu'allait donner l'application d'un tel programme ? Le premier spectacle de la *Chimère* eut lieu à la Comédie des Champs-Elysées — ex-Comédie-Montaigne, dirigée maintenant par Jacques Hébertot — le 21 février 1922. Il comprenait : *Haya* d'Herman Grégoire, et *La Belle de Haguenau* de Jean Variot — avec Charles Boyer. Le succès en fut mesuré. Estime de quelques poètes et esthéticiens. Promesse, dirent les uns, plus que réalisation véritable. Pratique, dirent les autres, peu en rapport avec les théories. On regretta, en général, de voir un tel effort porter sur des pièces qui n'en valaient pas davantage la peine. Ce devait être longtemps le point faible de Gaston Baty.

Du 2 mai au 6 juin, la Chimère se transporte au Théâtre des Mathurins pour sa « saison de printemps ». Deux pièces y requièrent particulièrement l'attention : *Intimité* de Jean-Victor Pellerin, qui deviendra l'un des principaux auteurs de la troupe, et *Martine* de Jean-Jacques Bernard. A vrai dire, l'importance de ce spectacle apparaît plus historique qu'intrinsèque. La critique, cette fois, fut plus unanime dans les louanges: de Fernand Gregh à Antoine, en passant par Robert de Flers... Mais surtout, ces deux pièces allaient longtemps rester aux yeux des spectateurs, aussi bien du reste que des chroniqueurs, comme les pièces types du genre cher à Baty. Jean-Jacques Bernard ne raconte-t-il pas qu'après avoir lu le manuscrit de *Martine,* Baty s'était écrié : « Enfin, vous m'avez laissé quelque chose à dire ?... » Ajoutons qu'à cette occasion, l'auteur dramatique publia son fameux texte intitulé *Le Silence au Théâtre,* qui devait avoir un tel retentissement, et donner naissance — sinon à une « école », comme certains l'écrivirent — du moins à ce qu'il appellera lui-même un peu plus tard la « théorie du silence ».

Pendant ce temps, conformément aux vœux exprimés dans le *Bulletin,* une exposition de costumes et de décors est organisée au foyer du théâtre par Boris Mestchersky et Charles Sanlaville. La danseuse Yvonne Sérac présente ses « Mimes dans le *silence* » — décidément considéré comme une véritable valeur d'or. Au cours de l'automne et de l'hiver suivants, premières tournées de la compagnie en Belgique, en Hollande, à Strasbourg et à Lyon.

Printemps 1923 : la Chimère a un an. Plus ou moins bien, elle s'est accommodée jusque là de son absence de capitaux. Mais elle commence à souffrir de n'avoir pas de nid. Il n'est malheureusement pas facile de trouver une salle permanente. Les Compagnons décident donc un beau jour d'en fabriquer une eux-mêmes. Au 143 du Boulevard Saint-Germain, en moins de deux mois, ils édifient la célèbre *Baraque,* sans loges ni balcon, aux murs tendus de jute, dont l'équipement de la scène requiert tous les soins de Baty.

Principale innovation : le plateau présente quatre aires de jeu. La première se situe devant un rideau. On y accède par trois marches — car, bien entendu, il ne saurait être question de rampe — et deux portes s'y ouvrent, à droite et à gauche. La scène proprement dite commence derrière ce rideau. Une seconde tenture la limite, au delà de laquelle, de chaque côté, deux piliers fixes en maçonnerie remplacent les portants. C'est la troisième aire de jeu. Elle s'arrête sur ce que Baty lui-même appelle un précipice, et qui constitue une sorte d'arrière-scène. Il faut se la représenter comme une fosse assez profonde, munie d'un escalier permettant les entrées et les sorties des acteurs. Une toile de fond ? Pas même. Rien d'autre qu'une espèce de mur en hémicycle, peint en gris, et qui représente l'infini. Sur cet horizon, convergent les éclairages. Une arrière-rampe, extraordinairement puissante, et de formidables projecteurs arrivent à donner une parfaite illusion de plein air : ciel serein, ou encombré d'une lourde menace d'orage. Quant aux décors, à l'exemple de ceux dont avait rêvé Copeau à l'époque des leçons de Craig et d'Appia, ils sont constitués par un systèmes de cubes et de blocs, dont l'assemblage permet la création d'intérieurs de toutes sortes. « Avec mon théâtre tel qu'il est », affirme Baty non sans un certain orgueil, « je prétends pouvoir jouer Shakespeare ou Labiche » (1).

Que n'a-t-il tenu sa gageure ! Ni le dramaturge anglais, ni le vaudevilliste français n'eurent les honneurs de cette scène. A défaut, on y accueillit Lucien Besnard, Denys Amiel, Simon Gantillon, Marie Diémer, avec de temps en temps un récital d'Yvonne Sérac, Habib Benglia ou Ricardo Vinès. Le succès public ne fut pas négligeable, puisqu'il obligea à repousser la clôture, prévue pour le 7, au 18 juin 1923. Mais les difficultés financières n'en contraignirent pas moins à fermer ce jour-là définitivement la *Baraque*. Elle avait été ouverte exactement pendant quarante-sept jours. Mise en adjudication, elle fut vendue le 19 février suivant, puis démolie.

Firmin Gémier, qui avait pris en 1921 la directon de l'Odéon, propose alors à Baty d'y venir faire quelques mises en scène. Ce dernier accepte, à titre d'expérience, et monte, entre autres spectacles, *Empereur Jones* d'Eugène O'Neill, qu'il avait déjà retenu pour la « Baraque », mais n'avait, hélas ! pas eu le temps d'y créer. Cependant, il ne tarde pas à comprendre que l'avenir de ce côté lui est totalement bouché. Ce grand théâtre si particulier, presque mécanisé, où les plus grands animateurs ont rencontré l'échec, et qu'on ne saura jamais trop bien comment sauver, impose des conditions de travail auxquelles il ne saurait se plier plus d'une demi-saison. Aussi prête-t-il une oreille attentive lorsque Jacques Hébertot, au début de 1924, lui offre la direction artistique du *Studio des Champs-Elysées,* ouvert depuis quatre mois seulement. Il y restera pendant quatre années, du 28 mars 1924 au 14 avril 1928.

« MAYA », « TETES DE RECHANGE », « LE DIBBOUK »

Les débuts dans cette salle minuscule, véritable théâtre-laboratoire, furent difficiles — malgré l'*Invitation au Voyage* de Jean-Jacques Bernard, reprise de l'Odéon, et précédée d'une suite de *Parades* de Thomas Gueulette (spectacle inaugural) ; malgré même le demi-succès de la première création originale : *Maya*, de Simon Gantillon, le 2 mai 1924. Il fallut attendre jusqu'au 17 octobre pour obtenir un vrai triomphe avec la pièce de Lenor-

(1) Jacques Brindejont-Offenbach — *Le Gaulois* — 2 mai 1923.

mand, *A l'Ombre du Mal,* dont le succès ne se démentit point pendant plus de cent représentations. *La Cavalière Elsa,* adaptation par Paul Demasy du roman de Pierre Mac Orlan, attira aussi le public et fut pour Gaston Baty un véritable succès personnel. Mais elle mit une fois de plus en lumière l'équivoque de sa situation. « Le talent qu'il déploie comme metteur en scène, écrivit à ce propos Marcel Fournier, ne saurait être isolé de la pièce qu'il habille... *La Cavalière Elsa* est du ressort grand-guignolesque... Ce n'est pas avec de tels spectacles qu'il tirera quelque chose de son studio » (1). Au cours des deux premières saisons, Baty ne monta guère en effet qu'une pièce vraiment valable : *Mademoiselle Julie* d'Auguste Strindberg. Elle ne dépassa point la vingt-huitième représentation.

Fin novembre 1925, la troupe est en tournée : à Bruxelles d'abord, puis à Monte-Carlo, dans le cadre des saisons organisées par René Blum. Pendant ce temps, le Studio accueille l'un des nombreux théâtres irréguliers d'alors, les *Pantins,* animés par Jack Daroy. Baty trouve ainsi la première occasion de réaliser l'un de ses désirs les plus chers, celui d'aider les jeunes compagnies. Dans le même temps, il apporte son aide au « Théâtre des Jeunes Auteurs », dirigé par Henry Bidou, en montant sur la scène du Vieux-Colombier *La Chapelle ardente* de Gabriel Marcel, et *Fantaisie amoureuse* d'André Lang.

Deux petits événements valent encore la peine d'être notés en ces dernières semaines de l'année 1925. Tout d'abord, la création au Théâtre Michel d'une pièce d'Alfred Savoir : *le Dompteur ou l'Anglais tel qu'on le parle,* avec Jean Debucourt, Spinelly et Alcover dans les rôles principaux, et une musique de scène de Georges Auric. « Petit chahut d'un public dérouté par quelques « idées hardies », une coupe neuve, un ton inusité, un tour imprévu... » (2). Ce sera la seule mise en scène « boulevardière » de Gaston Baty avec celle, qu'il réalisera trois mois plus tard au Théâtre Antoine, des *Chevaux du Char* de M. et Mme Jacques de Zogheb... Ensuite, fondation avec Jacques Copeau, Henri Ghéon et Georges Le Roy d'une « fédération des artistes catholiques du théâtre de France », sous le nom des « Confrères de Saint

---

(1) *L'Humanité* — 18 juin 1925.
(2) *Le Soir* — 22 décembre 1925.

Genest », première forme de l' « Union catholique du Théâtre et de la Musique » dont il deviendra plus tard le président.

Pendant la saison suivante, toujours rien que de médiocres créations, si l'on excepte *L'Homme du Destin* de George-Bernard Shaw. La critique, en particulier, n'est pas tendre pour le *Bourgeois romanesque* de Jean Blanchon. Mais le 15 avril 1926, un événement inattendu : *Têtes de rechange,* de Jean-Victor Pellerin — variations sur la personnalité, dont les héros se nomment M. Ixe et M. Opéku. La pièce atteindra 99 représentations. « Ce simple dialogue, reconnaît Antoine, tient de la féerie, de la revue et de quelque chose d'absolument neuf et imprévu, enfin! On pense au *Neveu de Rameau* et à *Fantasio*... Quelle joie devant ce véritable chef-d'œuvre de ce Théâtre d'avant-garde dont on parle toujours et que Jean-Victor Pellerin réalise cette fois avec un art raffiné qui est déjà de la maîtrise. Baty peut marquer cette passionnante soirée d'un caillou blanc » (1). Paul Gordeaux ne craint pas d'évoquer le souvenir de la victoire d'*Hernani.* Fortunat Strowski celui du *Mariage de Figaro.* « Rarement, note André Boll, la mise en scène d'une œuvre aussi difficile, aussi délicate, a atteint une homogénéité aussi complexe » (2). Cependant que Georges Pioch affirme : M. Gaston Baty « vient de porter, ici, aux extrémités d'un art merveilleux, et d'une surprenante intelligence dans la fantaisie, sa manière aimable, qui fait de lui un des tout premiers metteurs en scène d'aujourd'hui ». Deux seules notes discordantes dans ce concert d'éloges : celle de François Nohain, avertissant qu' « à propos de ces *Têtes de rechange,* il ne faudrait tout de même pas se payer la nôtre » ; et celle de Lucien Descaves, regrettant que cet auteur à succès ne s'appelle point Pellerindello et ne vienne pas d'Italie... (3).

Du 15 septembre au 30 octobre 1926, grande tournée de la troupe en Hollande, en Belgique, au Luxembourg, en Alsace, en Suisse, à Lyon. Vers cette époque également, fondation des *Masques,* cahiers d'art dramatique « consacrés aux efforts des auteurs, techniciens qui luttent en France pour une rénovation

---

(1) *L'Information* — 16 avril 1926.

(2) *La Volonté* — 17 avril 1926.

(3) Le spectacle était complété par *Une Visite,* d'Anne Valray, créée l'année précédente au Théâtre de l'Exposition des Arts décoratifs par la Compagnie « Les Jonchets ». Nouvelle preuve de la sympathie témoignée par Baty aux jeunes troupes.

de l'art dramatique et se groupent autour de Gaston Baty ». Cette collection, absolument distincte des bulletins de la *Chimère* et du *Studio*, constitue l'une des sources les plus précieuses pour l'étude du grand animateur de Théâtre que fut le disciple de Gémier. De 1926 à 1933, elle comprend 27 numéros consacrés : soit à la publication des pièces du répertoire, soit à des monographies sur tel auteur, telle salle ou tel mouvement théâtral. Légèrement modifiée à partir de 1934, elle comprendra encore 8 livraisons jusqu'en 1942, dont cinq consacrées aux spectacles de marionnetttes.

La saison 1926-1927, plus que par *L'Amour magicien* de Lenormand, fut marquée par une reprise de *Maya,* de Simon Gantillon. Quelque peu remaniée, et bénéficiant sans doute de circonstances plus favorables, la pièce obtint cette fois un succès délirant : 376 représentations consécutives, sans clôture estivale, puis une émigration à Berlin, Vienne et Varsovie. Triomphe de Marguerite Jamois. Unanimité des admirateurs, qu'ils se nomment Antoine ou Fernand Gregh, Paul Achard ou André Obey, Lucien Dubech ou Robert Kemp. « Il y a plus d'art dans une seule soirée du Studio des Champs-Elysées, affirme Georges Pioch, que dans cent représentations de vingt théâtres bien achalandés » (1). Cependant qu'Antoine se plaît à souligner la coïncidence de ce spectacle avec celui du *Grand Large* chez Louis Jouvet, et de la *Comédie du Bonheur* au théâtre Charles Dullin. Sans doute, reconnaîtra plus tard Robert Brasillach, le dialogue de cette pièce nous paraît-il aujourd'hui aussi peu valable que celui de la plupart des œuvres montées par Baty. Mais toute admiration est historique. Le désir d'évasion était fort à la mode à l'époque ; et Simon Gantillon a su nous en présenter l'une des images les plus parfaites, à laquelle nous ne saurions penser sans une certaine indulgente mélancolie...

Est-ce enfin la gloire ? Pendant toute la seconde quinzaine de janvier, se tient à l'Office central de Librairie et de Bibliographie, 76 bis rue des Saints-Pères, une exposition « consacrée au mouvement d'art dramatique représenté par Gaston Baty et sa Compagnie ». Dans le même temps, au Palais d'Orsay, a lieu le 27 janvier un grand déjeuner officiel, pour la remise du prix décerné par la Société Universelle du Théâtre à Gabriel Marcel

(1) *La Volonté* — 14 janvier 1927.

et Jean-Victor Pellerin : deux auteurs mis en scène par Gaston Baty. C'est au moins une consécration.

Après de nombreuses réticences devant la *Machine à Calculer*, l'ultime saison au Studio allait être marquée par un troisième gros succès ; celui du *Dibbouk*, d'An-Ski. Même unanimité des éloges que pour *Maya*. Le metteur en scène, pouvait-on lire dans *Comœdia*, « a réussi, par son art, à susciter, si j'ose dire, la présence de l'invisible, à faire planer sur tout le spectacle l'intervention des puissances surnaturelles, à nous plonger dans cette atmosphère religieuse si particulière qui est celle du *Dibbouk*. La pièce atteint ainsi, parfois, à une sorte de sombre grandeur, d'une beauté saisissante » (1). Cependant que Fortunat Strowski affirmait : « « C'est le plus beau triomphe de Gaston Baty » (2).

Au cours de cette même saison, deux grandes tournées d'une partie de la troupe : l'une à Lyon, Nice, Rome, Milan, Turin, où l'on donne *Maya* et *Têtes de rechange* ; l'autre en Hollande, sous les auspices de l'Alliance Française, pour présenter *La Farce du Pâté et de la Tarte*, et le *Barbier de Séville* — qui ne seront jamais repris à Paris. Baty lui-même donne au mois de mars une conférence en Hollande sur « le Théâtre et la Danse », en guise de présentation d'un récital d'Yvonne Sérac. Huit semaines plus tard, c'est le départ du Studio pour le Théâtre de l'Avenue.

SHAKESPEARE ET MOLIERE

Pourquoi ce transfert ? Tout simplement parce que Baty rêve depuis très longtemps d'une grande salle, d'un grand public — exactement comme Dullin — et se sent un peu à l'étroit dans son théâtre de chambre de l'avenue Montaigne. Mais ce changement d'implantation ne saurait trahir la moindre modification de programme. La troupe tient d'abord à le bien spécifier. Cet élargissement de l'action de la Compagnie, prévient Hanry-Jaunet, rédacteur en chef de *Masques* et successeur de Paul Achard au secrétariat général du Studio, « n'implique aucune condescendance envers les goûts routiniers d'un certain public, aucun effort restera aussi intransigeant et aussi pur ». Baty en personne, le soir de l'ouverture (16 avril 1928) s'adresse aux spec-

(1) Etienne Rey — 2 février 1928.
(2) *Paris-Midi* — 11 mai 1928.

tateurs avant la représentation de *Maya*. Nous travaillerons ici, leur explique-t-il, « pour ceux que les théâtres n'ont point définitivement dégoûtés du Théâtre, qui souhaitent l'illusion scénique comme une évasion de la réalité et demandent à ses prestiges autre chose que l'amusement d'une digestion. »

Premier travail : le plateau a été transformé suivant les principes adoptés pour l'aménagement des scènes de la Baraque et du Studio des Champs-Elysées. Rien ne sera-t-il vraiment changé dans le destin de la Compagnie ? Le 10 mai, *Cris des Cœurs* de Jean-Victor Pellerin ressuscite les vieilles polémiques. On loue le metteur en scène, le magicien du décor et de la lumière. On critique violemment le sélecteur de pièces... Mais les deux grands événements du passage à l'Avenue prendront place au cours de la saison suivante. Ce seront : *Le Premier Hamlet* de Shakespeare, et le *Malade Imaginaire*.

Si l'on en croit certaines de ses confidences, Shakespeare représentait pour Baty une manière d'idéal. N'oublions pas qu'une de ses premières mises en scène « de cabinet » avait été celle de *Macbeth*. Je suis particulièrement attiré, avouait-il un jour, par des œuvres où il y a beaucoup à dire en dehors du texte. « Il est de grandes œuvres, que j'admire profondément, et pour lesquelles il ne me semble pas que la représentation ajoute grand chose. Tandis qu'il en est d'autres qui ne sont révélées qu'au Théâtre : ainsi Shakespeare qui pensait pour le théâtre, et où nous *voyons* les gestes, les attitudes des personnages sans que jamais il les décrive. Là, le rôle de sourcier du metteur en scène est immense. Il fait vraiment collaborer ». A quoi il ajoutait, pour excuser le choix de ses autres créations : « Que voulez-vous, on ne rencontre pas Shakespeare tous les jours ! » (1).

Mais pourquoi ce choix de la première version, à peu près totalement ignorée, du chef-d'œuvre élisabéthain ? Il ne manqua pas, on s'en doute, de faire couler beaucoup d'encre et de salive. Ecartant avec dédain l'accusation d'inauthenticité, Baty proclama bien haut que c'était là le seul véritable *Hamlet*, celui que n'a point encore alourdi la pseudo-philosophie de Montaigne, et qui respecte toutes les nécessités scéniques. Par ailleurs, expliquait Villeroy — sans doute au courant des intentions profon-

---

(1) R. Brassillach. Loc. cité.

des du maître : « Ce qui est intéressant, c'est que ce *Premier Hamlet*, qui était ignoré de la plupart des gens, nous révèle une expression inconnue du visage de Shakespeare. Il enrichit notre connaissance. Il nous montre comment Shakespeare travaillait, de quelle façon il corrigeait, reprenait, amplifiait la première version d'une pièce et à quelles obligations techniques ou professionnelles il obéissait pour ces modifications. C'est cette exégèse qui est passionnante » (1). Erudition, expérience ; littérature, quoi qu'on en dise : aucun de ces commentaires n'emporta vraiment l'adhésion.

Quant au *Malade imaginaire*, qui suscita lui aussi de vives controverses pour son interprétation, Baty expliqua qu'il avait moins voulu en renouveler la mise en scène que retrouver, au delà du texte littéral de la comédie, le drame personnel de Molière. « Nous nous sommes plu à composer, si l'on veut, des variations en mineur sur le *Malade imaginaire* » (2). Expérimentation donc, une fois de plus. Scandale dans les milieux de la critique, dont quelques-uns seulement admirent qu'il pouvait être fécond.

Les mois passant, le Théâtre de l'Avenue commençait à multiplier ses déceptions. Une chose devenait certaine : Baty ne s'y fixerait pas. Aussi commença-t-il à prendre plus au sérieux certaine offre qu'on lui avait faite dès le mois de février 1927. A cette époque, le baron de Rothschild (alias André Pascal) l'avait pressenti pour assumer les fonctions de metteur en scène et conseiller artistique du futur Théâtre Pigalle. Baty n'avait point refusé. La proposition paraissait même lui offrir un certain nombre d'avantages. Mais l'accord s'était révélé impossible entre les deux hommes sur le choix des spectacles et l'engagement de certaines vedettes. Le baron avait donc ouvert son théâtre sous la direction d'Antoine. Hélas ! celui-ci s'était rapidement retiré. Les négociations reprirent donc en 1929 avec Baty, qui accepta finalement de se transporter dans cette nouvelle salle pour la saison suivante. Il ne devait pas tarder, au reste, à se féliciter d'avoir limité là son engagement. *Feu du Ciel* de Pierre Dominique, la seule création qu'il réalisa sur ce plateau aux ressources techniques innombrables, se solda par un échec. L'unique succès y

(1) *Dix ans de théâtre.*
(2) *Rideau baissé.*

fut une reprise du *Simoun,* avec Marguerite Jamois dans le rôle principal.

Heureusement, Baty put alors enfin réaliser l'un de ses plus vieux rêves : s'installer à Montparnasse, dans le temple de l'évasion mélodramatique. Quelques travaux de réfection indispensables, réorganisation préalable de la scène ; et il eut la joie d'accueillir dans sa nouvelle « maison », avant même de s'y manifester personnellement, la troupe de Meyerhold, du 17 au 26 juin 1930 (1).

LE TEMPS DES CAPRICES

En ce Théâtre Montparnasse — qui porte désormais son nom — Gaston Baty allait demeurer jusqu'en 1947, soit pendant 17 ans. Ce long séjour peut se diviser en trois grandes périodes, la première se terminant en 1936, date de son entrée comme metteur en scène à la Comédie-Française, aux côtés de Jacques Copeau, Louis Jouvet et Charles Dullin.

Est-il besoin de préciser qu'une fois de plus, le changement de lieu ne s'accompagnait d'aucune modification dans le programme ni la doctrine ? Nous voulons tout ignorer de l'actualité, donna-t-on comme avertissement au public. « Nous souhaiterions au contraire que le spectateur pût, en passant notre seuil, déposer ses soucis et ses angoisses, se dépouiller de ses idées, ne plus penser qu'il est un homme d'aujourd'hui. Nous nous efforçons de lui faire vivre une autre vie, de l'emmener vers d'autres pays, d'autres temps, d'autres âmes ». Baty ne cessera d'insister sur cet axiome qu'aucune grande époque du théâtre n'a été une époque de naturalisme, autrement dit, d'actualité. Les grandes œuvres ont d'abord pour fonction de nous faire quitter le monde où nous vivons. Le théâtre est essentiellement affaire de poésie. En ce sens, il se rapproche évidemment de Copeau, de Dullin surtout peut-être, son premier compagnon d'armes sous les ordres de Gémier — qui reconnaîtra lui-même plus tard : Baty et moi avons visé le même but ; mais Baty a pris le métro aérien et moi le souterrain.

Dans l'immédiat, en 1930, il s'agit de gagner le plus vaste public possible à l'art du théâtre. Afin d'y parvenir, on essaiera

---

(1) Cf. chapitre précédent.

d'abord au cours de la première saison un système de prix réduits pour des soirées populaires, le dimanche. Des conférences et matinées poétiques seront organisées par Paul Blanchart, ainsi que des matinées musicales par Jacques Larmanjat. Ces séances de musique et de danse prendront à la saison suivante le nom de « Samedis de Montparnasse » ; mais elles cesseront dès la troisième saison. C'est néanmoins dans le cadre de ces « Samedis » que sera donnée le 16 janvier 1932 la première représentation du *Théâtre Billembois,* consistant en un spectacle de Marionnettes lyonnaises.

Quant aux spectacles dramatiques proprement dits, ils se poursuivent rue de la Gaîté avec des fortunes diverses. En dépit de son immense succès à Berlin deux ans plus tôt, le célèbre *Opéra de quat'sous* de Bertolt Brecht, choisi pour la soirée d'ouverture — le 13 octobre 1930 — est un échec. Il ne dépasse point la vingt-septième représentation. Aussi en revient-on prudemment jusqu'en février à la *Cavalière Elsa* et au *Dibbouk.* Trois créations en fin de saison, mais sans éclat : de Jean-Victor Pellerin, Bernard Zimmer et Choudard-Desforges (1).

Schéma analogue pour la saison 1931-1932, occupée en grande partie par les reprises de *Maya* et du *Malade imaginaire. Bifur* de Simon Gantillon, qui traite le passionnant problème de la transmigration des âmes, offre à Marguerite Jamois l'un des rôles les plus saisissants de sa carrière, mais n'attire point les foules, non plus que *Chambre d'Hôtel* de Pierre Rocher, donnée d'abord en « spectacle d'essai ».

Le premier grand événement du Théâtre Montparnasse sera le 23 mars 1933 la création de *Crime et châtiment,* d'après Dostoïewski, première pièce représentée de Gaston Baty lui-même. Elle atteindra 108 représentations jusqu'à la clôture estivale ; on ne jouera qu'elle pendant toute la saison suivante, c'est-à-dire jusqu'au 6 mai 1934 ; et elle commencera ensuite une incroyable carrière internationale, jouée successivement ou simultanément en Suisse, en Hollande, en Amérique du Sud, en Hongrie, en Norvège, en Irlande, en Suède, en Italie et en Finlande. Première pièce, premier grand succès, une adaptation de Dostoïewski : nouveau point commun avec le maître du Vieux-Colombier.

---

(1) Voir répertoire.

En 1934-1935, la création du *Voyage circulaire* de Jacques Chabannes ne retient pas longtemps l'attention. Mais le *Prosper* de Lucienne Favre conquiert brusquement les faveurs du public. Au cours de cette seule saison, il est joué plus de 200 fois, et connaîtra cinq ans plus tard un grand triomphe à travers l'Amérique du Sud. Que vaut-il ? Littérairement, peu de choses. Mais il y a cette ruelle montante, inondée de soleil, où paraît une fille en chandail ; une succession de blanches terrasses où s'ébauche à midi la légende de Prosper. Il y a surtout « ce tableau admirable, à peu près sans décor, où quelques chanteurs arabes se passent une rose et chantent la louange d'un être imaginaire, tandis que dans leurs paroles françaises, par la fidélité au rythme, l'hallucinante exactitude des attitudes et des inflexions, Gaston Baty retrouve exactement la mélopée originelle ». Ici, reconnaît un critique pourtant peu suspect de complaisance, le théâtre rejoint l'incantation et devient véritablement œuvre de sorcellerie. « Pour de tels enchantements, ajoute-t-il, nous devons beaucoup à Gaston Baty » (1).

Mais voici venir 1936, sans aucun doute la grande année du Théâtre de la Gaîté. Elle commence par l'extraordinaire succès des *Caprices de Marianne* (2), auxquels Baty songeait depuis l'époque de la Comédie-Montaigne. Se trouve-t-il des esprits grincheux pour lui reprocher une fois encore de ne point respecter le texte traditionnel ? Je le respecte plus qu'à la Comédie-Française, répond-il, car « je choisis le texte *écrit* de Musset, en neuf tableaux, et non point l'arrangement en deux actes, si illogique, qu'on joue généralement ». Cet arrangement seul, par ailleurs, mentionne que la pièce se passe au XVIe siècle. Le texte orignal laisse bien plutôt supposer qu'il s'agit du XVIIIe : d'où les costumes créés par Baty. Au reste, l'essentiel ne demeure-t-il pas que les dons du metteur en scène se soient exercés cette fois sur une œuvre qui en valait la peine, que les prestiges scéniques aient prolongé les rêves de Musset d'une manière indiscutable ? Toutes les préventions que l'on pouvait avoir contre le magicien de *Cris des Cœurs,* reconnaissent les critiques loyaux, « se sont évanouies, brûlées à un feu si charmant et si pur ».

Au mois d'août, nomination officielle en qualité de metteur

(1) R. Brasillach. Loc. cité.
(2) Créés très exactement le 3 décembre 1935.

en scène à la Comédie-Française, où il créera, dès le 18 décembre, le *Chandelier,* après avoir donné le 9 octobre, au Théâtre Montparnasse, son adaptation de *Madame Bovary.*

A vrai dire, et bien qu'il s'agît encore du poète des *Nuits,* le *Chandelier* ne fit point l'unanimité des *Caprices de Marianne.* Ayant loué le décor, Robert Brasillach reprochait au nouvel animateur du « Français » une complaisance excessive dans l'interprétation, l'accusant en quelque sorte de faire un peu trop du Baty, là où il aurait amplement suffi de faire du Musset. A quoi bon, par exemple, une scène muette en guise de prologue ? Et quelle erreur que la chanson de Fortunio reprise en chœur au finale ! « Décidément, concluait-il, il convient de nous méfier des *enrichissements* que nos metteurs en scène apportent aux classiques ». Madame Dussane elle-même reconnaissait le caractère choquant, parfois même antiscénique de certaines innovations. Pourtant, reconnaissait-elle, un si grand soin « avait réglé chaque détail, la mise au point était si minutieuse... que le succès fut considérable » (1).

Même phénomène, à quelques nuances près, pour la pièce tirée de *Madame Bovary.* La critique se déchaîna contre elle en l'une des plus violentes batailles qu'ait connues l'animateur du Théâtre de la Gaîté ; mais le public lui fit un triomphe. Elle fut jouée des centaines de fois en France, avant de commencer, elle aussi, une brillante carrière internationale.

PREMIER BILAN

Quoi qu'il en fût des remous que ses spectacles manquaient rarement de provoquer, Baty, en cette année 1936 — peut-être le sommet de toute sa carrière — était devenu sans conteste l'un de nos plus grands animateurs de théâtre, le meilleur exemple même, disaient certains, de la conception moderne du metteur en scène. Que fallait-il donc penser de ses professions de foi tapageuses des temps héroïques de la *Chimère ?* Après avoir sonné la charge contre la toute puissance de Sa Majesté Le Mot, n'avait-il pas écrit et répété maintes fois : « Le texte est l'élément pri-

(1) *Notes de théâtre.*

mordial de la représentation » ? On pouvait à bon droit s'interroger sur la nature exacte de ses conceptions.

Mes idées sont pourtant bien simples, répondait-il vers cette époque à un interviewer. « Je n'ai jamais déformé un texte pour le plaisir d'une belle mise en scène. Mais un texte ne peut pas tout dire. Il va, jusqu'à un certain point, où va toute parole. Au delà, commence une autre zone, une zone de mystère, de silence, ce qu'on appelle l'atmosphère, l'ambiance, le climat, comme vous voudrez. Cela, c'est le travail du metteur en scène de l'exprimer. » Que le spectateur risque de s'y tromper, et ne vienne chercher que le plaisir des yeux en un théâtre qui n'existerait pas sans la source profonde du texte, Baty le reconnaît. Il reconnaît également le danger, pour le metteur en scène, de porter son attention sur des pièces dont les suggestions soient plus importantes que la valeur intrinsèque. Mais d'une part, on ne choisit pas toujours avec une entière liberté. Il faut bien se contenter de ce que les auteurs proposent. D'autre part, n'était-il pas indispensable, au début, d'adopter « des solutions un peu voyantes, un peu extrêmes », afin de faire comprendre au public ce que l'on désirait réaliser ? « Le metteur en scène, conclut Baty, a la charge de traduire ce que les mots seuls ne peuvent traduire. Mais ce qu'il dit est ce qui était déjà dans le poète. Il est le collaborateur du poète, et parfois il met au jour sa pensée la plus secrète, celle qu'il n'osait ou ne pouvait pas dire. Tout ce qu'on a pu raconter d'autre sur mes théories est une erreur. »

Sans doute ce programme ne lui a-t-il point permis d'être un découvreur de grands talents. Mais cet animateur singulier, qui ne monta jamais lui-même sur les planches pour y tenir un rôle, sut grouper autour de lui et former une troupe de comédiens qui apparut entre les deux guerres comme l'une des meilleures troupes d'ensemble de Paris. Il est vrai qu'en ce qui concerne le jeu, Baty ne professait point d'idées originales. Le Théâtre Montparnasse avait lui aussi son école ; mais on y enseignait à peu de choses près ce qu'on avait enseigné chez Copeau, ou que l'on continuait à enseigner chez Dullin. Lucien Nat et Georges Vitray, qui la dirigèrent, venaient tous deux du Vieux-Colombier ; et l'on se rappelle que Marguerite Jamois avait été l'une des premières collaboratrices de l'Atelier.

Le maître accordait-il plus d'importance à ces serviteurs « obscurs et sans grade » que constituent les accessoiristes et les techniciens ? Disons au moins qu'à l'exemple de Jacques Copeau, il trouva parmi eux d'adorantes dévotions : celles de Gil Colas, par exemple, directeur de la scène ; d'Adolphe Quillier, chef machiniste ; de Charles Cressent, chef électricien ; d'Emilien Huet, chef accessoiriste. Il les tenait lui-même en la plus haute estime, les considérant comme ses plus précieux collaborateurs...

DE LABICHE A RACINE

1937 : année de l'Exposition. Dans ce cadre, deux créations de Baty : le *Faust* de Gœthe, et les *Ratés* de Lenormand. De ces deux spectacles, le premier devait être l'un des plus chers à son cœur. Il se consola difficilement de n'avoir pu le jouer plus d'une cinquantaine de fois. Il est vrai que la critique, de son côté, se consola mal d'y avoir vu la Parole de Dieu remplacée par le clignement d'un projecteur... Quant aux *Ratés,* ils avaient déjà été joués par Pitoëff à la salle communale de Plainpalais, en Suisse, puis par Gémier à l'Odéon. Leur succès en fut limité. La pièce parut vieillie. On parla de mélodrame, gâché par un abus de verbalisme philosophique. Lucien Nat ne faisait pas le poids dans le rôle créé en 1920 par Georges Pitoëff. Le seul véritable succès y fut remporté par Marguerite Jamois.

Pendant la saison suivante, ne parlons que pour mémoire de *Madame Capet* — de Marcelle Maurette — qui reçut d'ailleurs un accueil assez favorable de la part du public. Le spectacle le plus important de Baty, au début du printemps, fut sa création du *Chapeau de paille d'Italie* à la Comédie-Française. De cette pièce, il se faisait, semble-t-il, une conception très particulière. « *Le Chapeau,* lisons-nous dans l'une de ses lettres, n'est pas seulement un vaudeville, c'est une pièce poétique, un rêve. Le thème classique du cauchemar n'est-il pas la poursuite haletante d'un but qui se dérobe toujours ? *Le Chapeau* est un cauchemar gai. Le dialogue n'est pas sans prendre, par instants, un ton déjà surréaliste » (1). Malgré ces vues au moins originales et cette

---

(1) Lettre à M. Cardinne-Petit, secrétaire général de la Comédie-Française — 13 mars 1938.

critique ampoulée, si le public prit goût au spectacle, il apparaît que ce fut surtout à cause de Labiche, et fort peu à cause de Baty. On contesta d'abord l'idée même de faire entrer le père du vaudeville dans la maison de Molière. Ensuite, on reprocha au metteur en scène une incontestable lourdeur d'interprétation, dûe à son éternelle recherche des « prolongements ». On se souvint aussi de l'adaptation cinématographique de René Clair ; et il faut reconnaître que la comparaison était difficile à soutenir. Bref, Gaston Baty cédait une fois de plus « à ses démons de la musique, de la danse, de la fausse poésie... » Il ralentit le mouvement, écrivait un critique, « pour le plaisir de nous faire admirer ses chères petites lumières... Il ne fait que du mauvais, du très mauvais théâtre. »

Dernière saison d'avant-guerre : une nouvelle pièce de Lenormand d'après un apocryphe de Shakespeare, *Arden de Feversham.* Baty l'avait d'abord refusée ; puis il la préféra en définitive à la *Maison des remparts* du même auteur. Une nouvelle pièce également de Marcelle Maurette : *Manon Lescaut.* Mais le maître comptait surtout sur sa propre pièce, *Dulcinée,* qui était cette fois une tragi-comédie originale, et non plus une adaptation. Or, aucun de ces trois spectacles ne fut ni un échec, ni un succès retentissant. Saison sans relief, par conséquent, et dont le seul prolongement devait être la carrière espagnole de *Dulcinée,* à partir de novembre 1941.

Lorsque la guerre éclate, Baty, dans sa propriété de la Néranie, à Pélussin, travaille aux textes restitués et aux notices de son recueil de pièces pour marionnettes : *Trois p'tits tours et puis s'en vont.* Rouvrira-t-il son théâtre ? Il lui faut attendre jusqu'au 21 décembre, où il reprend *Maya,* légèrement mutilée par la censure, mais qui franchit bientôt le cap de la millième représentation parisienne. Ensuite, une seule création — mais de quelle importance ! — *Phèdre.* Baty n'avait jamais caché qu'il considérait Racine comme l'un des principaux responsables de l'envahissement du théâtre par la littérature. Comment allait-il le traiter ? On le guettait un peu comme on guette une proie. Les trois marches de velours noir et les deux lampadaires Louis XIV, à quoi se réduisait pratiquement le décor, ne manquèrent pas d'abord de surprendre. Baty s'en expliqua. « Nous n'emmenons le spectateur, dit-il, ni dans le Péloponnèse, ni à Versailles, ni à Port-Royal, mais dans un lieu théâtral irréel qui les concilierait tous trois, et qui nous paraît être le seul où Phèdre puisse vivre totalement. » Ce qu'on admit avec infiniment plus de difficulté fut évidemment la suppression du rôle d'Aricie. Sans les circonstances de la guerre, nul doute que les polémiques, déjà vives, auraient pris une ampleur inaccoutumée.

Eté 1940 : occupation de la France par les troupes allemandes. Dans sa propriété de la Néranie, Baty travaille une fois de plus pour les marionnettes, à une adaptation de *Faust*. Dès le 15 octobre, il rouvre néanmoins son théâtre avec une reprise des *Caprices de Marianne,* que suivra bientôt celle de *Madame Bovary*. Deux seules innovations au cours de cette saison : *Un garçon de chez Very* d'Eugène Labiche, et la *Mégère apprivoisée,* dans une mise en scène affirmée comme étant celle de Gémier, mais en réalité largement recréée avec un décor élisabéthain et une musique nouvelle d'André Cadou.

L'honnête succès obtenu par la *Marie Stuart* de Marcelle Maurette, au début de la saison suivante, ne constitue cependant pas l'événement essentiel du Théâtre Montparnasse au cours de cette période. Le grand public y vint surtout pour applaudir *La Célestine,* présentée par la « Compagnie d'Art Dramatique » de Jean Darcante, ancien pensionnaire de Baty, dans une adaptation de Paul Achard. Certes, les spécialistes ne furent pas toujours tendres pour cette version française, un peu fantaisiste parfois, et un peu lourde, de l'original espagnol. On accusa Baty d'avoir influencé la mise en scène de Jean Meyer, et d'avoir fait, d'une œuvre livresque dans sa conception primitive, un véritable livret d'opéra, prétexte à virtuosités scéniques. Ce n'en était pas moins l'occasion d'une redécouverte, pour l'immense majorité même, celle d'une découverte pure et simple de la pièce. Elle obtint un triomphe, et passa ensuite de la rue de la Gaîté au Théâtre de la Renaissance, où elle tint l'affiche jusqu'après la guerre.

Quant à la saison 1942-1943, elle allait marquer la date du premier départ de Gaston Baty, ou plus exactement d'une première phase de son départ, qui se fit en deux temps. Après avoir créé le 16 décembre son adaptation personnelle de *Macbeth,* puis avoir prêté une seconde fois son plateau à la Compagnie de Jean Darcante — qui y créa *Cristobal* de Charles Exbrayat — il abandonna en effet la direction du Théâtre Montparnasse, au profit de sa collaboratrice Marguerite Jamois. Désormais, leurs mises en scène allaient alterner, de façon très irrégulière d'ailleurs. Du même coup, il quittait obligatoirement la présidence de l'Association des Directeurs de Théâtres, partagée jusqu'alors avec Pierre Renoir, collaborateur de Jouvet à l'Athénée.

AUTOUR DE « LORENZACCIO » ET DE « BERENICE »

Ainsi partiellement libéré de son travail d'animateur et d'administrateur de salle, Gaston Baty va pouvoir se consacrer plus pleinement à la réalisation de son rêve d'enfance : les marionnettes. Depuis 1937 surtout, soit depuis sept ans, il poursuit dans ce domaine d'incessantes recherches. Il y a puisé la matière de trois volumes successifs : *Guignol,* paru même en 1934, *Le Théâtre Joly* en 1937, *Trois p'tits tours et puis s'en vont...* en 1942. Depuis le début de la guerre, il s'est livré de façon plus précise à des travaux préliminaires pour l'entraînement d'une compagnie spécialisée et la constitution d'un répertoire. Après la mise en scène du *Grand Poucet* de Claude-André Puget, au Théâtre Montparnasse, tout cela va trouver son premier point d'aboutissement en un spectacle inaugural des « Marionnettes de Gaston Baty », le 9 mai 1944.

La représentation a lieu dans le cadre du « Salon de l'Imagerie », tenu au Pavillon de Marsan. Au programme : *La Queue de la Poêle,* « féerie en 14 tableaux à la manière du Boulevard du Crime ». Le rideau du *castelet* figure d'ailleurs le Théâtre des Funambules-Deburau... Hélas ! le débarquement allié en Normandie et la bataille de France mettent fin à ces représentations au bout de quelques jours. Il faudra attendre 1948 pour que la tentative en soit renouvelée.

Au cours de la saison 1944-1945, une seule création à Montparnasse : celle d'*Emily Brontë* de Mme Simone, avec son fameux décor en quatre « mansions » divisant le plan vertical suivant ses axes — un peu à la façon de Dullin dans *La Terre est ronde.* Mais à la saison suivante, un grand événement : *Lorenzaccio.* Que de polémiques ne souleva-t-il point, encore une fois ! Sans doute la pièce de Musset est-elle injouable dans sa version intégrale. Aussi, Baty ne se fit-il point faute de l'adapter, et l'avoua le plus loyalement du monde. La réussite technique fut totale. Cette série de tableaux, « si soigneusement harmonisés, si bien fondus par d'étonnantes transitions d'éclairage, qu'ils laissent l'impression d'une collection d'émaux ou de miniatures » (1), emporta tous les suffrages. Ce que l'on ne put admettre, en revanche, ce furent les libertés que l'adaptateur avait prises avec le texte. Passe encore d'avoir minimisé la tragédie politique au profit du drame hamlétique de Lorenzo. Mais supprimer *tous* les tableaux mettant en scène conspirateurs et bannis de Florence !... Déplacer certaines phrases !... En fabriquer d'autres de toutes pièces et les incorporer sans avertissement à l'original !... Cette fois, Baty allait un peu loin, et se retirait l'avantage de la réponse faite à Brasillach en 1936.

Pour l'année suivante, une anecdote. Depuis longtemps, Marguerite Jamois insistait afin que le Théâtre Montparnasse inscrivît à son répertoire *Electra* ou *le Deuil sied à Electre,* d'Eugène O'Neill, dont le directeur des Compagnons de la Chimère avait jadis créé *Empereur Jones*. Malgré ce précédent, Baty avait jusqu'au bout opposé son veto à pareille décision. Devenue libre, Marguerite Jamois n'eut pas de plus pressante hâte que de mettre cette pièce à l'affiche. La « première » en eut lieu le 17 janvier 1947. Un mois plus tôt, Gaston Baty venait de livrer à la Comédie-Française sa plus difficile bataille, avec la mise en scène de *Bérénice*.

Hélas ! oui. Le mot *bataille* est bien cette fois le seul qui convienne, et dans son acception la plus littérale. Outre les fulminations habituelles de la presse, le public manifesta bruyamment sa désapprobation. Les étudiants organisèrent de véritables chahuts. Que s'était-il donc passé ? Dix ans plus tôt, Baty avait déclaré que *Bérénice* était l'une des pièces de Racine qui devraient tenter un metteur en scène, parce qu'elle pose un problème particulier d'intelligence : au XVIIe siècle, le personnage sympathique était sans nul doute Titus ; aujourd'hui, le romantisme nous fait pencher vers Bérénice. Sans toucher au texte, concluait-il, mais au contraire en l'approfondissant, il conviendrait donc de nous remettre dans l'état d'esprit des spectateurs du siècle de Louis XIV... Se souvint-il après la guerre de ces belles déclarations ? Certes, il respecta bien les mots du texte, mais donna plus que l'impresson de s'être égaré dans le labyrinthe de son

(1) Mme Dussane.

« approfondissement ». Là où Racine avait très évidemment prévu le petit salon intime de Titus, on proposait au spectateur un vaste hémicycle bordé d'une rampe de huit marches, et sans autre siège impérial que ces degrés de pierre. Au centre : une immense stèle surmontée de la louve romaine, devant laquelle brûlait l'encens et ployaient les genoux, comme dans une église chrétienne ! Le luxe des costumes devenait aussi pesant que les voiles de Phèdre... Bref, sous prétexte de rendre familière à un public moderne une tragédie inspirée de l'histoire romaine, le metteur en scène avait une fois de plus substitué aux suggestions du texte de lourds symboles visuels, d'un goût douteux. On trouva que la mesure était comble, et l'on s'emporta. Seules mirent fin à la querelle la dignité et la loyauté avec lesquelles Baty accueillit les attaques, acceptant de rencontrer ses pires adversaires, et de débattre avec eux les différents problèmes soulevés par son travail.

Quatre mois plus tard, le 21 avril 1947, il présentait sa dernière mise en scène au Théâtre Montparnasse : *L'Amour des Trois Oranges,* d'Alexandre Arnoux. Encore une brève apparition à la Comédie-Franaçise avec *Sapho,* le 12 novembre 1948 ; et l'ancien étudiant lyonnais put enfin se consacrer presque exclusivement à son Théâtre de marionnettes.

MAISON DE POUPEES

S'agissait-il — ainsi que l'insinua malicieusement André Rosch, directeur de la Compagnie marseillaise du « Galion d'Or » — d'une sorte de mouvement de retraite, dû à la lassitude de l'animateur ? Pas le moins du monde. Loin de constituer une quelconque déviation, cette nouvelle forme de spectacle représentait au contraire pour Gaston Baty le point d'aboutissement logique de son programme, un peu à la façon des mises en scène de plein air dans le plan d'action dramatique de Jacques Copeau. « Je ne renie pas ce que j'ai fait », voulut-il préciser lui-même à cette époque ; « c'est au contraire pour ne pas m'arrêter en chemin et atteindre le but vers lequel je m'étais mis en marche que mes moyens changent, mais mes moyens seulement... » (1).

(1) Lettre à André Rosch — 11 octobre 1948.

La marionnette, en effet, ne saurait d'aucune manière remplacer l'acteur. Le rêve de Gordon Craig n'est point ici en cause. Mais que l'on prenne bien garde aux détails techniques. Avec énergie, Baty se refuse à l'emploi de poupées mécaniques, « manœuvrées par tout un personnel et qui empruntent des uns leurs mouvements et des autres leur voix ». La vraie marionnette — qu'il s'agisse des fantoccini à fils, ou mieux encore, des burattini à gaine — ne s'accorde bien que d'un seul opérateur, qui la fait agir en même temps qu'il la fait parler. « Son jeu vaut ce que vaut la personnalité de l'homme qui la tient, et celui-ci est réellement présent en elle » (1).

Pourquoi donc cet intermédiaire d'un pantin, en soi inerte et impassible ? Rappelons-nous l'exemple des Grecs. Lorsqu'ils voulaient atteindre à un pathétique surhumain — comme celui d'Œdipe, ou de Cassandre — on les voyait tout à coup changer leur stature, dissimuler leur visage derrière un masque : bref, se transformer en de gigantesques marionnettes. La Commedia dell'arte elle-même procédait-elle de façon tellement différente ? Poupée ou comédien , les rapports entre ces deux interprètes peuvent se définir par l'aphorisme suivant : « A la frontière où s'arrête le pouvoir d'expression du corps humain, le royaume de la Marionnette commence. »

Sans doute, l'acteur est-il irremplaçable dans la comédie d'observation, dans la pièce d'analyse, dans tous les textes écrits par des hommes pour être écoutés par d'autres hommes et où il est question de l'homme : en un mot, pour l'interprétation de l'immense majorité des textes de théâtre. Mais « il y a des choses qui ne sont jamais exprimées au théâtre parce qu'un acteur, présent en chair et en os sur la scène, est trop réel pour interpréter un rêve » (2). Ce sont ces provinces-là, interdites jusqu'ici à l'art dramatique, que la poupée, considérée non comme un amusement, mais comme un moyen d'expression, peut lui conquérir.

Non pas transformation du théâtre, par conséquent, mais élargissement de ses possibilités. Plus il « ambitionnera de faire oublier la vie réelle, plus la poupée, dont l'existence et le jeu ne sont pas entravés par un corps de chair, s'imposera comme l'in-

(1) Lettre à Robert Desarthis — 12 novembre 1935.
(2) Interview radiophonique — 1948.

terprète idéal sur une scène revenue à sa mission d'être, avant tout, un tremplin à rêves » (1). Elle seule, dira encore Baty, est à la mesure des plus hautes fantaisies, des plus grandes légendes, des plus beaux contes, parce qu'elle seule sait se réduire à l'essentiel ; et dans les instructions qu'il destinera aux auteurs tentés d'écrire pour les marionnettes, il conseillera de leur demander : « 1° de sauvegarder certaines formes de l'art théâtral populaire ; 2° de faire revivre sous ses meilleurs aspects l'âme de la vieille France ; 3° de réaliser des rêves qui permettent d'oublier la vie dite réelle ».

Que l'on songe aux ressources pédagogiques de telles créations. N'est-il pas symptomatique que tous les enfants aiment naturellement les marionnettes ? La vocation de ces dernières sera de leur rappeler qu'il existe des choses infiniment plus sérieuses que le programme du brevet ou du baccalauréat. La science n'est jamais tout à fait sûre de ses découvertes ; ses affirmations sont toujours provisoires. Nul ne contestera, en revanche, ces vérités immuables : que le Prince Charmant réveillera la Belle endormie, que Cendrillon perdra sa pantoufle sur les marches du palais... « Connaître les *mots-fées* qui permettront de franchir la haie d'épines ou de chercher le soulier perdu, cela compte plus dans une vie d'homme que les mathématiques ou la chimie » (2).

Enfin — d'une façon assez inattendue, il faut bien le dire — Baty voit dans les spectacles de poupées une réaction salutaire contre le cinéma. Jamais il n'a aimé, ni pratiqué, le prétendu septième art. « Le comédien qui a le malheur de tourner un film, écrivait-il dès 1935, ne laisse de lui-même qu'une effigie grise et plate dont il sera toujours absent. » Mais son plus grave reproche, c'est que le cinéma représente la fabrication mécanique à grande série, la forme industrielle du spectacle. Les marionnettes, au contraire, en apparaissent comme la forme artisanale. « Un castelet est une sorte d'atelier familial, avec ce que cela comporte de soin, d'invention, de patience et d'amour. D'abnégation aussi, sans quoi il n'est rien de grand ». Comment les

(1) *Encyclopédie Française* (tome XVII) Chapitre : *Les Arts du Temps*. Article : *Les Marionnettes*.

(2) Lettre à un groupe de marionnettistes du Lycée de Metz — 6 mai 1949.

vrais artistes, à l'article qu'une machine a déversé par milliers, ne préféreraient-il pas l'objet unique, personnel, sorti de la main du bon ouvrier ? (1).

En 1948, la situation est claire. Une équipe de manipulateurs a été reconstituée. L'entraînement se fait dans un atelier de la rue Notre-Dame-des-Champs. Le grand problème à résoudre est celui de la découverte d'une salle fixe. Problème difficile. On envisage successivement le Palais-Royal, Saint-Germain-des-Prés — une baraque même, comme au temps de la Chimère... Finalement, on décide de se contenter d'une salle provisoire : celle des « Archives Internationales de la Danse », rue Vital, et d'organiser de nombreuses tournées. Une première saison est donc tentée dans cette salle, du 5 avril au 7 juin 1948.

Spectacle d'ouverture : *La Langue des Femmes* (répertoire de la tradition picarde) et *La Marjolaine* (conte d'Ile de France). Succès de presse incontestable. Cette manifestation, écrit André Warnod dans le *Figaro,* marque « une date dans l'histoire de la Marionnette et peut-être celle du Théâtre ». Le critique de l'hebdomadaire *Arts,* de son côté, affirme : « C'est la naissance d'une nouvelle forme dramatique... » Second spectacle : *Au temps où Berthe filait,* de l'écrivain liégeois Marcel Fabry. Il est clair, note à ce propos Maurice Brillant dans l'*Epoque,* que cette pièce est inconcevable interprétée par des hommes. « Baty travaillant pour le théâtre normal a toujours combattu en faveur de l'irréalité, c'est-à-dire du songe, de la poésie ; mais quelles ressources ne trouve-t-il pas chez les marionnettes pour nous transporter ailleurs — et plus haut —, nous apporter cette évasion magique et enrichissante qui est en vérité la fin propre de l'art. »

Après ce double succès, une première tournée est organisée en juin et juillet à travers la zône française d'Allemagne, une seconde en septembre et octobre à travers la Belgique. Deux projets pour la Tchécoslovaquie et l'Angleterre échouent. Cependant, Baty travaille dans la fièvre à son adaptation de *Faust* pour marionnettes à gaine...

Pendant l'hiver, un intermède. Presque simultanément, on le voit s'occuper d'une reprise de *Maya* au Théâtre Montparnasse, de *Prosper* au Théâtre de la Renaissance, et mettre en scène pour la Comédie-Française l'*Inconnue d'Arras* de Salacrou à la salle

---

(1) Avant-première au premier spectacle de Marionnettes — 1944.

du Luxembourg. Une grande réception est organisée à cette occasion le 11 janvier 1949. On y célèbre à la fois les 25 ans de théâtre du dramaturge et la 100e mise en scène de Gaston Baty. Les polémiques apaisées, il semble que ce soit, cette fois, la consécration officielle.

Hélas ! c'est aussi le début de l'épuisement. Malgré tous ses efforts, il ne peut arriver à la perfection dont il rêvait pour son adaptation de *Faust*. Il la laisse partir pour une nouvelle tournée en Allemagne, mais son état de santé l'oblige à retarder de quelques jours son propre départ. A Munich, il tombe malade et doit s'aliter. Au mépris de toute prudence, il achève néanmoins le voyage avec son équipe ; mais de retour à Paris, au mois d'avril 1949, il se voit prescrire un long repos, qu'il s'en va prendre dans sa propriété de Pélussin. Là, son état s'aggrave. Pendant des semaines, on s'attend au pire. Finalement, il entre en convalescence, mais doit passer l'hiver dans le climat plus doux d'Aix-en-Provence.

Revenu à Pélussin, où il séjourne jusqu'à la fin de l'été 1950, il essaie d'abord de regrouper une compagnie de marionnettistes et de découvrir pour son castelet une salle parisienne fixe, cependant qu'il achève la mise au point de son étude sur le *Destin des Marionnettes*. L'hiver, malheureusement, l'oblige une fois de plus à redescendre en Provence, où il travaille à l'édition de la mise en scène des *Caprices de Marianne*. C'est alors que frappé par des tournées du Centre dramatique de l'Est et du Grenier de Toulouse, il envisage de créer à Aix un Centre dramatique du Sud-Est. La direction des Arts et des Lettres accepte son projet. Renonçant définitivement, à cause des difficultés, à ses marionnettes (Yves Joly, Hubert Gignoux, le R. P. Brandicourt, aumônier de la prison de Nancy, relèveront bientôt le flambeau) il revient à Paris, après deux ans d'absence, en mai 1951. Démarches, conversations, entrevues pour la création du Centre. Nouvel été passé à Pélussin. Quelques difficultés de dernière heure. Enfin, au mois de janvier 1952, la « Comédie de Provence » est officiellement constituée. Elle donne son premier spectacle au Casino d'Aix le 18 mars.

Au cours de cette saison inaugurale, elle présentera successivement : un acte de Strindberg, le *Paria*, puis les *Caprices de Marianne*, *Phèdre*, le *Médecin malgré lui*...

Mais à nouveau très fatigué, Baty doit regagner Pélussin dès la fin du mois de juin. En août, il ne peut déjà plus se lever que quelques heures par jour. Le 8 octobre, hémorragie cérébrale. Il entre dans le coma dès le lendemain, et meurt le lundi 13, à neuf heures du soir.

GEORGES PITOËFF

DE TIFLIS A PARIS

Je regrette que le titre général du présent livre m'oblige à inscrire en tête de ce dernier chapitre le nom seul de Georges, alors que celui de Ludmilla est à jamais inséparable du sien, qu'on ne les appelait guère — de leur vivant — d'autre manière que *Les Pitoëff*, et que les folles entreprises de l'animateur sans domicile fixe auraient bien souvent laissé le public indifférent, sinon hostile, sans la présence, le charme, l'art et la foi de son ange gardien.

Lui était né à Tiflis, le 17 septembre 1884. Yvan Igorovitch, son père, après avoir passé sa jeunesse au Quartier Latin, dirigeait dans la capitale géorgienne une immense affaire commerciale (pétrole, transports maritimes, caviar) en association avec son frère Issaï, qui ne quitta jamais la Russie, et trois aînés qui menaient, eux, grand train de vie dans un appartement parisien du boulevard Malesherbes. Passionné de théâtre, comme tous les Pitoëff, il avait abandonné l'entreprise en 1888, et décidé de se consacrer à l'art dramatique, dont s'occupait déjà Issaï en amateur.

C'était l'époque difficile, grosse de menaces et d'espoirs, où le Maly Théâtre, tout en maintenant la tradition, commençait à dénoncer les vices du régime impérial ; où apparaissaient les scènes privées de Korch à Moscou et de Souverin à Saint-Pétersbourg ; où Mamontov consacrait une partie de sa fortune à l'opéra national, aidant Chaliapine, Moussorgsky, Rimsky-Korsakov ; où Stanislavski enfin, après avoir successivement fondé le cercle Alexeev, puis la Société Moscovite d'Art et de Littérature, allait bientôt ouvrir avec Dantchenko son Théâtre Artistique.

Fantasque, mais opiniâtre, Yvan Igorovitch fit triompher à Tiflis l'opéra de Tchaikowsky, *Eugène Onéguine,* malgré l'échec retentissant des premières représentations. Il réussit également à faire construire dans la cité un nouveau théâtre, très moderne, éclairé à l'électricité, dont il devint à la fois l'irascible directeur artistique et financier, l'administrateur et le metteur en scène.

Le petit Georges avait six ans lorsqu'il assista pour la première fois à une représentation : celle du *Démon,* de Lermontov. Je veux jouer cette pièce, s'écria-t-il en trépignant. Il la joua en effet dans le salon paternel, avec ses frères et sœurs — il en avait quatre de sa mère, Nadiejda Guerasimovna, seconde femme de son père. Hélas ! sa troupe, décidément trop jeune, fit rire l'assistance par ses maladresses ; il renonça, provisoirement, à la carrière de metteur en scène.

Pendant toutes ses études secondaires, particulièrement brillantes, Georges alla chaque soir au théâtre en dépit des règlements, grâce à une loge clandestine aménagée par son père au-dessus de son propre plateau. A partir de 1898, la famille passa ses étés en Suisse et en France. Georges entraînait son frère Pierre dans les musées, dans les salles de spectacle surtout. Il leur arriva d'y aller quarante fois en trente jours.

En 1902, il doit entrer à l'Université. Pour la peine, tout le monde se transporte à Moscou, et Yvan Igorovitch abandonne ses activités artistiques. Toujours premier, reçu deux ans plus tard aux Ponts-et-Chaussées, Georges n'en est pas moins un spectateur fidèle et passionné de Stanislavski. Le 17 janvier 1904, il a la chance de pouvoir assister à la première du *Jardin des Cerises,* où Tchekhov, près de mourir, paraît sur la scène. Cet événement laissera dans sa mémoire un impérissable souvenir.

1905 : la révolution gronde. En janvier, il assiste au Dimanche sanglant de Saint-Petersbourg. Prudent, Yvan Igorovitch décide d'émigrer, pour quelque temps au moins, à Paris. Changeant d'orientation, Georges entreprend alors de « faire son droit » et d'apprendre l'anglais. Mais il fréquente surtout à Montparnasse le Cercle des Artistes Russes fondé par son père. Il y monte quelques pièces avec des camarades. En 1908, la grande actrice Véra Kommissarjevskaïa le remarque. Pour elle, pas de problème : Georges *doit* faire du théâtre et retourner en Russie.

Sans peine, le jeune homme se laisse convaincre, et part immédiatement pour une étonnante aventure.

Véra le fait d'abord entrer au « Théâtre Mobile » de son frère. Il travaille ensuite la danse rythmique avec Dalcroze, au centre culturel international de Hellerau où le prince Volkonsky l'avait amené. Ce fut pour moi, comme pour bien d'autres, écrira-t-il à propos de ce premier contact, une révélation. « J'ai senti que derrière ces forces géométriques, ces corps humains qui se mouvaient dans l'espace obéissant à une loi inconnue, se cachait un mystère hallucinant et merveilleux... Quand quelques mois plus tard, j'ai quitté Hellerau, j'étais en possession du secret, j'avais découvert en moi un don qui dormait jusqu'alors, mais que je sentais obscurément sans pouvoir le préciser. Ce don découvert était le sentiment rythmique. J'étais en possession d'un nouveau sens que je mis aussitôt au service de l'art scénique... » (1).

Comme Jouvet au Vieux-Colombier, il s'initie également à toutes les servitudes matérielles du théâtre : machinerie, électricité, peinture, menuiserie, décoration, confection des costumes. « Il voulait être capable, dira Ludmilla, de mener une œuvre entièrement à bout, d'assumer la responsabilité d'un spectacle jusque dans ses moindres détails. » Amour des réalités que ne prolonge d'ailleurs nulle tendance réaliste. Sans doute adore-t-il Stanislavski, mais surtout comme rénovateur. Lorsqu'il a fait sa connaissance, il ne s'empêche point de lui dire que le vrai ne saurait le satisfaire, que l'univers dramatique, à son sens, est celui du rêve, que le théâtre en un mot, constitue un monde qui est pour lui *le* monde.

Sa protectrice morte, il s'est enrôlé sous la bannière du « Théâtre Ambulant », fondé par Nadiejda, sœur de Véra, et son mari Gaïdebouroff. « Illustre » troupe de jeunes comédiens, qui sillonne toute la Russie, aussi héroïque et invraisemblable que celle du capitaine Fracasse... Enfin, en 1912, il fonde à Saint-Pétersbourg sa première compagnie, « Notre Théâtre », où l'anonymat des acteurs et du metteur en scène est de rigueur. « J'ai joué à Moscou, à Pétrograd, à travers toute la Russie et en Sibérie », écrira-t-il en parlant de cette période. « J'ai joué devant tous les publics, devant l'élite artistique et devant les snobs, devant le public bourgeois et devant le public populaire, car pen-

(1) *Notre Théâtre.*

dant ce passage en Russie, j'ai eu le temps de diriger le Théâtre du Peuple de Pétrograd. J'ai connu le public de Vladivosky où la Sibérie passe la main au Japon et celui de toutes les petites villes perdues dans l'immensité des terres russes. Et dans toutes ces villes et devant tous ces publics, j'ai joué Shakespeare (1), Musset (2), Shaw, Molière (3), Ibsen, Tolstoï (4), etc... (5). C'était une période héroïque du théâtre en Russie. »

En décembre 1913, les parents de Georges, qui ne l'ont pas revu depuis cinq ans, décident de le rejoindre à Pétrograd. Au printemps suivant, sa mère meurt. Son père, de force, le ramène en France. C'est alors qu'il va faire, à Paris, la connaissance de Ludmilla.

Par une rencontre assez curieuse, la fille unique d'Iakov de Smanov et d'Anna Andréievna Vassilievna était également originaire de Tiflis, où elle naquit pendant la nuit de Noël 1895. Son père, général civil et courrier du tsar, avait même contrôlé les recettes au théâtre de la ville. Elève de l'Institut Sainte-Nina, placé sous la haute protection de S. M. l'Impératrice Marie, mère de Nicolas II, elle avait passé son premier été à Paris à l'âge de neuf ans. Son père l'emmenait fréquemment à l'Opéra géorgien où Anna Andréievna avait été choriste ; et elle en éprouvait chaque fois une émotion délicieuse.

Ses études terminées, elle voulait être chanteuse. Sa mère, femme aux comportements pour le moins étranges, décida de partir habiter seule avec elle à Paris. Là, Mlle de Smanov étudia le chant, bien entendu, mais aussi la danse, le piano, les langues vivantes, et demanda même à Paul Mounet de la préparer au Conservatoire. Qu'elle ait échoué, ne peut guère nous surprendre. Ce qui nous intéresse davantage, c'est de savoir qu'elle avait présenté au concours une scène de *Sainte Jeanne* — de Barbier, il est vrai. Ensuite, elle se détacha peu à peu de sa mère, aux agissements de plus en plus impossibles, se contentant de fréquenter en sa compagnie — et non sans un réel plaisir — le salon des Pitoëff. C'est là qu'un beau jour du printemps 1914, elle rencon-

(1) *Le Roi Lear.*

(2) *Carmosine* et *On ne badine pas avec l'amour.*

(3) *Sganarelle.*

(4) *La Puissance des Ténèbres.*

(5) Pouchkine : *Le Festin pendant la peste ;* Goldoni : *Le Serviteur de deux maîtres.*

tra Georges, revenu de Russie. Ils se marièrent à l'église orthodoxe de la rue Daru, le 14 juillet 1915.

GENEVE

Quelques jours après leur mariage, les deux jeunes gens partaient pour la Suisse, auprès du père et de la sœur de Georges. La Suisse, refuge des non-engagés pendant la guerre... Malgré tout ce qu'on a pu lui dire de la prévention des Helvètes contre l'art dramatique, Georges en quelques mois réussit à former le noyau d'un nouveau théâtre, et donne *Oncle Vania* à Lausanne, puis à Genève. Il se lie rapidement avec Stravinsky, Ramuz, Auberjonois, Ansermet, est bientôt présenté par Lydie Plekhanov, fille de l'écrivain révolutionnaire, à Mme Chantre, professeur de diction, qui clame partout son éblouissement. Enfin, recommandé par Dalcroze au directeur de la Comédie de Genève, il monte sur cette dernière scène *Hedda Gabler* d'Ibsen — *sans décors !...*

Révolution, scandale, miracle, « Hedda brûle un manuscrit dans la cheminée », rapporte l'actrice principale, Greta Prozor. « Il n'y avait pas de cheminée. Mais les lumières reflétées des coulisses entre les rideaux étaient pour moi des flammes plus vraies que les flammes de toutes les cheminées. Il savait nous guider, nous aider dans notre travail, et lui-même, je le vois encore dans son rôle. Le Loëvborg, admirable, de Lugné-Poe, était plus aventureux, assez poseur, trait qu'il avait remarqué chez les Scandinaves. Pitoëff créait un personnage plus tendu, plus étrange, un Loëvborg intérieur et miraculeusement vivant. » Le spectacle atteignit dix représentations, soit le double du nombre habituel à Genève pour les ouvrages de qualité. Mais, hélas ! le théâtre suisse ne fut pas changé du jour au lendemain par cet exploit. En février 1916, Georges s'excusait dans une lettre à Jaques Copeau de refuser son concours à une représentation horrible des *Frères Karamazov,* et manifestait l'espoir d'une collaboration future avec l'animateur français.

Le même Jacques Copeau avait découvert le premier les dons de Ludmilla, en l'entendant un soir d'octobre 1915 lire avec son mari *La Mouette* de Tchékhov et *Les Tréteaux* (alias *La Petite Baraque*) d'Alexandre Block. Elle fit ses débuts dans cette dernière pièce, donnée en français le 1er mars 1916. Bien que sans argent pour payer qui ou quoi que ce fût, Pitoëff avait réussi en effet à recruter quelques acteurs envoûtés par son enthousiasme, au nombre desquels Nora Sylvère, et à s'installer provisoirement dans la Salle des Amis de l'Instruction. Il y monte les *Revenants* d'Ibsen, le 5 avril, et les emmène en tournée à travers la Suisse. Toujours pas de décors, pas d'accessoires. Rien que des casseroles en guise de projecteur. Les recettes ne sont pas extraordinaires ; mais on continue.

Les spectateurs ne seront au reste jamais très nombreux. Du moins, pour le moment, l'élite suit-elle ; c'est déjà quelque chose. Alternance d'espoirs et de déceptions : certains jours, on pense avoir la partie gagnée ; le lendemain, la salle est pratiquement vide. Georges invite alors les étudiants à descendre du poulailler à l'orchestre. De 1916 à 1918, on parvient ainsi, tant bien que mal, à continuer d'être : un mois au Grand Théâtre, le suivant au Casino Saint-Pierre, aux Amis de l'Instruction ou à la salle communale de Plainpalais. Rien n'est pourtant négligé pour retenir un public rare, difficile, gâté par d'épouvantables traditions qui n'ont rien à envier à celles de notre Boulevard. Claudel, Tolstoï, Maeterlinck, Björnson, Chavannes, Bernard Shaw, Mérimée, Andréieff, Duhamel, Schlemmer, Brantmay : Pitoëff varie les spectacles au maximum, multiplie les tournées. Comme il en a pris et en gardera l'habitude, il fait tout lui-même — y compris, le cas échéant, assembler des rideaux ou diriger un orchestre. Ludmilla est son *altera ego*. Jusqu'en 1917, un certain mécénat familial a permis de goûter les joies du dilettantisme insouciant des recettes ; mais la révolution russe transforme bientôt les membres de la troupe en héros, parfois en martyrs, de la foi dramatique. N'arrive-t-il pas à Georges de s'évanouir de faim au cours d'un spectacle ? Quant à Ludmilla, elle continue à jouer en dépit de naissances presque annuelles, et l'allaitement à la sauvette pendant la brève pause des entr'actes.

A partir de 1918, les choses commencent à prendre une autre tournure. Non quant à l'héroïsme de cette existence quotidienne, ni quant au rythme des créations : 72 pièces de 46 auteurs en 7 ans !... Mais on est passé insensiblement de l'amateurisme au professionalisme. Le 24 octobre peut enfin se constituer une « Compagnie Pitoëff », installée à demeure dans la banlieue genevoise : salle communale de Plainpalais. Elle y restera jusqu'en 1922. On va jusqu'à parler d'un fonds de garantie, emprunt de 10.000

francs, divisé en parts de 100 francs, et portant intérêt à 5 % !...

Le 4 janvier 1919, création du *Temps est un songe* de Lenormand. Pitoëff connaissait ce dernier depuis son arrivée en Suisse. Il lui devait même son entrée à la Comédie de Genève en 1915, le directeur ne s'étant décidé à l'accepter que sur avis favorable et quasi-prophétique du dramaturge. La pièce n'obtint pas un succès considérablement supérieur à la moyenne ; mais elle allait être le point de départ d'une expérience tout à fait inattendue.

A Paris, en effet, venait de se fonder une coopérative d'écrivains de théâtre, comprenant entre autres Jules Romains, François de Curel, Lenormand, Lucien Descaves, Saint-Georges de Bouhélier, et qui avait élu domicile au Théâtre des Arts de Rodolphe Darzens. Une pièce n'étant pas prête à la date voulue, on pria Pitoëff par téléphone de venir à Paris jouer *Le Temps est un songe*. Cette fois, le succès fut prodigieux. « En deux heures de la maussade journée du 2 décembre 1919, écrit Lenormand, les Pitoëff avaient conquis Paris » (1). A l'exception de Robert de Flers et d'Henry Bidou, tous les critiques en effet s'enthousiasmèrent. « Voix surprenante, chantante, un peu factice, mais qui élargit les phrases », notait Adolphe Brisson à propos de Georges ; « tous les détails de sa composition... sont remarquables et justifient les ovations du public. » Après quelques réserves touchant une mise en scène visiblement dirigée contre le naturalisme, Antoine écrivait en écho : « M. Pitoëff est un grand artiste. » En Ludmilla, il admirait « ces dons intérieurs d'intelligence profonde et cette décente ignorance d'être regardée. » N'était-ce pas un émerveillement « que ce jeu réalisant la plus petite intention, sans hâte, jusqu'au bout, avec une calme plénitude » ? Enfin, Edmon Sée ne tarissait pas de louanges sur la compagnie entière. « Ces artistes, disait-il, jouent avec tant d'intelligence pénétrante, qui éclate dans chacun de leurs regards, dans le plus furtif de leurs gestes, et ils témoignent d'une sensibilité si juste, si frémissante, puisée au plus profond de l'être, qu'après avoir provoqué dans les rangs du public un peu d'étonnement et même un peu de gêne, ils l'empêchent cependant, ce public, de se détacher d'eux, et le conquièrent peu à peu, le dominent, l'étreignent, ils ont partie gagnée.

(1) *Les Pitoëff.*

L'année suivante, au mois de mai, Pitoëff revenait à Paris présenter *Les Ratés,* du même Lenormand, créés à Genève le 16 janvier, et interdits à Lausanne. Nouveau succès, à l'occasion duquel on admira en particulier la science d'utilisation des rideaux, qui permettaient pour chaque séquence de se limiter à une seule portion de la scène, compartimentée dans le sens de la hauteur, et de changer les décors sans perte de temps dans les autres portions. Mais le grand événement de l'année 1920 fut sans aucun doute, au soir du 1er décembre, la création d'*Hamlet.*

Ce drame, qu'il savait pas cœur depuis l'âge de quinze ans, l'avait toujours hanté. Quelle en était la signification profonde ? Il monologuait, quand brusquement, il eut une sorte d'illumination : « Je crois que je vais pouvoir jouer *Hamlet*... je crois que je l'ai compris. » Jour et nuit, on répéta sans relâche pendant six mois. Au cours d'une conférence qu'il donna peu de temps avant la «première », Georges parla pendant trois heures de l'œuvre de Shakespeare. Le résultat fut un triomphe sans précédent. On joua une semaine à bureau fermé. Un jour, il fallut donner deux représentations consécutives : dix heures de spectacle, presque sans interruption. La critique ne dissimulait pas son enthousiasme. « Le décor, expliquait un chroniqueur, est uniformément composé de larges panneaux d'acier gris poli... Combien cette simplicité sert merveilleusement le texte de Shakeare, et quel retentissement lui donne la nudité sévère de ce milieu ! Ici, il n'y a vraiment aucun stratagème, aucune supercherie entre le poète et le public. Ils sont, comme il convient, seuls en face l'un de l'autre... Georges Pitoëff a interprété le rôle d'Hamlet avec tant de force, tant d'émotion, que les spectateurs ont littéralement crié d'admiration. Pas une faute de goût, pas un mouvement déplacé » (1).

Hélas ! rien cependant n'était acquis. Quatre semaines plus tard, les *Bas-Fonds* de Gorki se soldaient par un échec. Sans doute un riche Américain, ami de Copeau, s'était-il associé à la troupe ; et un groupe d'amateurs de Shakespeare avait-il réclamé, avec promesse de subside, la création de *Macbeth.* Mais cette pièce même, donnée le 24 octobre 1921, échoua. Dieu sait pourtant l'importance que Pitoëff lui accordait !...

---

(1) Mathias Morhardt — *Comoedia.*

Inséparable d'*Hamlet*, il y voyait comme la réplique, ou plutôt le revers de l'inestimable médaille. « Si dans *Hamlet*, la pensée crée l'action », expliquait-il, « dans *Macbeth* au contraire l'action fait naître la pensée. Plus que cela, je distingue dans *Macbeth* ainsi que dans *Hamlet*, trois éléments qui sont la base même de ces deux tragédies. Ce sont 1) l'élément divin ; 2) la pensée ; 3) l'action... » (1). Selon le témoignage de Sacha, la décoration de ce spectacle, l'un des plus importants de toute la carrière de Pitoëff, fut conçue elle aussi dans une sorte d'illumination. « Le décor de *Macbeth*, écrit-il, fut imaginé soudainement... Escaliers, voûtes, plans où la lumière joue avec l'ombre, sorte de grotte architecturale, anonyme et artificielle, il représente... un lieu fictif où tout peut arriver... C'est un décor d'aveugle en quelque sorte. Macbeth évolue de l'ombre à la lumière, son ombre et sa lumière, entre la raison pure et la démence. A partir du moment où l'impossible est atteint, où le rêve a été réalité, la porte est ouverte à tous les impossibles. La forêt marche... Ce décor unique permettait de même à la pièce de se dérouler sans interruption » (2). Et Jean Choux de commenter : « Comment ne pas admettre que celui qui trouva cela, disposa ces plans et courba ces lignes, conçut ce décor unique et total que les jeux multipliés de l'ombre et de la lumière vont sans cesse déformer, bouleverser de fond en comble, pour l'anéantir et le recréer au gré du drame et de l'action, était soutenu et guidé, non par l'*habileté*, mais par la sereine et énorme *abondance* du génie ? » (3). Et que dire encore de la musique de scène, pour laquelle Pitoëff avait littéralement collaboré, comme pour celle d'*Hamlet*, avec Henry Breitenstein ?...

L'année 1921 fut également marquée par deux événements d'un tout autre ordre : l'entrée dans la troupe du jeune photographe Michel Simon, qui joua pendant quelque temps sous le nom de Béroalde ; et un troisième séjour à Paris, du début de février à la fin d'avril. Au cours de ces trois mois, la Compagnie Pitoëff se produisit successivement au Théâtre des Arts, au Théâtre Moncey, puis au Vieux-Colombier, et ne présenta pas moins de six spectacles différents. Comme à Genève, il lui arriva

---

(1) Conférence donnée le 20 octobre 1921.
(2) *La Revue Théâtrale*.
(3) *Vers l'Unité*.

de jouer devant des salles presque vides — lorsqu'elle donna, par exemple, *Celui qui reçoit des gifles* d'Andréieff. Mais la critique avoua son émotion à la présentation *d'Oncle Vania*. « C'est d'une angoisse, disait Lucien Descaves, et d'une beauté indéniables » (1).

Ce dernier contact avec Paris fut-il décisif ? Sans doute offrit-il à Georges l'occasion de sa première rencontre avec Hébertot. S'il quitta la Suisse au mois de janvier suivant, les raisons en furent néanmoins beaucoup plus profondes. Au sens propre du mot, la situation était devenue intenable. Financièrement, d'abord. Toutes les ressources, tous les dons généreux avaient été engloutis. On jouait Tchekhov, Duhamel, Shaw, Dumas, Chesterton, Wilde devant des fauteuils désespérément vacants.

Mais il fallait aussi compter avec l'incompréhension, la malveillance. On reprochait aux Pitoëff leur accent, le recrutement incertain et cosmopolite de leurs acteurs — reproche d'ailleurs partiellement fondé, et contre lequel Copeau les avait mis en garde. On accusait Gorges de se tailler la part du lion, pour lui-même et pour Ludmilla. On n'aimait pas son obstination à monter des pièces presque exclusivement poétiques, et à se précipiter ainsi au devant de l'insuccès, avec une sorte de complaisance maligne, qualifiée de provocation. Il arrivait à la presse de se montrer extrêmement dure. Certains chroniqueurs, comme René-Louis Piéchaud, se déchaînaient à longueur d'articles contre celui qu'ils appelaient « Pitoëff le fou ». Ce dernier fit donc appel à Jacques Hébertot, qui vint à Genève en décembre 1921. On fit défiler devant lui les plus importants spectacles du répertoire. Un contrat fut signé pour deux mois : une simple tournée ; mais Pitoëff savait qu'il ne reviendrait pas.

CHAMPS-ELYSEES

Quelles nouveautés apportait sa troupe dans la capitale parisienne ? Trois principales, qui constituent en quelque sorte l'originalité de Georges Pitoëff : une nouvelle conception des rapports entre le rêve et la réalité ; un répertoire aux dimensions de l'univers ; enfin, un don total de soi-même à l'œuvre entreprise. « Aucun homme de théâtre contemporain », écrit Lenormand,

---

(1) *L'Intran.*

« ne fut doué d'un pouvoir créateur, d'une continuité, d'une intensité pareilles. Pendant le travail, la promenade, à table, aux répétitions, dans la solitude comme parmi les siens, une rêverie permanente le dédoublait. Parfois, ces visions du possible prenaient le pas sur les contingences actuelles. Son regard s'embrumait un instant et il revenait à la réalité, enrichi d'une idée, d'une image, de la solution d'un problème à venir. La maladie elle-même n'arrêtait pas le jeu de ses forces à demi-inconscientes. Son cerveau ne pouvait pas ne pas continuellement inventer des décors et combiner des mises en scène. Si un homme de théâtre peut être qualifié d'inspiré, c'est bien lui » (1).

A part le domicile, rien de changé dans l'activité des Pitoëff à la Comédie ou au Grand Théâtre des Champs-Elysées : neuf pièces, reprises du répertoire de Genève, pour la seule période de février à mai 1922. Par malheur, rien de changé non plus dans l'accueil du public ou de la critique. Hermétiques à toute forme de rêve, certains chroniqueurs travestirent en «Suceur de cervelles», le *Mangeur de rêves* de Lenormand. On regretta que ce dernier fût le seul auteur français proposé à l'admiration des spectateurs — contre deux anglais, un américain, trois russes et un danois. On se montra également pointilleux sur la question des accents, de la composition de la troupe, qui comptait effectivement : dix-sept Suisses, trois Russes, un Italien, une Hollandaise, et une seule Française, Héléna Manson. Pareil cosmopolitisme provoquait bon nombre de susceptibilités en France au lendemain de la guerre. Quant au public, Georges employa tous les moyens pour l'élargir au maximum, et faire appel à lui des jugements d'une critique officielle partisane ou incompréhensive. Billets à prix réduits, matinées spéciales ne réussirent guère à lui attirer qu'une phalange estudiantine. Ce n'est pas ce qu'il désirait : « Nous avons avec nous une partie de la jeunesse, écrira-t-il un jour, mais il nous faut toute la jeunesse, nous sommes en quête de tout le public jeune qui ne nous connaît pas encore, qui ignore le théâtre... Je suis sûr que si ce public vient à nous, il restera avec nous. »

En attendant ce jour, que Pitoëff ne devait pratiquement jamais connaître, la première saison se passa sans trop de dommage. Le spectacle le plus important en fut sans aucun doute la

(1) *Loc. cité.*

Mouette de Tchékhov, traduite par Georges et Ludmilla eux-mêmes, avec un infini scrupule d'adaptation au public français. Chacun ne goûta pas le romantisme désespéré de la pièce. Mais Ludmilla, déjà acclamée dans le *Temps est un songe,* conquit définitivement le public parisien et s'affirma comme l'ange salvateur de la Compagnie. Chaque fois qu'on disait à Georges: « Cette pièce n'a aucune chance de succès » — rapporte Marcel Achard — il répondait calmement : « N'importe. *Ils* viendront voir Ludmilla. » Et Georges avait raison. Ils venaient la voir... (1). Pour lui, il trouva dans cette pièce l'un des rôles les moins discutés de sa carrière. « M. Georges Pitoëff est un artiste, un très noble artiste », écrivait Pierre Brisson le lendemain de la première. « Tout entier absorbé dans l'amour de son double métier d'acteur et metteur en scène, il poursuit avec une foi tranquille, un effort patient... Une élite suit ses travaux avec une attention fervente. Il serait à souhaiter que le grand public s'y intéresssât davantage. » Et Antoine lui-même, comme un écho non suspect de complaisance, pouvait constater lorsque la saison s'acheva : « A la Comédie des Champs-Elysées, assez mal en point à la fin de la dernière saison, Pitoëff a pu tenir toute l'année avec un répertoire hautement artiste. Après *Le Mangeur de rêves* de M. Lenormand..., des œuvres de premier ordre signées Gorki, Tchékhov, Strindberg, Andréieff, etc... Aussi son entreprise, judicieument soutenue par M. Jacques Hébertot, apparaît-elle d'un rare intérêt. Voilà la scène que nous avions souvent souhaitée : propre à nous tenir au courant de toute une production étrangère qui, hélas ! est trop souvent supérieure à la nôtre. »

Dès cette époque, Pitoëff songe à la constitution d'un «fonds» Shakespeare, alimenté par un emprunt composé de parts à 200 francs, qui permettrait : en premier lieu, de se libérer des engagements pris à Genève ; en second lieu, de monter à Paris *Hamlet, Macbeth, Roméo et Juliette, Richard III. — Hamlet,* on s'en doute, premier servi... André Gide travaillait alors à une nouvelle traduction, formellement promise. Déception ! une lettre du 26 juillet 1922 avertit qu'il n'y fallait pas compter dans l'immédiat.

Au cours de la saison suivante, on reprit donc les *Revenants,* les *Ratés, Candida.* La visite de Stanislavski en décembre fut un

---

(1) *Opéra* — Octobre 1951.

moment d'intense émotion. Le 12 janvier, création de la pièce d'Anet : *Mademoiselle Bourrat*. Succès sans équivalent, dont les reprises allaient plusieurs fois sauver le Théâtre. « Jamais, avoua Antoine, Pitoëff ne nous a donné plus complètement... l'impression que même à l'heure actuelle où tant de choses intéressantes ont été réalisées dans ce sens, il est possible d'élargir un art encore dominé chez nous par les traditions de notre XVIIe siècle... Le décor de l'intéressante pièce de M. Claude Anet est une merveille. » Ludmilla incarnait en la circonstance le personnage d'une jeune fille enceinte des œuvres d'un jardinier. Bien qu'elle ne l'aimât guère, elle reprit ce rôle par la suite à chacune de ses propres grossesses.

Mais voici que, blessée au visage et au pied dans un accident d'auto, elle doit brusquement interrompre toute activité. Georges part seul en tournée à travers la Belgique et la Hollande. Elle est tout juste remise, le 10 avril 1923, pour la célèbre création des *Six Personnages en quête d'auteur*.

Pitoëff connaissait la pièce depuis l'année précédente, grâce à la traduction que venait d'en faire Benjamin Crémieux. Immédiatement, il s'était pris pour elle d'une violente passion, et avait décidé sur-le-champ de la monter. Vérité de l'invraisemblance ! Dans la fièvre de la conception, il écrit à l'auteur — qui s'insurge avec véhémence contre certaines de ses trouvailles. N'importe ! Pitoëff est sûr que Pirandello a tort et non pas lui-même. Les écrivains savent-ils ce que c'est qu'un plateau ? Il n'en fait qu'à sa tête. Le dramaturge italien, sans avertir, prend alors le train pour Paris afin d'assister à une répétition. Et c'est l'éblouissement... « Le rideau se lève sur la scène vide, nue, plongée, dans la pénombre, sans décors, ni portant. » (1). Les personnages ne sont-ils pas l'élément essentiel, unique, de la pièce, aussi énigmatiques dans leur apparition que dans leur existence ? Invention légendaire : les voici qui arrivent par le monte-charge faisant communiquer les dessous du théâtre et l'arrière du plateau. « La mise en scène », écrira Antoine, « paraît réglée si justement que, pas une minute, il ne nous fut possible de nous évader de cette espèce d'hallucination cérébrale collective ». Triomphe bruyant, l'un des plus mémorables de la carrière de Pitoëff. J'ai assisté à la représentation d'un drame de Sardou et à celle du

(1) Note du « programme ».

drame de Pirandello au cours de deux soirées consécutives, note Brisson. « J'ai franchi de la sorte une étape de cinquante ans. C'est un bond qui porte à réfléchir » (1).

8 juin : après une reprise d'*Androclès et le lion,* de Bernard Shaw, création de *Liliom.* Lorsqu'il n'oublie pas l'heure du spectacle, Antonin Artaud figure dans la distribution... Cet exercice de haute voltige, où l'on passe *ex abrupto* « du plan réaliste à celui de la fantaisie », représente pour Pitoëff une manière d'idéal. Aussi accorde-t-il à la pièce de Molnar un sentiment qui ressemble fort à de l'affection ; toujours prêt à en parler, et avec abondance. Comment mettre en scène une pareille œuvre ? « Avec le réalisme, il suffirait de copier exactement la vie. Pour la nouvelle mise en scène, avec quoi comparer ? Avec la vérité imaginaire ? Pas facile. Il fallait avoir confiance, croire et non plus savoir. C'est presque du domaine de la religion ». L'accessoiriste proteste-t-il que jamais ailes ni chars, fussent-ils célestes, n'ont été conformes aux croquis de Georges : il faut lui affirmer qu'on est allé au ciel et qu'on connaît ce dont on parle. Tant pis pour son ébahissement. Le sens profond de l'œuvre « a exigé la réalisation plastique que je lui ai donnée, les lignes, les couleurs, n'étant là que pour dessiner et colorer ces visions de la vie. Le cercle et le triangle ont limité cette vision : le cercle du carrousel, le triangle de la tente foraine. Le ciel et la terre sont vus par Liliom, à travers ce cercle et ce triangle. »

Pendant l'été 1923, Georges ne cesse d'échafauder des projets : *Henri IV* de Pirandello, *Roméo et Juliette,* la *Journée des aveux* de Duhamel, *Esther,* l'*Idiot,* les *Possédés, Crime et Châtiment,* les *Nuits blanches* de Dolstoïevski...

La saison débuta par *La Journée des aveux* (2). Le 22 novembre, reprise de *La Petite Baraque* de Block, dans laquelle Ludmilla avait fait ses débuts à Genève. La pièce elle-même ne fut pas unanimement appréciée — tant s'en faut ; mais l'interprète y recueillit un succès personnel immense. « Ah ! s'écriait entre autres Marcel Achard, que Madame Ludmilla Pitoëff a de talent. Je ne parle pas, bien entendu, de son talent de comédienne. C'est un lieu commun que d'affirmer qu'elle est seule capable de recueillir la succession de Réjane. Je parle de Lud-

(1) *Le Temps.*
(2) Cf. chapitre Jouvet.

milla Pitoëff danseuse. Dans *La Petite Baraque,* elle a prodigué les jetés-battus, les pointes, les entrechats... Et que d'esprit dans ses jambes dont le trait est dans la ligne ! »

Mais déjà s'achevait une nouvelle période de l'histoire des Pitoëff. On créa encore *Au seuil du Royaume* de Knut Hamsun, le 7 février. On retrouva la scène du Vieux-Colombier pour deux mois, en mai et juin. A la rentrée, on put même présenter *L'Histoire du Soldat* de Ramuz et Stravinsky. Puis Jacques Hébertot fut momentanément obligé de se retirer. Georges et Ludmilla perdaient avec lui leur plus ferme soutien. Quittant eux aussi les salles de l'Avenue Montaigne, ils s'en allèrent demander asile au Théâtre des Arts.

CERTITUDE ET HUMILITE DU GENIE

A partir de cette date, il deviendrait artificiel et trompeur de diviser l'exposé en autant de parties que de séjours dans tel ou tel théâtre parisien. Dabord, les changements d'adresse furent trop nombreux. Théâtre des Arts, Mathurins, retour aux Arts, Théâtre de l'Œuvre, Albert Ier, Théâtre de l'Avenue, Vieux-Colombier, à nouveau Mathurins : huit déménagements en moins de dix ans... Ensuite, ce nomadisme n'eut d'autre cause qu'un sort malicieux, qui empêcha Pitoëff de trouver un domicile fixe avant 1934. Enfin, s'il lui fallut évidemment s'adapter aux contingences matérielles de ces différentes salles, jamais ni son travail, ni ses principes ne s'en trouvèrent le moins du monde affectés.

Son principe essentiel n'était-il pas, au reste, l'hostilité systématique à toute doctrine, toute règle préalable ? Un journaliste était venu l'interviewer en août 1923. Mes idées sur la mise en scène ? lui confia-t-il simplement. Rien de moins mystérieux. « Je n'obéis à aucun principe général. Chaque pièce demande et doit commander *sa mise en scène,* au juste mépris de toute doctrine. » Trop *gentleman* pour citer des noms, il n'en estime pas moins que trop d'animateurs modernes se gargarisent d'arts poétiques, au grand dam de leurs réalisations. Car de deux choses l'une : ou bien, ayant établi le cadre général de leur théâtre d'après leur principe fondamental, ils se voient ensuite réduits à ne monter que les seules pièces susceptibles de se prêter à son application ; ou bien, accueillant des œuvres de genres extrêmement différents, ils les plient toutes indistinctement aux mêmes règles de décoration — ce qui est un véritable non-sens. L'entêtement à ne point franchir les limites d'un dogme étroit ne prouve-t-il point d'ailleurs une certaine paresse, ou une certaine indigence ? « J'oserais le déclarer, concluait-il ce jour-là, si je n'étais pas en cause : il faut au metteur en scène beaucoup d'imagination » (1).

De plus, tous les grands théoriciens se croient — ou se proclament — infiniment plus révolutionnaires qu'ils ne le sont en réalité. On ne crée pas quelque chose de rien. Réagir, c'est encore montrer d'une certaine manière que l'on est débiteur. Pourquoi ne pas le reconnaître avec humilité ? En ce qui le concerne, Pitoëff confesse bien haut sa dette envers Antoine et Stanislavski : « Leurs leçons, maintenant, cela sort en moi de façon autre ; voilà tout. » On croirait entendre Valéry : « Rien de plus original, rien de plus soi que de se nourrir des autres : le lion est fait de mouton assimilé. » Il est vrai qu'il faut être un lion...

Le véritable signe de la vocation du metteur en scène consiste, aux yeux de Georges, dans son appétit de création. Obtenir un succès et le faire durer ne représente rien d'autre qu'une opération commerciale, absolument étrangère à l'essence de l'art. Ce qui importe, c'est de monter le plus grand nombre de pièces possible. « Je voudrais, moi, jouer vingt-cinq pièces par saison... » Une telle boulimie explique la longueur impressionnante de son répertoire, les arrêts brusques de certains de ses succès : ils encombrent mon plateau, disait-il. Elle explique également quelques-uns de ses enthousiasmes pour des pièces qui lui paraissaient devoir atteindre au moins... « six ou huit représentations » !

Est-ce à dire qu'il travaillait à la hâte, et que ses réalisations manquaient de minutie dans le détail ? Tout au contraire. Ouvrier infatigable, capable de vivre presque sans dormir, un livre ou un manuscrit toujours ouvert devant son assiette à l'heure des repas (et cependant excellent père de famille pour ses sept enfants) il avait l'œil à tout, s'occupait de tout, dénonçant la moindre inexactitude dans le travail du machiniste, de l'habilleuse, de l'électricien — voire du musicien. Il aidait lui-même à réparer l'erreur, avec une inlassable mansuétude qui prévenait tout signe d'impatience. Mais son exigeance et sa con-

(1) Conversation avec Léopold Lacour.

fiance en soi étaient si grandes qu'il n'acceptait jamais d'avoir tort. Nous l'avons vu à propos de Pirandello. Mieux que l'auteur, il savait de quelle façon sa pièce devait être montée. Il n'était pas rare de l'entendre raconter à tel ou tel sa propre comédie, lui en dévoiler même les arcanes, comme si le créateur, dépassé par son œuvre, avait été incapable de la comprendre... Sans doute, comme à tout le monde, lui arriva-t-il de se tromper. Ses erreurs furent même nombreuses — ce qui n'empêcha point Jouvet de lui rendre cet éclatant hommage : « Pitoëff se trompe peut-être quatre fois sur cinq. Mais, de nous tous, c'est lui qui a du génie. »

Ne cherchons donc point à percer le mystère de ses créations, celui, en particulier, de la conception, des décors. Lui-même — qui écrivit si peu sur le théâtre, et ne se préoccupa point de publier la moindre revue — se fût peut-être trouvé dans l'embarras pour exposer sa méthode. « Je sais seulement », rapporte son fils, « qu'il lisait et relisait la pièce à mettre en scène, qu'il s'en prenait éperdûment, qu'il apprenait sans effort tous les rôles et que, soudain, à table, dans son bureau, en promenade, il traçait sur le papier qu'il avait sous la main, les lignes et les volumes qui allaient devenir l'habillement scénique », accompagnés de notes toujours rédigées en russe. « Parfois le dessin venait de lui-même dans une forme définitive ; parfois il lui fallait une lente élaboration. Il découvrait souvent une clef que d'aucuns pourraient appeler un truc. Ce truc était le sien : il était donc authentique » (1). Nous avons vu en effet le triange et le cercle de *Liliom,* le monte-charge des *Six Personnages.* Il y eut également les rubans du *Mangeur de rêves,* le médaillon de la *Dame aux Camélias,* les ogives de *Sainte Jeanne...* Et Henry Breitenstein déclare qu'il en allait de même pour les leit-motiv des musiques de scène.

Mais, contrairement à un Gaston Baty, Pitoëff éprouve à l'égard du texte le plus profond respect, un sentiment presque religieux. Nous avons vu cela aussi pour les *Six Personnages.* Il se rapproche au maximum de la nudité de la scène, afin que le spectateur puisse diriger toute son attention vers l'œuvre représentée. Jamais il n'étudiera une décoration pour qu'elle obtienne, en elle-même, le moindre succès. Sans cesse au contraire, sauf peut-être dans les toutes dernières années, il ira dans le sens de

---

(1) Sacha Pitoëff — *La Revue Théâtrale* — 1948.

la simplification, afin de laisser toute la vedette aux personnages et à l'action. Deux exemples, parmi des dizaines d'autres. La mise en scène genevoise d'*Hamlet* comportait un décor, très simple certes, mais différent pour chaque tableau. Lors de la reprise aux Mathurins, en 1927, il n'y avait plus qu'un décor unique pour toute la pièce : autant de gagné pour Shakespeare. De même, quelques détails réalistes — comme le cimetière de la place du Vieux-Marché — figuraient dans la décoration du *Vray Procès de Jeanne*, en 1929. Ils furent supprimés en 1931 : la scène du cimetière et de la mort se joua dorénavant sur un fond de ciel.

Cette faculté de mimétisme, jointe à la plus fervente des abnégations, ne comportait-elle pas le risque, sinon de détruire, au moins de faire oublier la part effective du metteur en scène dans le spectacle — en tout cas d'estomper, voire de réduire à néant son originalité ? Ceux qui eurent l'irremplaçable privilège de suivre leurs réalisations ont effectivement noté que la gloire des Pitoëff était due avant tout à l'atmosphère — non pas même d'admiration — mais d'amitié, qui les entourait. Ils faisaient aimer le théâtre, parce qu'ils savaient d'abord se faire aimer eux-mêmes. Influence vague, par conséquent, personnelle, affective, davantage que raisonnée ou véritablement artistique. Un trait commun unissait néanmoins tous les spectacles dont ils assumaient la présentation, et devint ainsi peu à peu leur marque distinctive : l'*angoisse*. Ils ont été, dit Robert Brasillach, « les metteurs en scène de l'inquiétude d'après-guerre. » Lenormand, Bernard Shaw, Pirandello, Tolstoï, Tchékov, et à un degré moindre, Brücker, O'Neill : tous les auteurs qu'ils ont joués sont des analystes du malaise, du trouble, de l'incertitude, du malheur, parfois de la folie. « De tant d'éléments divers, et parfois médiocres, ils faisaient toujours naître la poésie » ; et l'on allait chez eux chercher les images d'une époque instable et de ses catastrophes.

Quant à son jeu, auquel Georges n'accordait pas moins d'importance qu'à ses mises en scène, il résultait d'un étonnant mélange d'instinct, d'inspiration, et de singulière acuité dans l'analyse psychologique. Cette extraordinaire intelligence lui permit même de renouveler un certain nombre de rôles : celui de Charles VII, par exemple, qui n'est pas une caricature, mais une sorte de Jeanne d'Arc privée des secours de la grâce ; ou celui d'Hamlet, dont « l'essentiel est la réponse au monologue : *To be or not to be* — J'accepte, *let be* ». Parallèlement à son rôle de metteur en scène des inquiétudes d'après-guerre, il incarnait exactement en tant qu'acteur, dit encore Brasillach, « certaine âme moderne, déséquilibrée par le heurt des instincts, rêvant de vie ardente et absolue... type le plus parfait d'une génération privée d'appuis et qui aspirait à la sérénité ». Expression de l'accablement, donc, auquel s'ajoutait le plus souvent un souverain détachement des choses de ce bas monde, scepticisme teinté à la fois d'amertume et de généreux espoir.

Cette triple faculté de pénétration, d'incarnation, d'expression, il ne la devait pratiquement à personne, et la conservait pour lui. Jamais il ne se mêla de former, ou d'enseigner qui que ce soit. Il ne refusait pas un conseil, quand on venait le lui demander. Mais il donnait à peine les indications élémentaires, attendues par les membres de la troupe, surtout lorsqu'il s'agissait de prétendues vedettes qui avaient voulu s'imposer. Il ne haïssait rien tant que le *métier,* la prétention, le cabotinage. Aussi, en bien des cas, préféra-t-il engager des amateurs ou des débutants.

Il n'avait même pas cherché à initier Ludmilla — qui d'ailleurs n'en avait pas besoin. D'abord, parce que l'amour suffisait pour lui faire imiter Georges, devenir son ombre, sa réplique, son double. Lors d'une interview radiophonique, on leur avait demandé sur quoi reposait leur collaboration. « Sur l'admiration », répondit Georges. « Sur l'amour », dit Ludmilla ; — après quoi elle avait récité la fable des *Deux Pigeons*... D'autre part, Ludmilla n'avait pas à proprement parler de talent, mais un don, le moins transmissible, le moins analysable, le plus mystérieux : le rayonnement de sa personne. Elle n'aimait pas le théâtre. Ses intimes savent qu'elle disait vrai en l'affirmant. Mais *Ludmilla,* en russe, aimait-elle à expliquer, veut dire « sympathique aux gens ». Sans doute, suggère un critique, faut-il voir là quelque magie. « Elle n'avait qu'à paraître, et il semblait qu'avec elle un rayon entrait. » Cela ne s'expliquait pas.

Cela s'expliquait difficilement en effet au niveau de la représentation, mais avait tout de même une raison profonde, sinon unique, dans la méthode de lente élaboration à laquelle elle se soumettait, et qu'elle consentit un jour à exposer. Premier temps : pénétration du mystère intérieur du personnage, grâce à la mobilisation de tout son être. Innombrables lectures du texte. Deuxième temps : l'assimilation accomplie, l'extériorisation se fait comme d'elle-même. Cependant, au cours des répétitions, un phénomène inverse se produit. Gestes et intonations complètent à leur tour l'assimilation primitive ; et c'est seulement au terme de nombreux exercices que l'actrice se délivre vraiment de son personnage en lui donnant naissance. Encore n'a-t-il pas à ce moment sa figure définitive. Aussi longtemps qu'elle joue son rôle, elle ne cesse de le vivre, profondément, littéralement, donc de le nuancer, de le faire apparaître sous de nouveaux aspects. Si elle doit le reprendre après quelques semaines ou quelques mois d'interruption, elle le jouera de façon différente encore. En cela également semblable à Georges, qui refusait qu'un autre directeur de troupe utilisât une quelconque « mise en scène de Pitoëff ». Si je reprenais la pièce moi-même, disait-il, ce ne serait certainement pas dans ma mise en scène, mais dans une autre toute nouvelle...

HENRI IV, JEANNE D'ARC, HAMLET

Livré à lui-même, l'ancien pensionnaire de Jacques Hébertot essaya d'abord de mettre sur pied un « projet de théâtre Pitoëff à Paris ». Il rédigea et fit distribuer un petit opuscule, dans lequel il exposait ses rêves et ses intentions. Un nombre considérable de personnalités appuya cet appel. Outre les « grands » du théâtre (Antoine, Copeau, Gémier, Lugné-Poe), on relevait parmi les signataires des noms aussi illustres que ceux de Charles du Bos, Léon Blum, Jean Cocteau, Anatole France, Gide, Honegger, Martin du Gard, Darius Milhaud, Stravinsky, Valéry... Caution sans effet, hélas ! *Henri IV* de Pirandello fut créé le 3 janvier 1925 sur la grande scène du Théâtre de Monte-Carlo, puis transporté le 24 février au Théâtre des Arts.

Cette pièce était la première qui eût valu à son auteur un incontestable succès en Italie. L'accueil de la critique parisienne fut au moins partagé. Au soir du 24 février, un journaliste note quelque nervosité dans la salle. Tristan Bernard fait de l'esprit facile aux dépens de Pirandello. Souday, Lombard, Emile Mas se déchaînent contre l'œuvre « étrangère, confuse, incohérente et par-dessus tout ennuyeuse » — et son interprète, « animateur très inférieur à la moyenne de nos comédiens. » Pawlowski, en revanche, salue « la plus belle création de ce grand acteur » qu'est Georges Pitoëff. Un moment désorienté, Antoine reconnaît à son tour que « la comédie fort difficile à réaliser est mise en scène avec l'art le plus intelligent ». Enfin, Lugné-Poe admire sans réserve dans *Henri IV* « une œuvre de qualité supérieure qui mérite de susciter l'intérêt, mieux, la passion » ; et il ajoute : « Pitoëff a bien mérité du théâtre en mettant à la scène cette pièce avec laquelle il s'est dépensé avec ses moyens dostoïewskiens ». Le rideau tombé, Georges avait été acclamé. Du point de vue public, ç'avait été un grand succès.

Rien de comparable, pourtant, avec celui de *Sainte Jeanne*. Créée le 28 avril suivant, la pièce de Bernard Shaw fut redonnée régulièrement chaque saison jusqu'en 1934. On la présenta le 9 mai 1936 à Orléans, dans le cadre des fêtes de Jeanne d'Arc — en même temps que la scène à Domrémy, du mystère de Péguy. Chacune de ces reprises fut un triomphe. Y applaudissait-on davantage l'œuvre du dramaturge irlandais ou le travail des Pitoëff ? Question presque vaine. Nous avons affaire là à une espèce de rencontre miraculeuse, dont le résultat forme un tout à peu près impossible à analyser. Certes, des appréhensions n'avaient pas manqué de s'exprimer dans certains milieux, à l'annonce du spectacle. On redoutait quelques infidélités à l'orthodoxie. L'ironie de Shaw en général, et à l'égard des Français en particulier, faisait enfler le dos. Le succès immédiat balaya toutes ces craintes. M. Painlevé lui-même, président du Conseil, donna plusieurs fois — dit-on — le signal des applaudissements. La presse fut cette fois à peu près unanime. *Sainte Jeanne* devint à la Compagnie Pitoëff ce qu'était *Knock* dans le même temps à la Compagnie Jouvet. Je suis sorti de ma soirée, écrivait Martin du Gard aux deux principaux interprètes le 15 Mai 1925, « émerveillé des prodiges que vous avez faits, l'un et l'autre, pour faire de ce spectacle une chose tout à fait accomplie ».

Parmi ces prodiges, l'auteur des *Thibault* regrettait que l'on n'eût point davantage souligné la composition par Georges du personnage de Charles VII, création la plus complète qu'il ait pu faire — devait dire Brasillach — « dans l'ordre à la fois critique et comique, par tant d'intelligence mêlée à la peur, à la faiblesse physique, aux erreurs humaines, tant de médiocrité sous laquelle perce une sorte de grandeur terrienne ». Quant à la décoration, Pitoëff en rejetait tout le mérite sur Ludmilla. Il n'avait eu, confiait-il à son fils, « qu'à imaginer Ludmilla au centre de la scène et à tracer les lignes autour de ce point pour trouver l'architecture ». L'extraordinaire interprète de Jeanne était en effet le centre du spectacle, et le principal artisan de son triomphe. Les chroniqueurs ne savaient comment lui expimer leurs louanges. « Ludmilla Pitoëff, c'est Jeanne elle-même », écrivait André Rivoire. Lorsqu'elle paraît, notait un autre, « tout est beaucoup plus simple que ce que nous pourrions dire : *nous la reconnaissons* ». Georges Pioch avouait qu'il eût crié à la perfection, « si la vie n'était pas pour nous émouvoir mieux que la perfection elle-même » ; car c'était là « dans l'ordre le plus conscient du théâtre la vie tout entière ».

Georges, sa fille Aniouta en ont témoigné : aucun rôle ne marqua Ludmilla à ce point. Sa vie intérieure s'en trouva bouleversée. A partir de cette époque, elle traversa de véritables crises de religiosité, sinon de mysticisme, — tantôt se déclarant indigne d'incarner le personnage d'une si grande sainte, tantôt partant en pélerinage, se plongeant dans des livres de piété, se vouant littéralement au culte de la légendaire héroïne. L'atmosphère des coulisses et du plateau s'en trouvait transformée pendant ces représentations exceptionnelles : on parlait bas comme dans un sanctuaire... Et le miracle se reproduisit en 1929, lorsque Georges, en collaboration avec Arnaud, tira des simples textes authentiques des greffiers de Rouen ce que certains considèrent comme son chef-d'œuvre : *Le Vray Procès de Jeanne d'Arc*. Qui n'a pas vu Ludmilla dans cette pièce, écrit un témoin, « pleurer et balbutier le jour de l'abjuration au cimetière de Saint-Ouen, en répétant les formules forcées, n'a pas vu la chose la plus émouvante et la plus belle peut-être qui soit au monde »... (1).

18 mars 1926 : *L'Ame en peine* de Jean-Jacques Bernard. A cette occasion, Georges parle succinctement de sa conception de la mise en scène : « Avant tout poétique et harmonieuse, tout est là... Donner l'impression d'une vie transfigurée par l'art et où tout concorde à la preuve que l'on veut donner... » Le 4 mai suivant : *Comme ci ou comme ça* de Pirandello. La pièce déroute évidemment nombre de spectateurs. Pierre Brisson cependant remarque, non sans malice : « Les deux ou trois actes de cette

---

(1) Brasillach. Loc. cité.

pochade sont mis en scène par M. Pitoëff avec le désordre le plus attentif et le plus intelligent... » Mais l'événement de la saison fut sans aucun doute la création d'*Orphée,* de Jean Cocteau. Nouvelle bataille d'*Hernani.* « Il faut jeter une bombe », disait le poète à la première scène. « Il faut obtenir un scandale... On étouffe. On ne respire plus. » Dans ce domaine, on pouvait faire confiance à l'enfant terrible de la littérature. Cheval magicien, ange-vitrier, poète grec en pull-over : tout était calculé pour obtenir un beau chahut. L'auteur, enchanté de son succès, se frotta les mains en lisant la célèbre phrase d'Antoine : « Les fous sont lâchés dans Paris ». Il dédia sa pièce aux enfants de Georges, et songea un moment à confier à Ludmilla le rôle écrasant de *La Voix humaine.*

Au mois de décembre de cette même année 1926, *Jean le Maufranc* de Jules Romains (première version de *Musse ou l'Ecole de l'Hypocrisie,* jouée en 1930 par Charles Dullin) fut inévitablement éclipsé par la reprise tant attendue d'*Hamlet.* Toute sa vie, déclare Hébertot, ce drame shakespearien fut comme la hantise de Georges. Il voulait décanter le rôle, surchargé par les traditions romantiques. Difficile simplicité ! « Il m'a fallu des années, confiait-il un jour à son fils Sacha, pour comprendre que je devais entrer dans le monologue... sans faire un geste ! » Des années aussi, probablement, pour obtenir la pureté et mettre au point le symbolisme des couleurs : noir pour Hamlet, blanc pour Ophélie devenue folle et pour Fortinbras à la fin du drame. Un plus grand nombre d'années encore — nous l'avons vu — pour réduire de 24 à un seul le nombre des décors. Mais aussi, quel succès !

Bien sûr, il y eût des Rouveyre pour protester contre la « transformation du spectre solide », avec son « expressif bardement », en « flou indécis » (1). Georges et Ludmilla se contentèrent d'en rire. Ils misaient avant tout sur la sympathie de la jeunesse intellectuelle, spécialement invitée le jour de la première parisienne. Parmi ces étudiants, une phalange de *khâgneux,* encore au Lycée Louis-le-Grand, allait devenir célèbre. Elle comprenait Jean Beaufret, Maurice Bardèche, Robert Brasillach, Thierry Maulnier. Ils invitèrent les Pitoëff dans leurs *turnes* de l'Ecole Normale, après 1928, en échange d'invitations à partager

(1) *Mercure de France.*

la vie du théâtre dans les coulisses. Ceux-là ne se trompèrent pas pour juger de la qualité du spectacle, « la plus belle représentation..., la plus exaltante et la plus vivante, sans doute », à laquelle ils eussent jamais assisté. Ce que le personnage de Jeanne était à Ludmilla, celui d'Hamlet se révélait au moins autant l'être pour Georges. « Je serais bien incapable, disait l'un de ces jeunes critiques, d'analyser son jeu... Seulement, je me sens plus incapable encore d'imaginer Hamlet autrement que sous ses traits... Je ne sais pas comment il joue Hamlet : il est Hamlet. Et nul autre que lui ne le sera avant longtemps. »

Quelques mois plus tôt, Pitoëff avait élaboré un projet d'*échange international* de son théâtre avec ceux d'Europe et d'Amérique. Son répertoire eût alors compris — outre les principaux chefs-d'œuvre de la littérature mondiale — *toutes* les pièces de Shakespeare. Hélas ! presque dix ans auront passé, lorsqu'il abordera à nouveau le dramaturge anglais avec la création de *Roméo et Juliette*...

LA RONDE DES HEURES ET L'HEURE DE « LA RONDE »

En attendant, et malgré l'insuccès d'un autre appel lancé en 1927 pour constituer un fonds de garanite permettant de monter le cycle *Revenons à Mathusalem,* Georges en « revient » à l'œuvre de Bernard Shaw. 17 janvier 1928 : *La Maison des cœurs brisés.* 18 décembre : *César et Cléopâtre.* Je n'ai jamais vu, écrivait à cette occasion Max Jacob, « pareille perfection dans l'ensemble et dans les détails, tant d'esprit et de si formidables *incarnations.* Je souligne incarnation ». Pourquoi donc la critique resta-t-elle pratiquement muette, faisant de ce spectacle où Pitoëff avait englouti toutes ses ressources un véritable four ? Sombre querelle... Irrité du succès des pièces de Bernstein, infiniment supérieur à celui des siennes propres, Bernard Shaw avait vitupéré contre le public parisien et le manque de discernement des chroniqueurs français. Ceux-ci se vengèrent par la conspiration du silence ; et l'irascible Shaw reporta sa colère sur les Pitoëff. Une fois de plus, heureusement, *Sainte Jeanne* fit un miracle et sauva la situation. Un mois plus tard, c'était la présentation des *Trois Sœurs.*

Que de difficultés ne souleva-t-elle point ! La trésorerie extrêmement basse, on était allé jusqu'à emprunter sur les bénéfices éventuels d'une tournée en Europe. Répétitions graves, par conséquent ; mais ferventes, ardentes même. Tchékhov était l'un des dieux de Georges. La première pièce montée en Suisse, on s'en souvient, avait été *Oncle Vania ;* l'un des premiers succès parisiens : celui de la *Mouette.* Dans ses pièces, disait-il, « Tchékhov nous fait aimer une société composée d'êtres insignifiants, représentants de la grande majorité. Mais ces êtres, précurseurs du grand bouleversement, portent en eux des germes de foi, d'ardeur, de génie, de résignation. » Leur extérieur seul paraît insignifiant ; un véritable « feu intérieur les dévore ». Quant à la technique dramatique, « le mécanisme des pièces de Tchékhov est si peu fait, si délicat, qu'on dirait une opération où les outils du chirurgien n'apparaîtraient jamais ». Quel succès obtinrent ces *Trois Sœurs ?* Certes, des critiques avertis comme Jean Nepveu-Degas célébrèrent la magie d'une mise en scène sans autre truchement que quelques mètres d'étoffe, quelques meubles, quelques éclairages et l'incantation de voix inimitables. Antoine fut sensible à cette lumière nouvelle, dont s'illuminait aux yeux du public français l'œuvre du grand dramaturge russe. Les recettes cependant laissèrent fort peu de bénéfices. Tout au plus, la pièce gagna-t-elle au Théâtre Pitoëff un certain nombre de spectateurs n'appartenant plus au seul milieu intellectuel.

On a dit que l'argent fondait entre les mains de Georges et de Ludmilla, et que l'impécuniosité leur était aussi naturelle que le nomadisme. Qui pourrait faire en ces deux domaines la part des circonstances et celle du laisser-aller ? Du moins le manque de ressources ne conduisit-il jamais les Pitoëff à la plus bénigne compromission. Il refusa vers cette époque un fabuleux cachet pour vingt minutes de présence dans un spectacle de music-hall. L'unique source de revenus qu'il acceptât en dehors des recettes régulières de son théâtre était celle des tournées à l'étranger. Tournées innombrables, presque toujours triomphales, à travers la Belgique, la Hollande, la Suisse, l'Italie, l'Espagne, l'Autriche, la Hongrie, la Roumanie ; tournées périlleuses parfois, comme celle qui leur fit accueillir à Bucarest le roi Ferdinand Ier, menacé d'assassinat...

Le 21 septembre 1929, *Le Singe velu* d'O'Neill tombait dans un four noir. Cet âpre conflit de classes, pour reprendre le mot d'un critique, s'abattait sur Paris comme un rêve importun. On reconnut l'effort de Pitoëff pour la mise en scène ; mais on le qualifia de hasardeux et de stérile. Seul, ou presque, Antoine s'enthousiasma : « *Le Singe velu,* écrivit-il, nous a donné la même impression d'originalité et de puissance qu'*Empereur Jones* (1). Pitoëff a su envelopper la pièce d'une mise en scène profondément originale... il nous a, cette fois, réalisé un véritable chef-d'œuvre. »

Puis vinrent *Les Criminels* de Brückner. La pièce avait connu un succès considérable à travers l'Europe. Etrange décoration : la façade d'une maison était peinte sur un rideau ; celui-ci relevé, apparaissaient les intérieurs dont se composait la maison, et qui allaient devenir des salles d'audience de tribunal. Cette étrangeté, Pitoëff n'en était pas l'auteur. Mais il y introduisit une note originale en décalant légèrement, les uns par rapport aux autres, les plans des divers appartements : image de la brisure de la vie, qui avait de plus le mérite de rompre la monotonie de l'ensemble. Le spectacle fit couler beaucoup d'encre et de salive. La politique s'en mêla. Les critiques d'extrême-droite reprochèrent violemment à Pitoëff de ne trouver rien de mieux à proposer à l'admiration des Français que les turpitudes de la corruption berlinoise et les élucubrations d'un « penseur boche ». Le succès, comme dans les autres capitales, n'en fut pas moins énorme. La pièce tint l'affiche pendant six mois. Georges ne l'arrêta que sur les supplications larmoyantes de Ludmilla, épuisée, excédée par un rôle qui lui avait valu l'un de ses plus extraordinaires triomphes, mais qu'elle exécrait.

Sans cesse à la recherche d'auteurs nouveaux, Pitoëff créa en 1931 *Les Hommes* de Paul Vialar, puis revint à Bernard Shaw avec *La Charrette de Pommes.* Ce fut ensuite l'*Œdipe* de Gide, présenté d'abord à Bruxelles, puis au Théâtre de l'Avenue le 19 février 1932. J'aurais voulu vous redire, écrivait à ce propos l'auteur des *Nourritures* « quelle profonde satisfaction votre interprétation m'a donnée. Vous avez su amener au jour les sentiments les plus secrets d'une âme particulièrement complexe (j'entends celle d'Œdipe). Il y fallait une intelligence de mon texte si particulière, que je désespérais de la rencontrer aussitôt. » D'où vint donc, en dépit de quelques enthousiasmes, l'insuccès du drame ? En grande partie, affirme Gide dans son *Journal,* de la préface du programme, écrite à la demande de Pitoëff

(1) Cf. chapitre Baty.

pour le public bruxellois, et imprudemment reproduite à Paris. Les plaisanteries, de plus ou moins bon aloi, y étaient orchestrées à l'excès ; elles déplurent... Une autre réflexion de l'auteur, cependant, nous laisse un peu perplexes : celle où il déclare que l'intérêt principal de la pièce résidait dans le combat des idées. Qui sait si l'abstraction de ce mouvement n'apparut point comme indigence dramatique ?

Tandis que les matinées spéciales du jeudi avec *Maison de Poupée* permettaient tant bien que mal de renflouer la caisse, la même saison devait être marquée par deux autres créations importantes : *La Belle au Bois* de Supervielle, qui n'eut certainement pas le retentissement qu'elle méritait, et la *Médée* de Sénèque. Le texte de cette tragédie latine avait été prêté à Ludmilla par le normalien Robert Brasillach. Sans doute ne peut-on point faire courir les foules avec un tel spectacle — qui ne connut effectivement qu'un tout petit nombre de représentations. Du moins fut ainsi démontrée la valeur scénique d'une pièce réputée injouable depuis près de deux mille ans.

Infiniment plus bruyante — le 29 septembre 1932 — fut la création de *La Ronde,* pièce en dix tableaux de l'auteur autrichien Arthur Schnitzler. Ronde de l'infidélité où l'on voyait successivement : la prostituée s'offrir au marin, ce dernier séduire la bonne, celle-ci devenir la maîtresse du jeune homme, le jeune homme débaucher la femme mariée, cette dernière revenir avec son mari, celui-ci souper avec la grisette, la grisette tomber au pouvoir de l'homme de lettres, lequel entraînait ensuite la comédienne, qui se précipitait dans les bras du comte, tandis que le comte enfin se retrouvait chez la prostituée... Ecrite en 1882, cette satire avait déchaîné de beaux scandales à Vienne au début du siècle. Point n'est besoin, je pense, d'en préciser les raisons. Un instant séduit, Antoine avait finalement renoncé à monter la pièce, à cause des difficultés presque insurmontables de la mise en scène. Le soir de la générale, on s'imagine donc avec quelle hâte il se précipita chez Pitoëff. « J'avais cherché deux ans », s'écria-t-il, ébloui, « et je n'avais pas trouvé ! Mais, lui, il a trouvé ! »

Il avait trouvé, en effet, un ingénieux système de pivots et de rails, permettant une permutation circulaire de *cases* scéniques, dont chacune ne demeurait pas plus de quelques minutes devant les yeux du spectateur. « La difficulté, expliquait Antoine, était d'escamoter suffisamment l'acte essentiel qui doit se produire à chaque tableau. » Pitoëff y parvint en détournant l'attention du public, sans jamais lui faire perdre de vue l'action, et cela par de petits trucs différents à chaque tableau : toiles d'avant-scène peintes par André Girard, chien mécanique en peluche se promenant sur le plateau, audition de disques, tels que *Parlez-moi d'amour* de Lucienne Boyer. « Entreprise risquée, mais brillamment gagnée », notait Lugné-Poe. Mise en scène, affirmait Edmond Sée, « actualisée avec une ingéniosité, une malice ironique qui tiennent du miracle ».

Un autre miracle suscita l'admiration : celui des cinq rôles féminins tenus par l'unique et irremplaçable Ludmilla. « Seule contre cinq, écrivait Franc-Nohain, la victoire demeure à Mme Pitoëff, dans ce récital Ludmilla Pitoëff ». Et Lucien Dubech : « Ces cinq personnages en quête d'actrice sont une des cimes de sa glorieuse carrière ». Non moins que Georges, en effet, elle fut l'artisan d'un succès d'autant mieux venu qu'il avait fallu monter la pièce sans argent, malgré les mendicités auprès de certains mécènes. Son épuisement seul contraignit à suspendre le cours des représentations.

(Un détail : c'est en cette même année 1932 que Georges fit ses débuts au cinéma, dans *La Machine à jouer* d'Emile Reinert. L'année suivante, il tournal au Maroc *Le Grand Jeu*, avec Pierre-Richard Wilm et Françoise Rosay. Il y tenait le rôle d'un légionnaire).

Fût-il bien inspiré en clôturant cette saison, si brillamment commencée, avec *Les Juifs* de Tchirikoff ? Les ennemis que lui avaient valus *Les Criminels* repartirent en guerre. Combien d'esprits étaient capables de comprendre que pour lui la poésie n'avait de frontières, ni géographiques, ni politiques ?... A la rentrée, *Libeleï* et *Les derniers Masques*, d'Arthur Schnitzler, furent loin d'obtenir un succès égal à celui de *La Ronde*. L'intérêt de cette saison 1933-1934 résida moins, il est vrai, dans la nature des spectacles montés que dans la présence de Georges et de Ludmilla au Théâtre du Vieux-Colombier. Plein d'émotion, Copeau y vint assister à une représentation de *La Polka des Chaises*, de Mackensie. Nostalgie ? Sans doute. Mais jublilation également de voir le flambeau relevé, et brillant d'un pareil éclat. La présence des Pitoëff, écrit-il, « cohabite avec le passé tout naturellement, sans effort et sans ostentation. En deux mois à peine ils ont fait du Vieux-Colombier une chose à eux, toute différente de l'ancienne et pourtant son amie. On s'y retrouve en contact avec la simplicité, l'amour du travail et celui de la poésie, une certaine indifférence supérieure à la réussite et au confort... »

QUAND MONTAIT L'ORAGE

19 janvier 1935, sur la scène des Mathurins : nouveau retour à Pirandello avec *Ce soir, on improvise.* De cette pièce, écrit Pitoëff, « on pourrait dire qu'elle constitue une apologie de l'art de l'acteur, un acte de foi dans l'art scénique jur, allégé de tout texte et de toute mise en scène ». Que fallait-il de plus pour qu'il se passionnât ? Sous prétexte d'un commentaire, il précisa sa conception des rapports entre acteur et auteur, entre comédien et personnage. Cette indentification de l'un à l'autre, en effet, « qui ressemble étrangement à l'identification de l'homme à la destinée qu'il se construit, base de la morale pirandellienne » — c'est tout le drame de *Ce soir, on improvise.*

Dans les mois qui suivirent, on ne cessa de multiplier, avec plus d'ardeur que jamais, et de varier les spectacles : retour à Bruckner avec *La Créature,* à Bernard Shaw avec *Le Héros et le Soldat,* à Lenormand avec *La Folle du Ciel,* à Vildrac avec *Poucette* ; création de la meilleure pièce de Steve Passeur, *Je vivrai un grand amour.* Si le succès demeurait plus qu'honorable du côté de l'élite, Georges regrettait avec amertume de ne pouvoir atteindre la masse. « Mon désir personnel, disait-il, est d'amener le public populaire vers les manifestations d'art pur. » Sans doute avait-il eu avec lui et conservait-il le public cultivé, émanation d'une élite internationale. Mais ce public, ayant payé son tribut à l'art, commençait-il à se fatiguer. De toute nécessité, concluait-il, il importe de toucher les couches populaires « qui représentent un public encore intact et sain — d'autant plus qu'entre l'élite et le peuple, il y a un public intermédiaire et moyen, qu'il est bien difficile sinon impossible de toucher, parce qu'il n'a ni la culture du premier, ni la réceptivité du second ». Raison apostolique, par conséquent, mais aussi raison pécuniaire : cette conversion serait la seule solution valable aux embarras financiers.

Octobre 1936 : la saison s'ouvre avec *Angelica* de Léo Perrero. Etrange histoire que celle de ce jeune dramaturge italien, joué à vingt ans sur les scènes romaines et florentines, ami de Pirandello, ambassadeur du Teatro dei Dodici auprès de Gaston Baty, qui s'était lié d'une indéfectible amitié à Georges et Ludmilla en 1926, avait dû fuir le régime fasciste en 1928, pour rencontrer finalement la mort — à trente ans — dans un accident de voiture au Mexique, en 1932. *L'Action Française* s'irrita fort de voir créer cette pièce posthume, mais ne put l'empêcher de remporter un franc succès. Elle était inégale, tout le monde en convint ; trop littéraire, on l'admit. Mais elle respirait une incomparable jeunesse, et sous son aspect comique, stylisait avec un art consommé les grands problèmes de la liberté et de la dictature. L'amertume gracieuse du dernier acte ne fit évoquer rien moins que le souvenir de *Lorenzaccio*...

La saison commençait en somme sous de bons auspices. Depuis l'été, le ministre Jean Zay ne subventionnait-il pas la Compagnie ? Petite compensation à l'oubli de Georges sur la liste des metteurs en scène de la Comédie-Française. La salle des Mathurins fut remise à neuf. On agrandit la scène en supprimant les trois premiers rangs d'orchestre. Pitoëff ne cachait pas une certaine exaltation. Il s'était fait naturaliser en 1929. On le nomma chevalier de la Légion d'honneur en 1937. Son sourire se fit un peu plus amer. C'était l'époque où il préparait *Le Voyageur sans bagages,* de Jean Anouilh, créé très exactement le 17 février.

Si ce drame n'est pas le chef-d'œuvre de son auteur — on réserve plutôt ce titre à *Antigone* — il est certainement l'une de ses meilleures « pièces noires ». Anouilh, à cette époque, n'avait pas encore ressenti les effets pernicieux du succès et de la facilité. Vous ne pouvez vous figurer, écrivait-il quelques mois plus tard à son metteur en scène, « ce que *vous* et le *Voyageur* m'avez à la fois enrichi et paralysé. Je me sens tout près d'un théâtre poétique et artificiel... avec cependant des vestons, des chapeaux melons et les apparences du réalisme ». La réussite, à vrai dire, était aussi un encouragement considérable pour Pitoëff qui, pendant ce temps, travaillait à monter enfin *Roméo et Juliette.*

Il y rêvait depuis 1923. Chez Hébertot, il avait cru pouvoir réaliser une mise en scène amoureusement conçue. Quatorze ans plus tard, c'est elle qu'il utilisa, avec son fameux décor unique. Comptez avec moi, disait-il aux journalistes : trois minutes pour admirer chaque décor, vingt-quatre tableaux — cela eût fait plus d'une heure perdue pour écouter le texte de Shakespeare. Les critiques, dans l'ensemble tombèrent d'accord : la décoration était « belle et intelligente » ; dommage que le plateau des Mathurins fût trop étroit. Il aurait fallu voir cette mise en scène à la Comédie des Champs-Elysées, pour laquelle elle avait été préparée. D'autre part, Georges avait cinquante ans, Ludmilla quarante. Ils ne pouvaient le dissimuler. On leur fit grief de cette prétention à jouer les jeunes premiers. Rares furent les Brasillach affirmant que cela n'avait aucune importance. Pitoëff avait traité Roméo en frère d'Hamlet (voir d'ailleurs les draperies noires entourant la scène) ; l'interprétation était parfaitement légitime et tirée du texte lui-même.

Comme pour *Hamlet,* la première avait été réservée à la jeunesse intellectuelle. L'accueil fut plutôt froid. Le lendemain, tout parut aller mieux d'abord ; puis l'atmosphère se détériora, et ce fut comme la veille un silence pénible. « Pourtant, écrivait Dubech, M. et Mme Pitoëff ont tenté de restituer Shakespeare sans romantisme. » Ils l'avaient plus que tenté. A la fin, avouait Robert Kemp, « on sort ému de tant d'intelligence, d'activité spirituelle, de générosité, et de cet esprit d'entreprise ». La grande Colette loyalement s'inclinait. Notre goût, sans doute, « notre habitude affectueuse et reconnaissante discutent Pitoëff. Mais nous le suivons. Ainsi nous avons la chance d'arriver, en ne le perdant pas de vue, au moment, où, fourbu, démaquillé par la fatigue, son âge sur ses traits, Pitoëff *devient* tout à coup le héros qu'il joue et se dresse, jeune, illuminé, sur le bord d'une tombe... » Le spectacle ne put cependant garder l'affiche plus de trois semaines.

Un certain abattement suivit cet échec, prolongé par celui des *Abeilles sur le pont supérieur* à la rentrée suivante. Un moment, Pitoëff se demanda s'il n'était pas déjà d'hier, comme il avait lui-même, autrefois, jugé Stanislavski dépassé. Mais bientôt, la fièvre à nouveau s'empara de lui. Un grand événement allait marquer le début de l'hiver 1937-1938 : la présentation à Paris de l'*Echange* (1), monté autrefois en Suisse. « Comment vous remercier de la magnifique soirée d'hier ? » écrivait l'auteur à ses interprètes au lendemain de la générale. « C'est vous qui avez tout fait, non seulement par votre propre participation, si réussie, mais par l'organisation de ce difficile quatuor ! C'est

(1) Le 17 novembre.

une joie pour un poète d'avoir à sa disposition ces magnifiques instruments, tous vibrants de la même émotion et de la même pensée ». Comme d'habitude, les critiques accusèrent quelques divergences d'opinion. Leurs remarques ne m'émeuvent pas beaucoup, déclara Claudel. Elles avaient d'autant moins à l'émouvoir, que la pièce obtint un succès sans équivoque. Un des spectacles les plus merveilleux que la compagnie Pitoëff nous ait jamais offerts, affirma Brasillach. Intelligence sans égale de Georges. Admirable science du jeu de Mme Eve Francis. Fine compréhension de M. Louis Salou. Quant à Ludmilla, il me semble, concluait-il, que dans le second acte « elle s'est élevée au sommet de sa carrière, et qu'elle ne nous a jamais rien donné de plus pur, de plus noble, de plus tragique et de plus déchirant. »

Succès analogue, deux mois plus tard, avec *La Sauvage* d'Anouilh, dont l'élaboration commune par l'auteur et le metteur en scène évoque irrésistiblement la collaboration Giraudoux-Jouvet. « De coupure en coupure, rappellera plus tard le dramaturge, nous avions fini par ne rien faire dire à Ludmilla qu'un long silence — qu'elle disait si bien... (vous vous rappelez les coupures ? c'était moi qui voulais toujours couper, et vous qui défendiez mon texte mot par mot contre tous les usages...) » (1). Succès réconfortant ; mais en avril Georges s'effondre, terrassé par un infarctus du myocarde. Repos complet ; condamnation à plus ou moins longue échéance... Car ce passionné ne peut rester inactif. Assez impatiemment, il ronge son frein jusqu'à la fin de la saison, occupée par les reprises de *Mademoiselle Bourrat*, et de *Maison de Poupée*. Mais à la rentrée, il retourne au théâtre. Tout ce qu'il accepte — provisoirement — c'est de ne pas jouer. Mais il monte une nouvelle pièce de Shaw : *L'Argent n'a pas d'odeur*, une de Supervielle : *La première Famille*. Le 10 décembre, il reparaît en scène dans *La Fenêtre ouverte* de Maurice Martin du Gard.

Il veut reprendre *La Mouette*. Sans illusion, le médecin cède à ses instances. Le spectacle obtient un succès extraordinaire. Vérité, écrit Jean-Richard Bloch, « qui confine à l'hallucination et arrache à tout instant aux spectateurs des gémissements de surprise et d'émerveillement ». La voix de Tchékhov, dit encore Pierre Brisson, « est leur voix ». Georges et Ludmilla « ont repris

(1) *Mon cher Pitoëff* — Opéra — 11 septembre 1940.

leur fraîcheur et leur innocence... Ils jouent comme des anges ». Depuis le 17 janvier, la salle ne désemplira pas de plusieurs mois.

Pourquoi faut-il donc qu'une idée insensée s'empare brusquement de l'esprit du malade, celle de monter *Un Ennemi du Peuple* d'Ibsen, et d'y jouer le rôle de Stockman ? On essaie de le raisonner. On lui crie : au suicide ! On implore. Rien à faire. Tout au plus consent-il à diriger les répétitions de la salle, et à laisser lire son rôle sur le plateau par Michel François, fils de Michel Simon. Le jour où il monte sur la scène, un filet de sang apparaît à la commissure de ses lèvres et lui coule sur le menton. Un frisson parcourt les membres de la troupe. Le jour de la générale, on lui apporte du café très fort à chaque entr'acte. Tout le monde tremble. Enfin, le rideau tombe. La salle frémit sous un tonnerre d'applaudissements. « Vous voyez, déclare Georges, tout s'est bien passé. J'ai réalisé ce que je voulais accomplir. Maintenant, rien n'a plus d'importance... » Il est vrai qu'il connut rarement pareil triomphe au cours de sa carrière. Il ne paraît pas jouer, écrit Lucien Dubech. « Il est chez lui, c'est lui. On voit cela de temps en temps au théâtre, pas souvent. »

Au bout de quinze jours, il doit cependant cesser cette folie. Pour terminer la saison, on reprend la *Dame aux camélias*, montée également en Suisse. On rouvrira avec elle en octobre ; laissez le décor planté : c'est la première fois que Georges donne semblable consigne. Hélas !... Nous sommes au début de l'été 1939. La guerre éclate. Il retourne à Bellevue, en Suisse, chez Nora Sylvère. Il parle de remonter un théâtre à Genève, comme vingt-cinq ans plus tôt. La nécessité financière, d'ailleurs, s'en fait cruellement sentir. Le 17 septembre, Jim Gérald lui apprend qu'on est sur le point de lui trouver une salle. Trop tard. Il va mourir. Il le sait. Il meurt à la fin de l'après-midi — le jour précis de son cinquante-cinquième anniversaire.

Restée seule, Ludmilla jouera encore en Suisse, en Amérique, en France. Elle s'éteindra à Rueil-Malmaison, le 15 septembre 1951.

REPERTOIRE DU VIEUX-COLOMBIER (1)

1913-1914

22 Octobre : Thomas Heywood, *Une femme tuée par la douceur* (adaptation de Copeau).
22 Octobre : Molière, *L'Amour Médecin.*
11 Novembre : Jean Schlumberger, *Les Fils Louverné.*
18 Novembre : Alfred de Musset, *Barberine.*
23 Novembre : Tristan Bernard, *Daisy.*
23 Novembre : Molière, *L'Avare.*
24 Novembre : Jules Renard, *Le Pain de Ménage.*
Georges Courteline, *La Peur des coups.*
29 Novembre : Adam de la Halle, *Jeu de Robin et de Marion.*
22 Décembre : Anonyme, *La Farce du savetier enragé* (adaptation d'Alexandre Arnoux).
1er Janvier : Molière, *La Jalousie du Barbouillé.*
15 Janvier : Claudel, *L'Echange.*
9 Février : Roger Martin du Gard, *Le Testament du Père Leleu.*
Henri Becque, *La Navette.*
10 Mars : Dostoievski, *Les Frères Karamazov* (adaptation de J. Copeau).
25 Avril : Henri Gheon, *L'Eau-de-Vie.*
22 Mai : Shakespeare, *La Nuit des Rois* (adaptation de Théodore Lascaris).

1917-1918 (New-York)

27 Novembre : Jacques Copeau, *Impromptu du Vieux-Colombier.*
Molière, *Les Fourberies de Scapin.*
5 Décembre : Prosper Mérimée, *Le Carrosse du Saint-Sacrement.*
8 Janvier : François de Curel, *La Nouvelle Idole.*
31 Janvier : Marivaux, *La Surprise de l'amour.*
6 Février : Auguste Villeroy, *La Traverse.*
Jules Renard, *Poil de Carotte.*

---

(1) Nous ne mentionnons ici que les *créations* — à l'exclusion de toute reprise. Le même principe sera adopté pour les répertoires des spectacles montés par les quatre autres metteurs en scène.

20 Février : Octave Mirbeau, *Les Mauvais Bergers.*
5 Mars : Meilhac et Halevy, *La Petite Marquise.*
2 Avril : Georges Courteline, *La Paix chez soi.*
16 Avril : Georges de Porto-Riche, *La Chance de Françoise.*

1918-1919 (*New-York*)

14 Octobre : Henri Bernstein, *Le Secret.*
21 Octobre : Beaumarchais, *Le Mariage de Figaro.*
28 Octobre : Eugène Brieux, *Blanchette.*
4 Novembre : Maurice Donnay, *Georgette Lemeunier.*
11 Novembre : Anatole France, *Crainquebille.*
11 Novembre : Georges Clémenceau, *Le Voile du Bonheur.*
18 Novembre : Alexandre Dumas Fils, *La femme de Claude.*
25 Novembre : Molière, *Le Médecin malgré lui.*
Théodore de Banville, *Gringoire.*
2 Décembre : Ibsen, *Rosmersholm.*
9 Décembre : Emile Augier et Jules Sandeau, *Le Gendre de M. Poirier.*
16 Décembre : Alfred de Musset, *Les Caprices de Marianne.*
Tristan Bernard, *Le Fardeau de la Liberté.*
23 Décembre : Edmond Rostand, *Les Romanesques.*
30 Décembre : Georges Courteline, *Boubouroche.*
13 Janvier : Alfred de Vigny, *Chatterton.*
27 Janvier : Corneille, *Le Menteur.*
3 Février : Erckmann-Chatrian, *L'Ami Fritz.*
10 Février : Maurice Maeterlinck, *Pelléas et Mélisande.*
17 Février : Percy Mackaye, *Washington.*
La Fontaine et Champmesle, *La Coupe enchantée.*
3 Mars : Alfred Capus, *La Veine.*
17 Mars : Molière, *Le Misanthrope.*

1919-1920

10 Février : Shakespeare, *Le Conte d'hiver* (adaptation J. Copeau et S. Bing).
5 Mars : Charles Vildrac, *Le Paquebot Tenacity.*
10 Avril : Georges Duhamel, *L'Œuvre des Athlètes.*
27 Mai : Jules Romains, *Cromodeyre-le-Vieil.*
1er Juillet : Francis Viélé-Griffin, *Phocas le Jardinier.*
Emile Mazaud, *La Folle Journée.*

1920-1921

24 Janvier : Henri Gheon, *Le Pauvre sous l'escalier.*
23 Mars : Jean Schlumberger, *La Mort de Sparte.*
15 Avril : Anton Tchekhov, *L'Oncle Vania.*
13 Mai : François Porché, *La Dauphine.*
27 Mai : Alfred de Musset, *Un Caprice.*

1921-1922

15 Octobre : Anatole France, *Au Petit Bonheur.*
Louis Fallens, *La Fraude.*

7 Mars : ALEXIS TOLSTOI, *L'Amour, livre d'or* (adapt. de Gramont).
NICOLAS EVREINOV, *La Mort joyeuse* (adapt. de Denis Roche).
21 Avril : RENÉ BENJAMIN, *Les Plaisirs du hasard.*
16 Juin : ANDRÉ GIDE, *Saül.*

1922-1923

25 Octobre : GABRIEL NIGOND, *Sophie Arnould.*
RENÉ BENJAMIN, *La Pie borgne.*
JEAN VARIOT, *La Belle de Haguenau.*
15 Novembre : ANONYME, *Maître Pierre Pathelin* (adapt. de Roger Allard).
21 Décembre : CHARLES VILDRAC, *Michel Auclair.*
27 Janvier : MOLIÈRE, *Sganarelle.*
NICOLAS GOGOL, *Hyménée.*
2 Février : CARLO GOZZI, *La Princesse Turandot* (adapt. de J.-J. Olivier).
8 Mars : JACQUES COPEAU, *Prologue improvisé.*
28 Mars : EMILE MAZAUD, *Dardamelle.*
15 Mai : LÉON REGIS et FRANÇOIS DE VEYNES, *Bastos le Hardi.*

1923-1924

31 Octobre : PIERRE BOST, *L'Imbécile.*
CARLO GOLDONI, *La Locandiera* (adapt. de Mme Darsenne).
18 Décembre : JACQUES COPEAU, *La Maison Natale.*
14 Février : RENÉ BENJAMIN, *Il faut que chacun soit à sa place.*

OUVRAGES DE JACQUES COPEAU (1)

a) *Essais*

1915. — Traduction du livre de Clutton-Brock : *Méditations sur la guerre* (Paris, N. R. F.).
1921. — *Cahiers du Vieux-Colombier* (I — *Les amis du Vieux-Colombier.* II — *L'Ecole du Vieux-Colombier*) — Paris, N.R.F.
1923. — *Critiques d'un autre temps* (Paris, N.R.F.).
1931. — *Souvenirs du Vieux-Colombier* (Paris, Nouvelles Editions Latines).
1936. — *L'art du metteur en scène* (Encyclopédie française).
1941. — *Le Théâtre populaire* (Paris, Presses Universitaires de France, Bibliothèque du Peuple).
1955. — *Notes sur le métier de comédien* (Paris, Marcel Brient).

(1) Liste limitée aux *volumes* parus en librairie. Il en sera de même pour les bibliographies suivantes.

b) *Théâtre*

1917. — *Impromptu du Vieux-Colombier* (Paris - New-York - Gallimard - Collection du Vieux-Colombier).
1923. — *La Maison Natale* (Paris N.R.F. - Répertoire du Vieux-Colombier).
1946. — *Le Petit Pauvre* (Paris, Gallimard).

c) *Traductions, adaptations*

1924. — *Une femme tuée par la douceur,* de Thomas Heywood (Paris, N.R.F.).
1924. — *Le Conte d'Hiver,* de Shakespeare (Paris, N.R.F., Répertoire du Vieux-Colombier).
1946. — *Les Frères Karamazov,* d'après Dostoïevski (Paris, Gallimard première édition 1911 - Paris N.R.F.).
Tragédies de Shakespeare (Paris, Union Latine d'Editions).

REPERTOIRE DES ŒUVRES MISES EN SCENE PAR LOUIS JOUVET

1922-1923 (Comédie des Champs-Elysées)

13 Mars : JULES ROMAINS, *Monsieur le Trouhadec saisi par la débauche.*

1923-1924 (Comédie des Champs-Elysées)

14 décembre : JULES ROMAINS, *Knock ou Le Triomphe de la Médecine.*
JULES ROMAINS, *Amédée et les Messieurs en rang.*

1924-1925 (Comédie des Champs-Elysées)

6 octobre : JULES ROMAINS, *La Scintillante.*
24 octobre : EMILE MAZAUD, *La Folle Journée.*
ROGER MARTIN DU GARD, *Le Testament du Père Leleu.*
JULES RENARD, *Le Pain de Ménage.*
8 décembre : MARCEL ACHARD, *Malborough s'en va-t-en guerre.*
31 janvier : JULES ROMAINS, *Le Mariage de M. Le Trouhadec.*
17 avril : LES FRÈRES QUINTERO, *L'Amour qui passe* (adaptation française de Mme Dubois et Roger Martin du Gard).
MOLIÈRE, *La Jalousie du Barbouillé.*
30 avril : FERNAND CROMMELYNCK, *Tripes d'Or.*

1925-1926 (Comédie des Champs-Elysées)

9 octobre : JULES ROMAINS, *Démétrios.*
CHARLES VILDRAC, *Mme Béliard.*
25 avril : BERNARD ZIMMER, *Bava l'Africain.*
2 septembre : PIERRE BOST, *Deux Paires d'amis.*
PROSPER MÉRIMÉE, *Le Carrosse du Saint-Sacrement.*

1926-1927 (Comédie des Champs-Elysées)

5 octobre : JULES ROMAINS, *Le Dictateur.*
28 décembre : SUTTON VANE, *Au Grand Large* (traduit de l'anglais par Paul Vérola).
5 avril : NICOLAS GOGOL, *Le Révizor* (adaptation d'Olga Choumansky et Jules Delacre).

1927-1928 (Comédie des Champs-Elysées).

12 octobre : JEAN SARMENT, *Léopold le Bien-Aimé.*
28 mars : BERNARD ZIMMER, *Le Coup du 2 décembre.*
3 mai : JEAN GIRAUDOUX, *Siegfried.*

1928-1929 (Comédie des Champs-Elysées)

30 janvier : STÈVE PASSEUR, *Suzanne.*
18 avril : MARCEL ACHARD, *Jean de la Lune.*

1929-1930 (Comédie des Champs-Elysées)

8 novembre : JEAN GIRAUDOUX, *Amphitryon 38.*
30 avril : RÉGIS GIGNOUX, *Le Prof' d'Anglais.*

1930-1931

25 octobre : JULES ROMAINS, *Donogoo-Tonka* (Théâtre Pigalle).
3 février : MOLIÈRE, *Le Médecin malgré lui* (Tournée en Italie, Suisse, Belgique).
20 mai : PIERRE DRIEU DE LA ROCHELLE, *L'Eau fraîche* (Comédie des Champs-Elysées).

1931-1932

29 octobre : ROGER MARTIN DU GARD, *Un Taciturne* (Comédie des Champs-Elysées).
5 novembre : JEAN GIRAUDOUX, *Judith* (Théâtre Pigalle).
19 décembre : JULES ROMAINS, *Le Roi masqué* (Théâtre Pigalle).
3 février : MARCEL ACHARD, *Domino* (Comédie des Champs-Elysées).
8 mars : ALFRED SAVOIR, *La Pâtissière du Village* (Théâtre Pigalle).

1932-1933 (Comédie des Champs-Elysées)

18 novembre : ALFRED SAVOIR, *La Margrave.*
1er mars : JEAN GIRAUDOUX, *Intermezzo.*

1933-1934 (Comédie des Champs-Elysées)

8 décembre : MARCEL ACHARD, *Pétrus.*
11 avril : JEAN COCTEAU, *La Machine Infernale.*

1934-1935 (Athénée)

14 novembre : MARGARET KENNEDY et BASIL DEAN, *Tessa* (adaptation de Jean Giraudoux).

1935-1936 (Athénée)

22 novembre : JEAN GIRAUDOUX, *La Guerre de Troie n'aura pas lieu.*
JEAN GIRAUDOUX, *Supplément au Voyage de Cook.*
9 mai : MOLIÈRE, *L'Ecole des Femmes.*

1936-1937

9 janvier : STÈVE PASSEUR, *Le Château de Cartes* (Athénée).

15 février : PIERRE CORNEILLE, *L'Illusion* (Comédie-Française).
13 mai : JEAN GIRAUDOUX, *Electre* (Athénée).

1937-1938 (Athénée)

4 décembre : JEAN GIRAUDOUX, *L'Impromptu de Paris.*
25 mars : MARCEL ACHARD, *Le Corsaire.*

1938-1939

28 septembre : JEAN GIRAUDOUX, *Cantique des Cantiques* (Comédie Française).
13 octobre : PIERRE LESTRINGEZ, *Tricolore* (Comédie Française).
4 mai : JEAN GIRAUDOUX, *Ondine* (Athénée).

1941 (Amérique Latine)

14 juillet : JEAN DE LA FONTAINE et CHARLES CHAMPMESLE, *La Coupe enchantée.*
3 septembre : STÈVE PASSEUR, *Je vivrai un grand amour.*

1942 (Amérique Latine)

16 juin : ALFRED DE MUSSET, *On ne badine pas avec l'amour.*
JEAN GIRAUDOUX, *L'Apollon de Marsac.*
19 juin : PAUL CLAUDEL, *L'Annonce faite à Marie.*
26 juin : PROSPER MÉRIMÉE, *L'Occasion.*
30 juin : JULES SUPERVIELLE, *La Belle au Bois.*

1945-1951

22 décembre 1945 : JEAN GIRAUDOUX, *La Folle de Chaillot* (Athénée).
19 avril 1947 : JEAN GENET, *Les Bonnes* (Athénée).
24 décembre 1947 : MOLIÈRE, *Don Juan* (Athénée).
18 février 1949 : MOLIÈRE, *Les Fourberies de Scapin* (Théâtre Marigny, Compagnie Renaud-Barrault).
27 janvier 1950 : MOLIÈRE, *Tartuffe* (Athénée).
7 juin 1951 : JEAN-PAUL SARTRE, *Le Diable et le Bon Dieu* (Théâtre Antoine).

OUVRAGES DE LOUIS JOUVET

1936. — *L'art du comédien* (Encyclopédie française).
1939. — *Réflexions du Comédien* (Paris, Nouvelle Revue Critique, collection « Choses et Gens de Théâtre »).
1945. — *Prestiges et perspectives du Théâtre français, quatre années de tournée en Amérique latine* (Paris, Gallimard).
1951. — *Ecoute, mon ami* (Paris, Flammarion).
1951. — *Témoignages sur le Théâtre* (Paris, Flammarion, Bibliothèque d'Esthétique).
1954. — *Le Comédien désincarné* (Paris, Flammarion, Bibliothèque d'Esthétique).

REPERTOIRE DES ŒUVRES MISES EN SCENE PAR CHARLES DULLIN

Printemps 1921 (177 Boulevard Péreire)

ALEXANDRE ARNOUX : *Moriana et Galvan.*

Eté 1921 (Néronville)

THOMAS GUEULETTE : *Parade.*
REGNARD : *Le Divorce.*
GEORGES COURTELINE : *Les Boulingrins.*

Printemps 1922 (Les Ursulines)

CALDERON : *Visites de condoléances.*
CERVANTÈS : *L'Hôtellerie.*
LOPE DE RUEDA : *Les Olives.*
MAX JACOB : *Chantage.*
MAGDELEINE BERUBET : *Monsieur Sardony.*
MOLIÈRE : *L'Avare.*

Juin 1922 (Vieux-Colombier)

CALDERON : *La Vie est un Songe.*
MÉRIMÉE : *L'Occasion.*

Eté 1922 (Néronville).

ROGER MARTIN DU GARD : *Le Testament du Père Leleu.*
MARIVAUX : *Arlequin poli par l'Amour.*

1922-1923 (Atelier)

JACINTO GRAU : *Monsieur de Pygmalion.*
PIRANDELLO : *La Volupté de l'Honneur.*
ALEXANDRE ARNOUX : *Huon de Bordeaux.*
ALFRED DE MUSSET : *Carmosine.*
N. DE LA CHESNAYE : *La Mort de Souper.*
JEAN BLANCHON : *La Promenade du Prisonnier.*
MARCEL ACHARD : *Celui qui vivait sa mort.*

GEORGES PILLEMENT : *Cyprien ou l'Amour à dix-huit ans.*
FLORY BELL : *Mais un ange intervint.*
SOPHOCLE : *Antigone* (adaptation de Jean Cocteau).
LABICHE : *22° à l'Ombre.*

1923-1924 (Atelier)

JARL PRIEL : *Les Risques de la Vertu.*
JEAN VARIOT : *Le Chevalier sans nom.*
MARCEL ACHARD : *Voulez-vous jouer avec moâ ?*
GOLDONI : *L'Eventail.*
COURTELINE : *Les Mentons Bleus.*
ANTONIN CARRIÈRE : *L'Homme Rouge.*
BERNARD ZIMMER : *Le Veau gras.*
ALEXANDRE ARNOUX : *Petite Lumière et l'Ourse.*
BAZILE : *Mais l'âne intervint.*

1924-1925 (Atelier)

PIRANDELLO : *Chacun sa vérité.*
BERNARD ZIMMER : *Les Zouaves.*
GÉRARD DE NERVAL : *Corilla.*
MOLIÈRE : *Georges Dandin.*
VILLIERS DE L'ISLE-ADAM : *La Révolte.*
SCHALOM ASCH : *Le Dieu de Vengeance.*

1925-1926 (Atelier)

J. NEIS : *La Lame sourde.*
BEN JONSON : *La Femme silencieuse* (adaptation de Marcel Achard).
ALFRED DE MUSSET : *Il faut qu'une porte soit ouverte ou fermée.*
PIRANDELLO : *Tout pour le mieux.*
ROGER-FERDINAND : *Irma.*
MARCEL ACHARD : *Je ne vous aime pas.*
ADEEMS : *Les Serments d'Usage.*

1926-1927 (Atelier)

RÉGIS et DE VEYNES : *La Grande Pénitence* et *Chagrins d'Amour.*
EVREINOFF : *La Comédie du Bonheur.*
STÈVE PASSEUR : *Pas encore.*
MARCEL ACHARD : *Le Joueur d'Echecs.*
JEAN BLANCHON : *Hara-Kiri.*

1927-1928 (Atelier)

HERMON OULD : *La Danse de Vie.*
ARISTOPHANE : *Les Oiseaux* (Adaptation de Bernard Zimmer).

1928-1929 (Atelier)

STÈVE PASSEUR : *A quoi penses-tu ?*
BEN JONSON : *Volpone* (adaptation de Jules Romains, d'après Stefan Zweig).

1929-1930 (Atelier)

Raymond Rouleau : *L'Admirable Visite.*
Ruzzante : *Bilora* (adaptation de A. Mortier).
Armand Salacrou : *Patchouli.*
G. Farghar et Constantin-Weyer : *Le Stratagème des Roués.*

1930-1931 (Atelier)

Pierre Frondaie : *Le Fils de Don Quichotte.*
Jules Romains : *Musse ou L'Ecole de l'Hypocrisie.*
Valentin Kataiev : *La Quadrature du Cercle* (adaptation de Hunsbucler).
Ferrand Fleuret et Georges Girard : *Fraternité.*
Armand Salacrou : *Atlas-Hôtel.*

1931-1932 (Atelier)

François Porché : *Tsar Lénine.*
André de Richaud : *Le Village.*
Simone-Camille Sans (alias Simone Jollivet) : *L'Ombre.*
Stève Passeur : *Les Tricheurs.*

1932-1933 (Atelier)

André de Richaud : *Le Château des Papes.*
Aristophane : *La Paix* (adaptation de François Porché).

1933-1934 (Atelier)

Shakespeare : *Richard III* (adaptation d'André Obey).
Jacques Klein : *Les Coqs.*
John Ford : *Dommage qu'elle soit une prostituée* (adaptation de Georges Pillement).

1934-1935 (Atelier)

Breal : *Les Trois Camarades.*
Calderon : *Le Médecin de son Honneur* (adaptation d'Alexandre Arnoux).

1935-1936 (Atelier)

Labiche : *Le Misanthrope et l'Auvergnat.*
Balzac : *Le Faiseur* (adaptation de Simone Jollivet).

1936-1937 (Atelier)

Roger Vitrac : *Le Camelot.*
Shakespeare : *Jules César* (adaptation de Simone Jollivet).

1938-1939 (Atelier)

Aristophane : *Plutus* (adaptation de Simone Jollivet).
Armand Salacrou : *La Terre est Ronde.*
Beaumarchais : *Le Mariage de Figaro* (Comédie Française).

1939-1940 (Opéra)

DARIUS MILHAUD : *Médée.*

1940-1944 (Théâtre de Paris)

MÉRIMÉE : *Le Ciel et l'Enfer.*
JEAN SARMENT : *Mamouret.*

1941-1942 (Théâtre de la Cité)

SIMONE JOLLIVET : *La Princesse des Ursins.*
LOPE DE VEGA : *Les Amants de Galice* (adaptation de J. Camp).

1942-1943 (Théâtre de la Cité)

ANATOLE FRANCE : *Crainquebille.*
PAUL MORAND : *La Matrone d'Ephèse.*
MOLIÈRE : *Monsieur de Pourceaugnac.*
GEORGES COURTELINE : *Le Gendarme est sans pitié.*
JEAN-PAUL SARTRE : *Les Mouches.*

1944-1945 (Théâtre de la Cité)

ANDRÉ DUMAS : *Maurin des Maures.*
SHAKESPEARE : *Le Roi Lear* (adaptation de Simone Jollivet).

1945-1946 (Théâtre de la Cité)

ARMAND SALACROU : *Le Soldat et la Sorcière.*

1946-1947 (Théâtre de la Cité)

JULES ROMAINS : *L'An Mil.*
CORNEILLE : *Cinna.*

1947-1948 (Théâtre Montparnasse)

ARMAND SALACROU : *L'Archipel Lenoir.*

1949 (Théâtre des Célestins, Lyon)

BALZAC : *La Marâtre* (adaptation de Simone Jollivet).

OUVRAGES DE CHARLES DULLIN

1926. — *L'Art cinématographique* (en collaboration avec Pierre Mac Orlan, André Beucler, le Dr. Allendy).
1946. — *Souvenirs et notes de travail d'un acteur* (Paris, Lieutier).
1946. — *Mise en scène de « l'Avare »* (Paris, Editions du Seuil).
1948. — *Mise en scène de « Cinna »* (Paris, Editions du Seuil).

REPERTOIRE DES ŒUVRES MISES EN SCENE PAR GASTON BATY

Printemps 1920

CH. HELLEM et POL D'ESTOC : *La Grande Pastorale* (Cirque d'Hiver).
SAINT-GEORGES DE BOUHELIER : *Les Esclaves* (Théâtre des Arts).

1920-1921

H.-R. LENORMAND : *Le Simoun* (Comédie Montaigne).
MOLIÈRE : *L'Avare* (Comédie-Montaigne).
LABICHE : *29° à l'Ombre* (Comédie-Montaigne).
FERNAND CROMMELYNCK : *Les Amants puérils* (Comédie-Montaigne).
BERNARD SHAW : *Le Héros et le Soldat* (Comédie-Montaigne).
PAUL CLAUDEL : *L'Annonce faite à Marie* (Comédie-Montaigne).

1921-1922

HERMAN GRÉGOIRE : *Haya* (Comédie des Champs-Elysées)
JEAN VARIOT : *La Belle de Haguenau* (Comédie des Champs-Elysées)
JEAN SCHLUMBERGER : *Césaire* (Théâtre des Mathurins).
ADOLPHE ORNA : *La Farce de Popa Ghéorghé* (Théâtre des Mathurins).
JEAN-JACQUES BERNARD : *Martine* (Théâtre des Mathurins).
JEAN-VICTOR PELLERIN : *Intimité* (Théâtre des Mathurins).

1922-1923

DENYS AMIEL : *Le Voyageur* (Baraque de la Chimère).
LUCIEN BESNARD : *Je veux revoir ma Normandie* (Baraque de la Chimère).
SIMON GANTILLON : *Cyclone* (Baraque de la Chimère).
MARIE DIEMER : *L'Aube et le Soir de Sainte-Geneviève* (Baraque de la Chimère).

1923-1924

DENYS AMIEL et ANDRÉ OBEY : *La Souriante Madame Beudet* (Odéon).
EUGÈNE O'NEILL : *Empereur Jones* (Odéon).
HENRI TURPIN et PIERRE-PAUL FOURNIER : *Le Voile du Souvenir* (Odéon).

Jean-Jacques Bernard : *L'Invitation au Voyage* (Odéon).
Tristan Bernard : *Le Fardeau de la Liberté* (Odéon).
Paul Haurigot : *Alphonsine* (Théâtre du Vaudeville).

1924-1925

Thomas Gueullette : Suite de *Parades* (Studio des Champs-Elysées).
Simon Gantillon : *Maya* (Studio des Chemps-Elysées).
H.-R. Lenormand : *A l'ombre du Mal* (Studio des Champs-Elysées).
Strindberg : *Mademoiselle Julie* (Studio des Champs-Elysées).
Jean Gaument et Camille Cé : *Déjeuner d'Artistes* (Studio des Champs-Elysées).
Albert-Jean : *L'Etrange Epouse du Professeur Stierbecke* (Studio des Champs-Elysées).
Paul Demasy : *La Cavalière Elsa* (d'après le roman de Pierre Mac Orlan).

1925-1926

Gabriel Marcel : *La Chapelle Ardente* (Vieux-Colombier).
André Lang : *Fantaisie amoureuse* (Vieux-Colombier).
Alfred Savoir : *Le Dompteur ou l'Anglais tel qu'on le mange* (Théâtre Michel).
Boussac de Saint-Marc : *Le Couvre-Feu* (Studio des Champs-Elysées).
Bernard Shaw : *L'Homme du Destin* (Studio des Champs-Elysées).
Jean-Blanchon : *Le Bourgeois romanesque* (Studio des Champs-Elysées).
Anne Valray : *Une Visite* (Studio des Champs-Elysées).
Jean-Victor Pellerin : *Têtes de Rechange* (Studio des Champs-Elysées).
J. et M. de Zogher : *Les Chevaux du Char* (Théâtre Antoine).

1926-1927

H.-R. Lenormand : *L'Amour magicien* (Studio des Champs-Elysées).

1927-1928

Philippe Fauré-Frémiet : *Amilcar* (Studio des Champs-Elysées).
Elmer Rice : *La Machine à calculer* (adaptation de Léonie Jean-Proix) (Studio des Champs-Elysées).
An-Ski : *Le Dibbouk* (adaptation de Marie-Thérèse Koermer) (Studio des Champs-Elysées).
Jean-Victor Pellerin : *Cris des Cœurs* (Théâtre de l'Avenue).

1928-1929

Shakespeare : *Hamlet* (première version - adaptée par Théodore Lascaris) (Théâtre de l'Avenue).
Simon Gantillon : *Départs* (Théâtre de l'Avenue).
Molière : *Le Malade imaginaire* (Théâtre de l'Avenue).
Ch. Oulmont et Paul Masson : *La Voix de sa Maîtresse* (Théâtre de l'Avenue).

Léonhard Frank : *Karl et Anna* (adaptation de J.-R. Bloch) (Théâtre de l'Avenue.

1929-1930

Pierre Dominique : *Feu du Ciel* (Théâtre Pigalle).

1930-1931

John Gay et Bert Brecht : *L'Opéra de Quat' Sous* (Théâtre Montparnasse).
Molière : *Le Médecin malgré lui* (Théâtre Montparnasse) .
Pierre Choudard-Desforges : *Le Sourd ou l'Auberge pleine* (Théâtre Montparnasse.
Jean-Victor Pellerin : *Terrain vague* (Théâtre Montparnasse).
Bernard Zimmer : *Beau Danube rouge* (Théâtre Montparnasse).

1931-1932

Simon Gantillon : *Bifur* (Théâtre Montparnasse).

1932-1934

Denys Amiel : *Café-Tabac* (Théâtre Montparnasse).
Pirandello : *Comme tu me veux* (adaptation de Benjamin Crémieux) (Théâtre Montparnasse).
Gaston Baty : *Crime et Châtiment* (d'après Dostoïevski) (Théâtre Montparnasse).

1934-1935

Jacques Chabannes : *Voyage Circulaire* (Théâtre Montparnasse).
Lucienne Favre : *Prosper* (Théâtre Montparnasse).

1935-1936

Albert Jean : *Hôtel des Masques* (Théâtre Montparnasse).
Alfred de Musset : *Les Caprices de Marianne* (Théâtre Montparnasse).

1936-1937

Gaston Baty : *Madame Bovary* (d'après Flaubert) (Théâtre Montparnasse).
H.-R. Lenormand : *Les Ratés* (Théâtre Montparnasse).
Gœthe : *Faust* (adaptation d'Edmond Fleg) (Théâtre Montparnasse).
Alfred de Musset : *Le Chandelier* (Comédie-Française).

1937-1938

Marcelle Maurette : *Madame Capet* (Théâtre Montparnasse).
Eugène Labiche : *Un Chapeau de paille d'Italie* (Comédie-Française).

1938-1939

H.-R. Lenormand : *Arden de Feversham* (Théâtre Montparnasse).
Gaston Baty : *Dulcinée* (Théâtre Montparnasse).
Marcelle Maurette : *Manon Lescaut* (Théâtre Montparnasse).

1939-1940

Racine : *Phèdre* (Théâtre Montparnasse).

1940-1941

Eugène Labiche : *Un Garçon de chez Véry* (Théâtre Montparnasse).

1941-1942

Marcelle Maurette : *Marie Stuart* (Théâtre Montparnasse).

1942-1943

Shakespeare : *Macbeth* (adaptat. de Gaston Baty) (Théâtre Montparnasse).

1943-1944

Claude-André Puget : *Le Grand Poucet* (Théâtre Montparnasse).
Gaston Baty : *La Queue de la Poêle* (d'après les féeries du Boulevard du Crime) - Marionnettes de Gaston Baty - (Salon de l'Imagerie, Pavillon de Marsan).

1944-1945

Simone : *Emily Bronte* (Théâtre Montparnasse).

1945-1946

Alfred de Musset : *Lorenzaccio* (adaptation de Gaston Baty) (Théâtre Montparnasse).

1946-1947

Racine : *Bérénice* (Comédie-Française).
Marivaux : *Arlequin poli par l'Amour* (Comédie-Française).
Alexandre Arnoux : *L'Amour des Trois Oranges* (Théâtre Montparnasse).

1947-1948

Alphonse Daudet et Adolphe Belot : *Sapho* (Comédie-Française).
Gaston Baty : *La Langue des Femmes* - Marionnettes à la Française de Gaston Baty - (Archives Internationales de la Danse).
Gaston Baty : *La Marjolaine* (Archives Internationales de la Danse).
Marcel Fabry : *Au Temps où Berthe filait* (Archives Internationales de la Danse).

1948-1949

ARMAND SALACROU : *L'Inconnue d'Arras* (Comédie Française - salle Luxembourg).
GASTON BATY : *La Tragique et plaisante Histoire du Docteur Faust* (Marionnettes - Tournée en Allemagne).

OUVRAGES DE GASTON BATY

1905. — *La Passion,* drame en 5 actes en prose (Lyon, Librairie P. Phily).
1911. — *Blancheneige,* conte allemand en 4 actes (Lyon, Tirage limité hors commerce).
1926. — *Le Masque et l'Encensoir* (Paris, Bloud et Gay).
1932. — *Vie de l'Art théâtral des origines à nos jours* (Paris, Plon - En collaboration avec René Chavance).
1933. — *Crime et Châtiment,* 20 tableaux (Paris, « Masques » - Editions Coutan-Lambert).
1934. — *Guignol,* Pièces du répertoire lyonnais (Paris « Masques » - Editions Coutan-Lambert).
1936. — *Les Marionnettes* (Encyclopédie française)
1936. — *Madame Bovary,* 20 tableaux (Paris, « Masques » Editions Coutan-Lambert).
1937. — *Le Théâtre Joly,* crèches et marionnettes lyonnaises à fils (Paris, « Masques » Editions Coutan-Lambert).
1938. — *Dulcinée,* tragi-comédie en 2 parties et 9 tableaux (Paris, « Masques » Editions Coutan-Lambert).
1941. — *La Mise en scène,* conférence (Lyon, plaquette hors commerce).
1942. — *Trois p'tits tours et puis s'en vont...* Théâtres forains de marionnettes à fils et leur répertoir 1800-1890 (Paris, « Masques » Odette Lieutier).
1949. — *Rideau baissé* (Paris, Bordas).
1952. — *Mise en scène des « Caprices de Marianne »* (Paris, Editions du Seuil).

REPERTOIRE DES ŒUVRES MISES EN SCENE PAR GEORGES PITOEFF

1915-1916

Octobre : Tchekhov : *Oncle Vania* (en russe), Salle Privée.
16 novembre : Ibsen : *Hedda Grabler* (en français), La Comédie.
26 décembre : Tourguenieff : *Sans argent* (en russe), Salle des Amis de l'Instruction.
Block : *Les Tréteaux* (en russe), Salle des Amis de l'Instruction.
1er mars : Pouchkine : *Le Festin pendant la peste,* Salle des Amis de l'Instruction.
Tchekhov : *La Demande,* Salle des Amis de l'Instruction.
5 avril : Ibsen : *Les Revenants,* Salle des Amis de l'Instruction.
Koutschak : *Chanson d'Amour,* Salle des Amis de l'Instruction.

1916-1917

13 novembre : Bernard Shaw : *Candida,* Grand Théâtre.
19 novembre : Sourgoutcheff : *Les Violons d'automne* (en russe), Salle communale de Plainpalais.
16 janvier : Przybysewski : *La Neige,* Casino Saint-Pierre.
12 mars : Gogol : *Le Revizor,* Grand Théâtre.

1917-1918

29 octobre : Tolstoi : *La Puissance des Ténèbres,* Salle des Amis de l'Instruction.
3 décembre : Claudel : *L'Echange,* Salle des Amis de l'Instruction.
10 décembre : Bjornson : *Au-dessus des forces humaines,* Salle des Amis de l'Instruction.
15 janvier : Maeterlinck : *Sœur Béatrice,* Salle communale de Plainpalais.
22 janvier : Andreieff : *Celui qui reçoit les gifles,* Salle communale de Plainpalais.
12 mars : Chavannes : *La Vénus du Lac* et *Halte au Village,* Salle communale de Plainpalais.

10 avril : Brantmay : *L'Estomac,* Salle communale de Plainpalais.
Bjornson : *Amour et géographie,* Salle communale de Plainpalais.
20 avril : Mérimé : *L'Amour africain,* Salle communale de Plainpalais.
30 avril : Schlemmer : *Edifice sur le sable* et *Naufrage,* Salle communale de Plainpalais.
3 juin : Duhamel : *Dans l'ombre des statues,* Salle communale de Plainpalais.

1918-1919

24 octobre : Tolstoi : *Le cadavre vivant,* Salle communale de Plainpalais.
26 novembre : Goldoni : *La Locandiera,* Salle communale de Plainpalais.
5 décembre : Bernard Shaw : *Le Soldat de chocolat,* Salle communale de Plainpalais.
17 décembre : D'Annunzio : *La Ville morte,* Salle communale de Plainpalais.
4 janvier : Lenormand : *Le Temps est un songe,* Salle communale de Plainpalais.
Musset et Augier : *L'Habit vert,* Salle communale de Plainpalais.
17 janvier : Ibsen : *Le Canard sauvage,* Salle communale de Plainpalais.
7 mars : Ostrovsky : *L'Orage,* Salle communale de Plainpalais.
21 mars : Strindberg : *Mademoiselle Julie,* Salle communale de Plainpalais.
10 avril : Synge : *Le Baladin du Monde occidental,* Salle communale de Plainpalais.
28 mai : Sacha Guitry : *Deburau,* Salle communale de Plainpalais.

1919-1920

15 octobre : Tagore : *Sacrifice,* Salle communale de Plainpalais.
Maeterlinck : *Le Miracle de Saint-Antoine,* Salle communale de Plainpalais.
29 octobre : Heyermans : *Toutes les âmes,* Salle communale de Plainpalais.
19 novembre : Shaw : *Le Disciple du diable,* Salle communale de Plainpalais.
27 décembre : Morhardt : *Vocalises,* Salle communale de Plainpalais.
16 janvier : Lenormand : *Les Ratés,* Salle communale de Plainpalais.
5 février : Ibsen : *Rosmersholm,* Salle communale de Plainpalais.
14 février : Delluc : *Ma femme danseuse,* Salle communale de Plainpalais.
28 février : Oulmont : *Clarté,* Salle communale de Plainpalais.
12 mars : Synge : *Les Noces du rétameur,* Salle communale de Plainpalais.
Tolstoi : *Toutes les qualités viennent d'Elle,* Salle communale de Plainpalais.

26 mars : STRINDBERG : *Le Père,* Salle communale de Plainpalais.
MORTIER : *Galatée,* Salle communale de Plainpalais.
16 avril : MAETERLINCK : *L'Oiseau Bleu,* Salle communale de Plainpalais.
28 avril : DUHAMEL : *Lapointe et Ropiteau,* Salle communale de Plainpalais.
TCHEKHOV : *Le Chant du Cygne,* Salle communale de Plainpalais.
LADY GREGORY : *La Porte de Prison,* Salle communale de Plainpalais.

1920-1921

19 octobre : SHAKESPEARE : *Mesure pour mesure,* Salle communale de Plainpalais.
22 octobre : PROZOR et COURTAZ : *Karma,* Salle communale de Plainpalais.
27 octobre : CHAVANNES : *Bourg Saint-Maurice,* Salle communale de Plainpalais.
5 novembre : FLEG : *La Maison du Bon Dieu,* Salle communale de Plainpalais.
17 novembre : VILDRAC : *Le Paquebot Tenacity,* Salle communale de Plainpalais.
MAETERLINCK : *La mort de Tintagile,* Salle communale de Plainpalais.
1er décembre : SHAKESPEARE : *Hamlet,* Salle communale de Plainpalais.
8 décembre : DESCARTES : *La Naissance de la Paix* (ballet), Salle communale de Plainpalais.
29 décembre : GORKI : *Dans les Bas-Fonds,* Salle communale de Plainpalais.
8 janvier : TCHEKHOV : *Oncle Vania* (en français), Salle communale de Plainpalais.
24 janvier : BOUHÉLIER : *La Vie d'une femme,* Salle communale de Plainpalais.
5 février : DUHAMEL : *Quand vous voudrez,* Salle communale de Plainpalais.

1921-1922

3 octobre : TCHEKHOV : *La Mouette,* Salle communale de Plainpalais.
24 octobre : SHAKESPEARE : *Macbeth,* Salle communale de Plainpalais.
18 novembre : DUMAS Fils : *La Dame aux camélias,* Salle communale de Plainpalais.
6 décembre : WILDE : *Salomé,* Salle communale de Plainpalais.
26 décembre : SHAW : *Androclès et le lion,* Salle communale de Plainpalais.
6 janvier : CHESTERTON : *Magie,* Salle communale de Plainpalais.
11 janvier : LENORMAND : *Le Mangeur de rêves,* Salle communale de Plainpalais.

26 janvier : ROBERT DE TRAZ : *Tête à tête,* Salle communale de Plainpalais.

1922-1923

20 décembre : WILDE et NOZIÈRE : *Le Portrait de Dorian Gray,* Comédie des Champs-Elysées.
12 janvier : ANET : *Mademoiselle Bourrat,* Comédie des Champs-Elysées.
10 avril : PIRANDELLO : *Six Personnages en quête d'auteur,* Comédie des Champs-Elysées.
8 juin : MOINAR : *Liliom,* Comédie des Champs-Elysées.

1923-1924

24 octobre : DUHAMEL : *La Journée des aveux,* Comédie des Champs-Elysées.
22 novembre : VILDRAC : *L'Indigent,* Comédie des Champs-Elysées.
BLOCK : *La Petite Baraque,* Comédie des Champs-Elysées.
7 février : KNUT HAMSUN : *Au Seuil du Royaume,* Comédie des Champs-Elysées.

1924-1925

24 octobre : RAMUZ et STRAWINSKY : *L'Histoire du Soldat,* Théâtre des Champs-Elysées.
3 janvier : PIRANDELLO : *Henri IV,* Théâtre des Arts.
28 avril : SHAW : *Sainte Jeanne,* Théâtre des Arts.

1925-1926

28 octobre : FLEG : *Le Juif du Pape,* Théâtre des Arts.
1er décembre : LENORMAND : *Le Lâche,* Théâtre des Arts.
17 décembre : DERERA : *L'Assoiffé,* Théâtre des Arts.
18 mars : MAZAUD : *L'Un d'eux,* Théâtre des Arts.
J.-J. BERNARD : *L'Ame en peine,* Théâtre des Arts.
4 mai : PIRANDELLO : *Comme ci ou comme* ça, Théâtre des Arts.
6 juin : COCTEAU : *Orphée,* Théâtre des Arts.
MARCEL ACHARD : *Et dzim... la... la,* Théâtre des Arts.

1926-1927

7 octobre : BOUSSAC DE SAINT-MARC : *Sardanapale,* Théâtre des Arts.
2 décembre : JULES ROMAINS : *Jean le Maufranc,* Théâtre des Arts.
18 juin : CROMMELYNCK : *Le Marchand de regrets,* Théâtre des Arts.

1927-1928

4 novembre : LENORMAND : *Mixture,* Théâtre des Mathurins.
17 janvier : SHAW : *La Maison des Cœurs brisés,* Théâtre des Mathurins.
20 février : IBSEN : *Brand,* Théâtre des Mathurins.

24 avril : Bouhélier : *La Célèbre Histoire,* Théâtre des Mathurins.
18 mai : Balgi : *Adam, Eve et Cie,* Théâtre des Mathurins.

1928-1929

17 octobre : Bérubet : *La Communion des Saints,* Théâtre des Arts.
18 décembre : Shaw : *César et Cléopâtre,* Théâtre des Arts.
26 janvier : Tchekhov : *Les Trois Sœurs,* Théâtre des Arts.
1er mai : Flurscheim et Le Gouriadec : *Vivre,* Théâtre des Arts.
24 mai : Pitoeff et Arnaud : *Le Vray Procès de Jeanne d'Arc,* Théâtre des Arts.

1929-1930

21 septembre : O'Neill : *Le Singe velu,* Théâtre des Arts.
17 octobre : Chancerel et Chavannes : *Magie,* Théâtre des Arts.
23 novembre : Bruckner : *Les Criminels,* Théâtre des Arts.

1930-1931

2 décembre : Ibsen : *Maison de poupée,* Théâtre de l'Œuvre.
16 janvier : Paul Vialar : *Les Hommes,* Théâtre des Arts.
14 avril : Shaw : *La Charrette de Pommes,* Théâtre des Arts.

1931-1932

14 octobre : Goldoni : *La Belle Hôtesse,* Théâtre Albert Ier.
19 février : Gide : *Œdipe,* Théâtre de l'Avenue.
2 mars : Supervielle : *La Belle au Bois,* Théâtre de l'Avenue.
2 mai : Angermayer : *Plus jamais ça,* Théâtre de l'Avenue.
13 mai : Sénèque : *Médée,* Théâtre de l'Avenue.
24 mai : Bergman : *Joë et Cie,* Théâtre de l'Avenue.
19 juillet : J.-J. Bernard : *La Louise,* Théâtre de l'Avenue.
Gobius : *Fait divers* : Théâtre de l'Avenue.

1932-1933

29 septembre : Schnitzler : *La Ronde,* Théâtre de l'Avenue.
14 mars : Le Marois : *Marc Aurèle,* Théâtre de l'Avenue.
3 mai : Bergman : *Les Gants blancs,* Théâtre de l'Avenue.
10 juin : Tchirikoff : *Les Juifs,* Théâtre du Vieux-Colombier.

1933-1934

29 octobre : Schnitzler : *Libeleï* et *Les derniers Masques,* Théâtre du Vieux-Colombier.
10 novembre : Mackenzie : *La Polka des Chaises,* Théâtre du Vieux Colombier.
mai : Musset : *Louison,* Château de Coppet.
Le Marois : *Intermèdes,* Château de Coppet.

1934-1935

15 novembre : Drieu la Rochelle : *Le Chef,* Théâtre des Mathurins.

19 janvier : PIRANDELLO : *Ce soir, on improvise,* Théâtre des Mathurins.
30 avril : BRUCKNER : *La Créature,* Théâtre des Mathurins.
4 juin : PASSEUR : *Je vivrai un grand amour,* Théâtre des Mathurins.
28 juin : GHÉON : *La Complainte de Pranzini et de Thérèse de Lisieux,* Théâtre des Mathurins.

1935-1936

23 novembre : SHAW : *Le Héros et le Soldat,* Théâtre des Mathurins.
11 janvier : KIRCHON : *Le merveilleux Alliage,* Théâtre des Mathurins.
21 février : LENORMAND : *La Folle du Ciel,* Théâtre des Mathurins.
21 février : VILDRAC : *Poucette,* Théâtre des Mathurins.
14 mai : KENNEDY : *Tu ne m'échapperas jamais,* Théâtre des Mathurins.

1936-1937

23 octobre : FERRERO : *Angelica,* Théâtre des Mathurins.
17 février : ANOUILH : *Le Voyageur sans bagages,* Théâtre des Mathurins.
TAGORE : *Amal et la lettre du Roi,* Théâtre des Mathurins.
16 avril : ROUSSEL et NINO : *Le Testament de Tante Caroline,* Opéra-Comique.
11 juin : SHAKESPEARE : *Roméo et Juliette,* Théâtre des Mathurins.
2 juillet : YOLE : *Eve,* Théâtre des Mathurins.
16 juillet : CIPRIAN : *Kirika,* Théâtre des Mathurins.

1937-1938

14 septembre : PRIESTLEY : *Des abeilles sur le pont supérieur,* Théâtre des Mathurins.
12 janvier : ANOUILH : *La Sauvage,* Théâtre des Mathurins.

1938-1939

16 septembre : SHAW : *L'Argent n'a pas d'odeur,* Théâtre des Mathurins.
SUPERVIELLE : *Le première Famille,* Théâtre des Mathurins.
3 novembre : TITAYNA : *Là-bas,* Théâtre des Mathurins.
10 décembre : MAURICE MARTIN DU GARD : *La Fenêtre ouverte,* Théâtre des Mathurins.
18 mai : IBSEN : *Un ennemi du peuple,* Théâtre des Mathurins

---

OUVRAGE POSTHUME DE PITOEFF

Notre Théâtre — Textes et documents réunis par Jean de Rigault — (Messages, 1949).

A CONSULTER

I. — *Sur les cinq metteurs en scène*

CAMILLE POUPEYE : *La Mise en scène théâtrale d'aujourd'hui* (Bruxelles, 1927).
PIERRE BRISSON : *Le Théâtre des années folles* (Genève, Editions du Milieu du Monde, 1943).
HENRI GOUHIER : *L'essence du Théâtre* (Paris, Plon, 1943).
ANDRÉ BOLL : *La mise en scène contemporaine* (Paris, Nouvelle Revue Critique, 1944).
JEAN HORT : *Les Théâtres du Cartel* (Genève, Skira, 1944).
MARCEL RAYMOND : *Le Jeu retrouvé* (Montréal, Editions de l'Arbre, 1946).
MARCEL DOISY : *Le Théâtre français contemporain* (Bruxelles, La Boétie, 1947).
LÉON MOUSSINAC : *Le Traité de la mise en scène* (Paris, Massin et Cie, 1948.
DUSSANE : *Notes de Théâtre* (Paris, Lardanchet, 1951).
ANDRÉ VILLIERS : *Psychologie de l'art dramatique* (Paris, Armand Colin, 1952).
ROBERT BRASILLACH : *Animateurs de Théâtre* (Paris, La Table Ronde, 1954).
ANDRÉ VEINSTEIN : *Du Théâtre Libre au Théâtre Louis Jouvet* (Paris, Billaudot, 1955).

II. — *Sur Jacques Copeau*

BERTHOLD MAHN : *Souvenirs du Vieux-Colombier* (Paris, Aveline, 1926).
JEAN VILLARD GILLES : *La Chanson, le Théâtre et la Vie* (Mermod, 1944).
MAURICE KURTZ : *Jacques Copeau,* traduit par Claude Cézan (Paris, Nagel, 1950).
REVUE D'HISTOIRE DU THEATRE — Numéro spécial — 1950.
GEORGES LERMINIER : *Jacques Copeau* (Paris, Presses Littéraires de France, 1953).

Jean Villard Gilles : *Mon demi-siècle* (Lausanne, Payot, 1954).
Clément Borgal : *Jacques Copeau* (Paris, L'Arche, 1960).

III. — *Sur Louis Jouvet*

Pierre Bertin : *Les Chevaliers de l'Illusion* (Paris, Le Bateau Ivre, 1947).
Jean Giraudoux : *Visitations* (Paris, Ides et Calendes, 1947).
Claude Cézan : *Louis Jouvet et le Théâtre d'aujourd'hui* (Paris, Emile-Paul, 1948).
Lipnitzki : *Louis Jouvet — Album photographique* (Paris, Emile-Paul, 1952).
Valentin Marquetty : *Mon ami Jouvet* (Paris, Conquistador, 1952).
Revue d'Histoire du Théatre — Numéro spécial — 1952.
François Boury : *Louis Jouvet* (Bourges, Gilco, 1953).

III. — *Sur Charles Dullin*

Revue d'Histoire du Théatre — Numéro spécial — 1950.
Jean Sarment : *Charles Dullin* (Paris, Calmann-Lévy, 1950).
Alexandre Arnoux : *Charles Dullin — Portrait brisé* (Paris, Emile-Paul, 1951).
Lucien Arnaud : *Charles Dullin* (Paris, L'Arche, 1952).
Pauline Teillon-Dullin et Charles Charras : *Charles Dullin ou les Ensorcelés du Châtelard* (Paris, Marcel Brient, 1955).

IV. — *Sur Gaston Baty*

Paul Blanchart : *Gaston Baty* (Paris, Nouvelle Revue Critique, 1939).
Raymond Cogniat : *Gaston Baty* (Paris, Presses Littéraires de France, 1953).
Revue d'Histoire du Théatre — Numéro spécial — 1953.
Auguste Villeroy : *Dix ans de théâtre* (Paris — Masques — 18e cahier).

V. — *Sur Georges Pitoëff*

H.-R. Lenormand : *Les Pitoëff, souvenirs* (Paris, Odette Lieutier, 1943).
Aniouta Pitoeff : *Ludmilla, ma mère — Vie de Ludmilla et Georges Pitoëff* (Paris, Juilliard, 1955).
André Frank : *Georges Pitoëff* (Paris, L'Arche, 1958).

ACHEVÉ D'IMPRIMER PAR
L'IMPRIMERIE A. LEMASSON
SAINT-LO
POUR LES ÉDITIONS FERNAND LANORE

DÉPOT LÉGAL : 4e TRIMESTRE 1963
N° D'ÉDITEUR : 306